WORDSEARCH

WORDSEARCH

This edition published in 2019 by Arcturus Publishing Limited
26/27 Bickels Yard, 151–153 Bermondsey Street,
London SE1 3HA

ISBN: 978-1-78950-479-8
AD006928NT

Printed in China

Contents

HAVING STRINGS

1

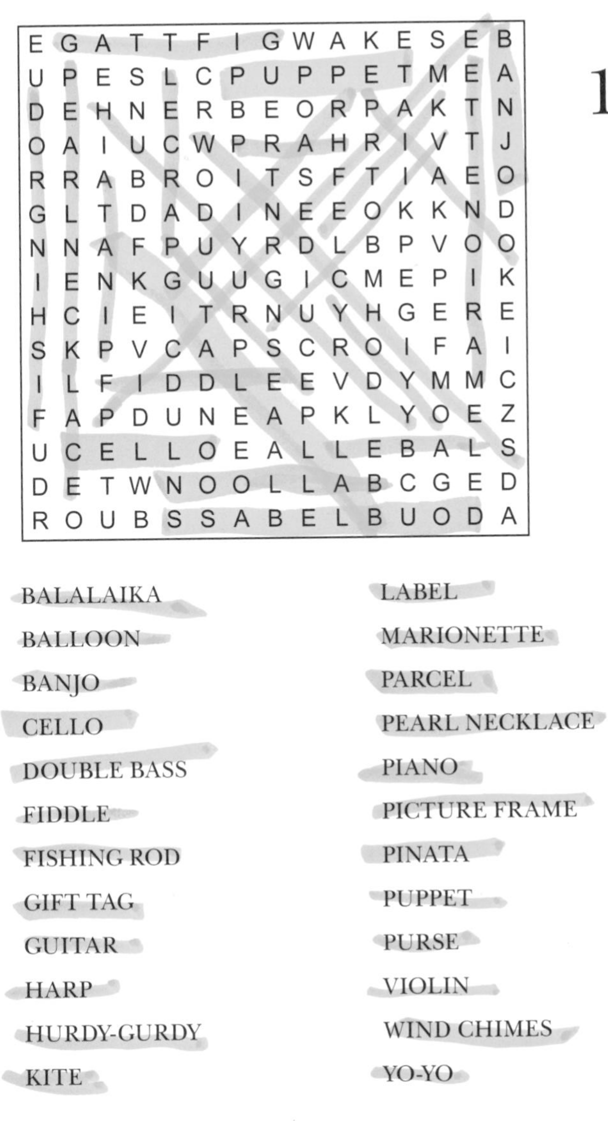

BALALAIKA
BALLOON
BANJO
CELLO
DOUBLE BASS
FIDDLE
FISHING ROD
GIFT TAG
GUITAR
HARP
HURDY-GURDY
KITE
LABEL
MARIONETTE
PARCEL
PEARL NECKLACE
PIANO
PICTURE FRAME
PINATA
PUPPET
PURSE
VIOLIN
WIND CHIMES
YO-YO

MOON CRATERS

2

B L C I L H U M B O L D T I M
A O Y Y K S V O K L O I S T A
Z C K G W S I E K R O I X K C
J T S A E E R H H P S T Q J H
G I N E R A T O S T H E N E S
D E E E N F B X K R J V E G A
H S V E R D R U P I G T T S P
O K T R A O T A L P S T U H E
W Y S O E I L X J H A I T D K
F T E Y E L L A H W N S I D O
U Y D Z Q L U D W I G S O B M
S C H E E L E E L W O F Y H A
G H Z W O X I P J N A R L J R
Q O O T O T P T I K D R Y F O
T L R E I F L O G T N O M C V

BOHR
BYRD
EDISON
ERATOSTHENES
EULER
HALLEY
HUMBOLDT
ISIS
KOMAROV
LORENTZ
LOWELL
LUDWIG
MACH
MONTGOLFIER
PLATO
PLINIUS
ROZHDESTVENSKY
SCHEELE
SIKORSKI
SVERDRUP
TSIOLKOVSKY
TYCHO
VEGA
WATT

MADE OF GLASS

3

AQUARIUM
ASHTRAY
BEADS
BEAKER
BOTTLE
CHAMPAGNE FLUTE
EGG TIMER
FLASK
FLOWER VASE
GOBLET
LENSES
LIGHT BULB
LORGNETTE
MARBLE
MIRROR
MONOCLE
PINCE-NEZ
PIPETTE
PITCHER
SPECTACLES
TABLE LAMP
TEST TUBE
TUMBLER
WINEGLASS

TOOLS

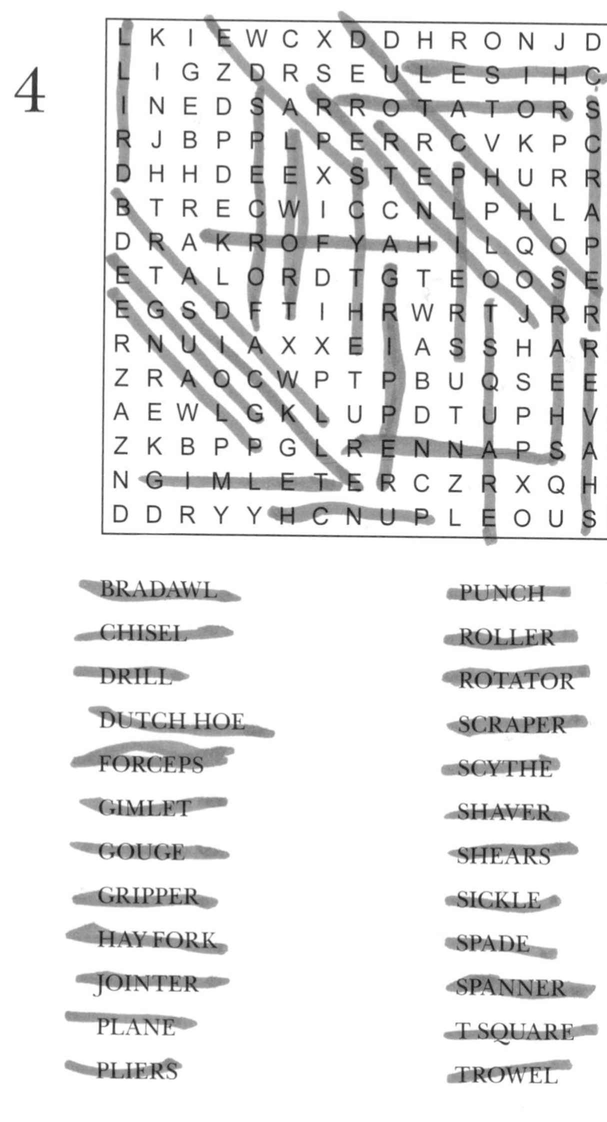
4
L K I E W C X D D H R O N J D
L I G Z D R S E U L E S I H C
I N E D S A R R O T A T O R S
R J B P P L P E R R C V K P C
D H H D E E X S T E P H U R R
B T R E C W I C C N L P H L A
D R A K R O F Y A H I L Q O P
E T A L O R D T G T E O O S E
E G S D F T I H R W R T J R R
R N U I A X X E I A S S H A R
Z R A O C W P T P B U Q S E E
A E W L G K L U P D T U P H V
Z K B P P G L R E N N A P S A
N G I M L E T E R C Z R X Q H
D D R Y Y H C N U P L E O U S
BRADAWL
CHISEL
DRILL
DUTCH HOE
FORCEPS
GIMLET
GOUGE
GRIPPER
HAYFORK
JOINTER
PLANE
PLIERS
PUNCH
ROLLER
ROTATOR
SCRAPER
SCYTHE
SHAVER
SHEARS
SICKLE
SPADE
SPANNER
T SQUARE
TROWEL

MADE OF PAPER

5

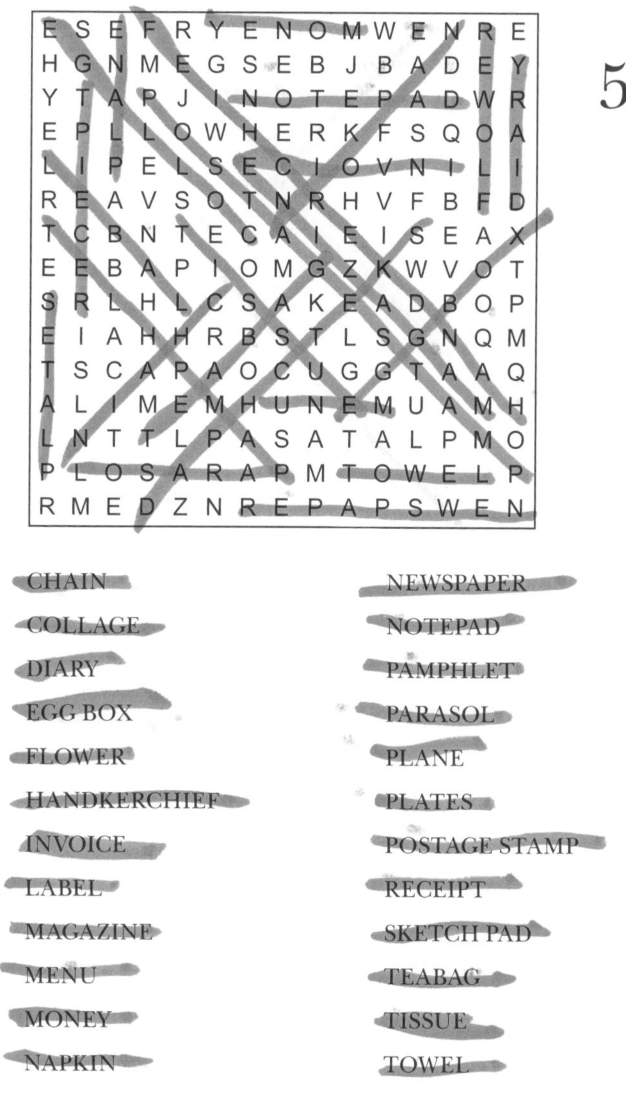

CIVIL

6

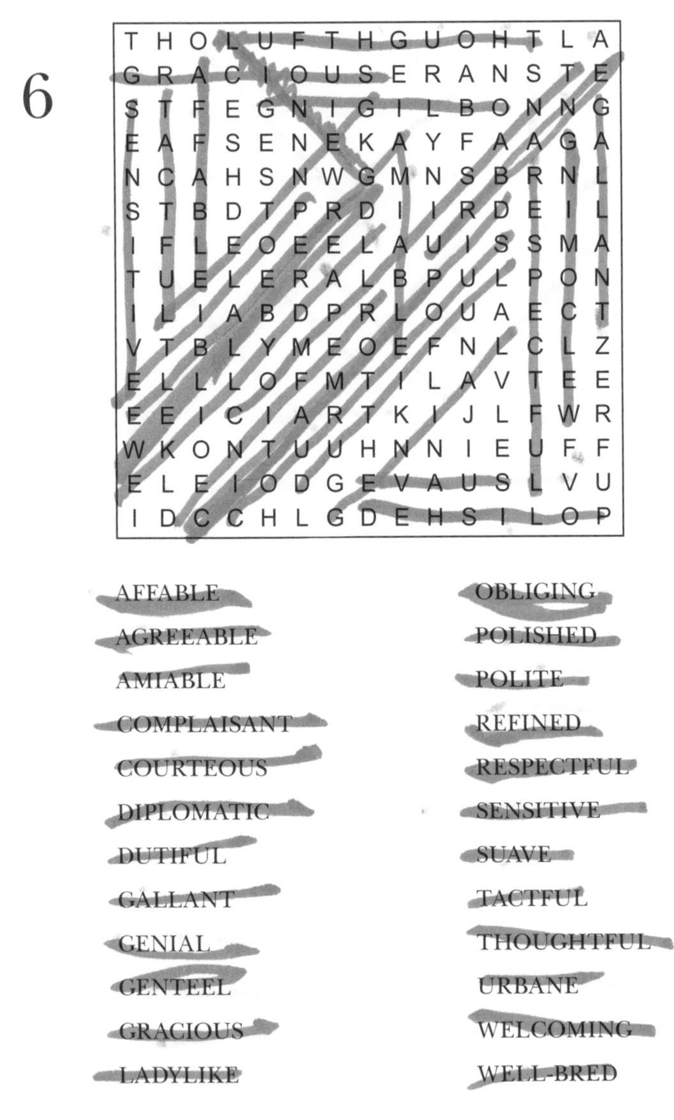

AFFABLE
AGREEABLE
AMIABLE
COMPLAISANT
COURTEOUS
DIPLOMATIC
DUTIFUL
GALLANT
GENIAL
GENTEEL
GRACIOUS
LADYLIKE
OBLIGING
POLISHED
POLITE
REFINED
RESPECTFUL
SENSITIVE
SUAVE
TACTFUL
THOUGHTFUL
URBANE
WELCOMING
WELL-BRED

WAKE UP

7

```
W A S H I N G N I K A M D E B
O S E S I C R E X E C L Y P P
K T N A S S I O R C O L I G D
S R S U N R I S E U C A L D E
R C O F M Y D H P P K E S R N
E I V W I Y F C E O C R E E V
P G E H O H S A U F R E U S T
P N R C C T C R C T O C M S W
I I S Y O T F T A E W Y A I S
L N L A M F A F E A C F T N R
S W E M N W F R O R K L O G E
B A E C A J D E C A T O O C W
G Y P K V I Q L E S Z S L T O
E E E B L E A R Y E Y E D E H
D N H S U R B R I A H Q U X S
```

AWAKEN
BED-MAKING
BLEARY-EYED
BREAKFAST
CEREAL
COCK-CROW
COFFEE
CROISSANT
CUP OF TEA
DRESSING
EXERCISES
FACE CLOTH
HAIRBRUSH
MUESLI
OFF TO WORK
OVERSLEEP
SCRATCH
SHOWER
SLIPPERS
SNOOZE
STRETCH
SUNRISE
WASHING
YAWNING

STOP

8

K P U D N I W I P E O U T G L
F I G A N N I H I L A T E A R
A F L V Z E A T N V Y E R R E
J B V L F L N U I R N R M E P
E I O Z T M L A N U E D I V E
S B O L E L H V O S Q S N O A
O E N B I Y O B T T A O A K L
L H O F L S E N C E G R T E K
C Y Y X V I H U K A H N E D C
O T E V O E T A N N U L I G J
Q P B E Z O B E U I A O W R L
B F L W U O Y G R Y V G S L B
V E O T R J K M O A G T A L G
A E C T C Z X F R L T T O J T
C N K Y H M F B B X S E H E B

ABOLISH
ABORT
ANNIHILATE
ANNUL
ARREST
BLOCK
BRING TO AN END
CEASE
CLOSE
CUT OUT
HALT
KILL
LAY OFF
NULLIFY
OBLITERATE
QUIT
REPEAL
REVOKE
STALL
TERMINATE
VETO
VOID
WIND UP
WIPE OUT

GARDEN CREATURES

9

L	C	E	L	C	K	T	E	N	R	O	H	G	H	V
L	L	A	G	I	A	E	U	I	R	R	E	L	L	S
E	E	S	E	I	A	T	I	B	B	A	R	E	R	T
C	A	R	P	L	W	N	A	O	T	N	A	D	E	R
A	L	D	R	I	T	R	S	R	T	T	U	Z	F	C
T	C	S	U	I	D	E	A	P	H	H	E	O	O	Y
E	E	Z	H	H	U	E	E	E	A	O	R	C	D	M
R	P	A	H	R	T	Q	R	B	A	R	K	I	X	R
P	I	V	L	W	E	J	S	E	Y	C	R	M	P	O
I	G	E	K	K	A	W	A	A	H	L	A	O	X	W
L	E	V	L	C	U	N	W	A	W	Y	I	H	W	E
L	O	U	K	O	E	X	F	W	F	A	T	L	G	R
A	N	E	L	R	M	E	L	L	N	T	S	U	X	I
R	T	U	W	W	R	N	Y	M	G	X	L	P	N	W
N	Y	L	F	N	E	E	R	G	G	S	A	T	Z	S

CATERPILLAR
COCKCHAFER
EARWIG
GREENFLY
HORNET
LEATHERJACKET
LILY BEETLE
MAYFLY
MOLE
PIGEON
RABBIT
RED ANT
ROBIN
SAWFLY
SHREW
SLUG
SNAIL
SPARROW
SPIDER
SQUIRREL
THRIP
WASP
WIREWORM
WREN

“TAIL” ENDINGS

10

U	L	I	A	T	T	R	I	H	S	R	I	R	F	A
L	I	A	T	A	L	I	A	T	S	E	R	A	M	S
Y	E	L	L	O	W	T	A	I	L	N	N	S	J	L
J	G	L	I	L	I	A	T	N	O	T	T	O	C	I
L	L	L	I	A	T	A	I	L	A	P	B	I	O	A
K	I	I	B	A	T	N	L	I	I	R	F	C	C	T
L	A	A	J	P	T	E	L	I	R	A	U	A	K	B
I	T	T	T	I	V	E	V	H	A	R	T	L	T	O
A	R	T	L	N	N	O	R	O	T	T	B	G	A	B
T	I	A	I	T	R	E	X	A	D	Y	H	E	I	L
E	A	R	A	A	L	U	I	T	A	I	L	S	L	P
T	H	I	T	I	A	L	T	W	A	G	T	A	I	L
I	L	A	H	L	I	A	T	G	N	I	R	A	W	F
H	L	L	I	A	T	P	I	H	W	J	L	I	I	U
W	C	O	A	T	T	A	I	L	L	I	A	T	E	D

BOBTAIL
COATTAIL
COCKTAIL
COTTONTAIL
CURTAIL
DETAIL
DOVETAIL
ENTAIL
FANTAIL
FISHTAIL
HAIRTAIL
MARE’S TAIL
OXTAIL
PIGTAIL
PINTAIL
RAT-TAIL
RETAIL
RINGTAIL
SHIRT TAIL
TURN TAIL
WAGTAIL
WHIPTAIL
WHITETAIL
YELLOWTAIL

F1 GRAND PRIX WINNERS

11

S	N	I	L	L	O	C	A	T	P	E	C	U	N	A
O	P	E	F	A	R	I	N	A	R	Y	M	E	W	L
Y	M	E	H	P	C	I	N	Y	G	E	N	L	I	L
Q	B	V	V	E	T	T	E	L	P	I	V	I	U	E
D	E	A	N	G	E	L	I	S	K	R	D	E	S	H
E	B	N	R	D	E	E	A	K	U	L	O	V	C	C
P	D	D	E	R	T	T	A	U	A	K	K	S	V	I
A	R	R	E	E	I	H	H	P	D	S	K	V	T	S
I	H	E	A	N	E	C	I	I	A	A	N	R	J	I
L	E	T	F	H	I	T	H	A	N	T	U	I	K	F
L	M	T	G	B	T	V	A	E	N	L	R	R	E	F
E	M	I	M	I	R	L	R	M	L	N	A	E	H	S
R	S	K	F	C	J	Y	U	I	B	L	E	E	S	U
K	E	S	A	D	B	H	A	O	C	A	O	S	L	E
J	K	N	O	S	S	L	I	N	C	I	Y	F	E	P

ANDRETTI
BARRICHELLO
BRYAN
CEVERT
CLARK
COLLINS
COULTHARD
DE ANGELIS
DEPAILLER
FARINA
FISICHELLA
FITTIPALDI
GETHIN
HAKKINEN
HULME
IRVINE
LAUDA
NILSSON
PATRESE
PROST
SENNA
TAMBAY
TRULLI
VETTEL

LUMPS AND BUMPS

12

P	M	U	H	D	S	E	A	E	L	U	T	S	U	P
K	V	I	C	G	E	P	F	B	N	L	U	N	J	H
N	E	R	I	E	R	E	T	S	U	L	C	C	E	E
E	O	C	Y	R	I	O	K	G	B	N	H	A	E	G
L	A	I	N	P	R	O	W	U	K	U	I	U	L	D
U	K	N	T	E	J	E	L	T	N	C	P	O	C	E
D	W	C	P	C	C	G	G	K	H	O	O	I	N	W
O	U	L	A	I	E	S	O	U	L	J	N	L	U	R
N	N	U	P	O	B	J	E	L	L	J	J	P	B	L
E	E	M	I	S	Q	N	O	R	U	A	I	F	R	R
T	S	P	L	V	U	D	U	R	C	M	R	A	A	A
S	U	B	L	A	N	L	Y	G	P	X	N	I	C	K
D	C	B	A	U	E	H	O	L	G	G	E	H	T	O
L	P	I	E	C	E	E	E	B	J	E	E	E	X	Y
J	V	X	T	R	D	V	A	S	E	I	T	D	E	M

BLOCK
BOLUS
BULGE
BUNION
CARBUNCLE
CHUNK
CLUMP
CLUSTER
DOLLOP
EXCRESCENCE
GNARL
GROWTH
HUMP
INJURY
IRREGULARITY
NODULE
NUGGET
PAPILLA
PIECE
PIMPLE
PROJECTION
PUSTULE
TUBER
WEDGE

"TOP..."

13

O	L	E	P	W	B	E	N	I	L	E	H	T	F	O
V	L	Q	Q	U	A	R	K	E	T	S	E	C	O	F
N	I	U	U	M	F	E	E	B	U	T	T	U	R	T
A	B	U	A	A	V	E	A	G	H	F	H	A	D	H
U	E	P	T	R	L	N	W	O	D	H	A	O	R	E
E	H	H	L	O	A	I	M	U	T	E	L	F	Y	R
D	T	E	I	N	N	E	T	Y	S	L	W	L	B	A
A	Y	V	A	E	H	K	G	Y	A	C	A	E	H	N
R	F	J	S	O	A	R	G	R	L	I	G	H	T	G
G	N	I	S	S	E	R	D	E	G	V	S	S	E	E
S	N	S	L	T	P	R	I	O	R	I	T	Y	R	H
L	H	H	C	M	A	E	S	M	D	G	I	D	C	D
E	A	J	O	L	A	O	J	E	D	E	R	Y	E	R
S	U	S	A	E	X	E	C	U	T	I	V	E	S	P
S	T	L	R	U	C	E	Q	U	E	H	O	T	O	M

BANANA
COAT
DOLLAR
DOWN
DRESSING
EXECUTIVE
GEAR
GRADE
HEAVY
KNOT
LESS
LIGHT

MOST
OF THE LINE
OF THE RANGE
PRIORITY
QUALITY
QUARK
SAIL
SECRET
SHELF
SIDE
STAR
THE BILL

FAMOUS BUILDINGS AND MONUMENTS

14

```
A C I T Y S P I R E W O T N C
L K B U R J K H A L I F A Q Q
I S R E T R A U Q D A E H N U
M W T E N O E H T N A P O P S
A H R R M J N I E W L Y M E U
S D O P T L N O R A A R E R A
A A F L A T I R O N C A W V H
C R A A J S S N R E S M O U U
B B R P M U H E K E A I O O A
B M G E A R O P L I L D D L B
I A A D H I U A E A N S A E E
E H D R A H S E H T M K J H G
E L A E L O E E F D I X A T E
T A W R O K G N A T E S U K H
E E C A L A P A L A T O P E U
```

AGRA FORT
ALHAMBRA
ANGKOR WAT
BAUHAUS
BURJ KHALIFA
CASA MILA
CITYSPIRE
CN TOWER
ENNIS HOUSE
FLATIRON
HOMEWOOD
KINKAKU
KREMLIN
LA PEDRERA
LA SCALA
PANTHEON
POTALA PALACE
PYRAMIDS
TAJ MAHAL
THE LOUVRE
THE SHARD
TIKAL
UN HEADQUARTERS
UXMAL

COLD

15

L	A	Z	A	Y	E	Y	R	U	E	R	U	C	E	H
G	A	S	E	V	T	D	I	G	I	R	F	E	B	E
M	R	O	T	S	W	O	N	S	P	A	E	R	L	L
B	R	E	O	L	S	T	O	N	Y	N	A	A	E	I
B	B	R	B	E	L	A	I	C	A	L	G	P	A	E
J	F	M	M	E	I	I	H	I	O	I	S	T	K	H
E	Y	G	Z	T	C	C	L	P	K	E	R	A	G	A
C	R	L	O	G	C	I	T	C	R	A	L	X	P	I
I	T	E	E	E	T	C	E	P	H	F	A	S	N	L
Y	N	L	V	P	H	L	Q	C	W	N	S	L	I	S
R	I	X	E	I	M	E	S	O	E	J	V	U	P	T
D	W	R	L	J	H	S	N	O	J	E	J	S	P	O
T	E	L	G	O	O	S	E	F	L	E	S	H	Y	N
W	Y	E	R	I	S	U	T	R	E	M	B	L	E	E
T	E	A	R	D	N	U	T	A	L	U	S	A	G	S

ARCTIC
BLEAK
CHILLY
DRY ICE
FRIGID
FROSTY
GELID
GLACIAL
GOOSEFLESH
HAILSTONES
ICEBERG
ICICLES
NIPPY
POLAR
REPTILIAN
SHIVER
SLEET
SLUSH
SNOWFLAKE
SNOWSTORM
STONY
TREMBLE
TUNDRA
WINTRY

VEGETABLES

16

S	E	P	A	E	W	P	W	C	A	E	R	I	T	I
E	K	L	J	G	T	P	I	L	J	N	L	C	L	Z
G	W	D	E	X	L	T	I	N	W	O	R	R	A	M
A	D	N	T	N	Y	T	E	C	R	N	E	E	S	S
B	E	D	A	R	N	I	R	G	B	U	G	S	C	U
B	U	I	E	E	U	E	U	E	R	G	T	S	O	G
A	D	L	L	N	E	N	F	H	P	U	L	G	R	A
C	E	E	V	Y	D	L	O	L	S	P	O	N	Z	R
C	B	S	A	G	B	I	A	I	P	I	E	C	O	A
C	A	R	R	O	T	N	V	I	N	W	D	P	N	P
P	E	S	S	U	T	P	M	E	W	O	C	A	E	S
O	C	H	A	R	D	E	K	O	H	C	I	T	R	A
B	I	J	S	D	N	A	H	V	S	T	U	F	A	A
P	O	T	A	T	O	S	I	N	L	Y	O	V	A	S
K	M	R	O	A	E	P	K	C	I	H	C	F	E	O

ARTICHOKE
ASPARAGUS
CABBAGE
CARROT
CELERY
CHARD
CHICKPEA
COURGETTE
CRESS
EGGPLANT
ENDIVE
FENNEL
GOURD
LENTIL
MARROW
ONION
PEAS
PEPPER
PIMENTO
POTATO
RADISH
SAVOY
SCORZONERA
TURNIP

FACE

17

N	C	L	S	T	E	R	J	E	H	C	A	N	U	L
O	S	H	D	D	M	C	C	E	A	T	S	O	N	W
S	R	U	E	X	I	A	H	L	U	E	A	I	W	O
T	F	A	C	E	M	L	L	I	J	Y	B	X	O	C
R	S	O	V	I	K	K	E	K	N	E	Q	E	R	S
I	R	M	R	I	L	B	K	Y	F	B	X	L	F	Y
L	V	G	I	E	S	T	O	U	E	R	H	P	I	H
S	A	T	J	L	H	A	E	N	E	O	S	M	T	A
M	O	U	T	H	E	E	G	E	E	W	U	O	N	I
B	E	K	Z	J	Y	H	A	E	F	S	L	C	I	R
E	L	K	C	E	R	F	E	D	C	S	B	N	U	L
E	V	E	S	E	O	K	O	L	E	M	W	L	Q	I
E	Y	E	L	A	S	H	E	S	T	A	E	O	S	N
S	E	L	P	M	I	D	Y	B	E	A	R	D	R	E
J	N	O	I	S	S	E	R	P	X	E	E	N	A	C

BEARD
BLUSH
CHEEKBONE
CHIN
COMPLEXION
CROW'S FEET
DIMPLES
EXPRESSION
EYEBROWS
EYELASHES
EYELIDS
EYES
FOREHEAD
FRECKLE
FROWN
GRIMACE
HAIR LINE
MOUTH
MUSCLE
NOSTRILS
SCOWL
SMILE
SQUINT
VISAGE

ICE CREAM

18

V B B U D A Y R R E B N A R C

B U L T E B R E H S H E R A M

J T U N L A W D N A E L P A M

C T E E T Y R R E B P S A R C

H E B A O T U N O C O C O O T

O R E P F O C E H Z A N F E M

C S R O F C Z E W L I F A A F

A C R L E I R L L C E B N N P

N O Y I E R D I C E E G T A R

D T K T Y P N U E R O U P P A

N C M A V A P N R A N S P I L

U H M N V P M Y O A G R A Z I

T B A N A N A U E M U H F R N

G Q M C U B M P Y B E L L A E

H C A E P I N E A P P L E M K

APRICOT

BANANA

BLUEBERRY

BUTTERSCOTCH

CAPPUCCINO

CHERRY

CHOC AND NUT

COCONUT

COFFEE

CRANBERRY

LEMON

MANGO

MAPLE AND WALNUT

MARZIPAN

NEAPOLITAN

PEACH

PEANUT

PINEAPPLE

PRALINE

RASPBERRY

SHERBET

TEABERRY

TOFFEE

VANILLA

ASTEROIDS AND SATELLITES

19

M	E	G	W	P	A	C	T	E	R	U	O	O	V	H
N	W	U	C	I	O	T	V	E	O	L	N	H	A	V
P	R	O	T	E	U	S	F	O	T	K	E	P	V	Q
E	A	R	D	Y	H	S	B	U	S	H	J	P	O	N
O	O	T	R	I	T	O	N	E	I	N	Y	A	P	N
P	O	P	U	M	B	R	I	E	L	P	U	S	O	F
A	Y	D	H	E	L	E	N	E	L	T	Z	R	E	O
N	A	B	I	L	A	C	B	I	A	P	E	T	U	S
D	R	H	L	E	O	I	E	E	C	B	T	A	K	P
M	Z	A	S	T	R	A	E	A	O	I	E	H	D	Y
S	G	A	N	Y	M	E	D	E	P	H	A	P	E	L
Z	U	W	U	U	N	I	N	X	R	U	P	H	I	A
E	C	N	E	A	K	A	M	A	N	K	C	E	M	C
I	I	E	A	G	J	L	I	A	R	U	M	K	O	W
R	F	T	P	J	L	A	R	I	S	S	A	O	S	K

ASTREA
CALIBAN
CALLISTO
CALYPSO
DEIMOS
GANYMEDE
HELENE
HYDRA
IAPETUS
JANUS
LARISSA
MIMAS
NAMAKA
NEREID
OBERON
PHOEBE
PORTIA
PROTEUS
PUCK
RHEA
SAPPHO
TETHYS
TRITON
UMBRIEL

TITLES

20

C	B	N	S	P	G	E	W	G	S	E	K	A	G	S
S	N	E	Z	Y	R	T	R	N	M	R	X	N	E	J
S	S	A	Y	M	L	E	N	I	M	I	A	S	L	F
E	G	F	K	Y	A	O	S	K	U	A	S	B	O	J
H	R	E	C	A	R	H	A	I	Y	Q	K	T	B	N
C	O	G	N	A	O	M	A	O	D	A	S	V	E	I
U	N	R	B	E	P	F	S	R	I	E	I	E	V	R
D	R	M	O	T	R	I	A	S	A	C	N	I	G	Z
R	E	T	J	T	O	A	E	T	E	N	S	T	U	B
P	V	C	R	E	C	R	L	R	H	C	I	T	M	M
A	O	X	K	A	G	O	O	H	O	E	N	I	F	I
D	G	D	C	E	S	Y	D	U	O	E	R	I	D	S
R	K	R	A	A	Z	T	N	Q	U	E	M	U	R	S
E	S	N	V	R	D	T	L	I	Z	Y	K	R	B	P
K	T	Y	X	L	Z	F	R	S	H	E	I	K	H	W

BARON
CORPORAL
DOCTOR
DUCHESS
DUKE
EARL
ESQUIRE
FATHER
GENERAL
GOVERNOR
KAISER
KING
MAHARANI
MISS
MISTER
PADRE
PRESIDENT
PRINCESS
RABBI
SERGEANT
SHEIKH
TSAR
VICEROY
VISCOUNT

CLASSICAL MUSIC TITLES

21

F	A	N	T	E	T	E	S	L	A	V	E	N	T	X
T	S	A	S	E	W	S	U	E	D	L	A	M	E	R
N	E	L	R	Y	T	N	E	V	E	W	H	U	I	V
O	I	O	P	E	F	I	B	N	E	A	T	T	L	E
M	B	I	O	A	R	R	H	W	B	E	A	U	U	N
G	E	R	S	U	R	U	B	W	E	K	B	A	J	U
E	R	O	I	C	A	I	T	N	N	F	O	N	D	S
E	I	C	A	O	G	D	S	R	C	A	R	J	N	W
D	A	P	N	Y	R	A	R	A	E	U	W	S	A	I
X	E	I	E	A	G	T	R	O	T	V	E	S	O	N
A	B	R	B	A	T	M	A	A	A	H	O	S	E	T
H	D	E	F	A	E	I	S	M	S	M	A	H	M	E
Y	H	J	S	N	H	U	T	F	A	R	A	E	O	R
T	V	S	D	M	A	S	U	H	K	R	A	K	R	X
O	O	A	E	M	K	M	C	A	E	N	A	V	A	P

AUTUMN
CARMEN
CORIOLAN
EGMONT
EN SAGA
EROICA
EVENTYR
IBERIA
LA MER
MANFRED
OVERTURE
PARIS

PAVANE
ROMEO AND JULIET
SARKA
SATURN
SWANWHITE
TABOR
TAMARA
TASSO
THE BARD
TITAN
VENUS
WINTER

WILD WEST USA

22

Y	B	S	E	N	R	O	H	M	O	T	G	Y	D	E
C	E	S	A	T	E	C	S	V	L	W	O	T	T	T
U	L	P	U	L	N	S	E	S	R	O	H	U	U	I
R	A	M	U	A	O	J	A	T	A	H	C	P	O	N
E	R	C	R	V	W	O	O	D	Z	L	U	E	T	H
L	R	W	X	S	P	J	N	H	D	D	A	D	O	O
T	O	Y	R	L	A	V	A	C	N	L	G	Y	O	L
S	C	V	K	I	E	M	C	U	A	R	E	E	H	D
U	K	A	E	K	O	S	O	R	W	T	I	L	S	U
R	O	D	E	O	M	R	I	H	K	T	T	N	J	P
C	E	P	D	E	K	A	R	O	T	T	W	L	G	F
Y	D	E	O	K	T	C	U	O	G	K	A	W	E	O
E	N	O	T	S	B	M	O	T	F	P	C	B	B	W
V	A	L	P	S	S	Y	H	F	F	I	R	E	H	S
T	E	G	I	P	X	E	Y	D	W	O	H	Y	H	V

CATTLE
CAVALRY
DEPUTY
GAUCHO
HECK THOMAS
HOLD-UP
HORSES
HOWDY
JOHN RINGO
LARIAT
LASSO
OK CORRAL

POSSE
RANCH
RODEO
ROUND-UP
RUSTLER
SADDLE
SALOON
SHERIFF
SHOOT-OUT
STEER
TOM HORN
TOMBSTONE

NOT ON A DIET

23

H E S O G S R E T T I R F A R
A A E E R F S C S J U C E Y Y
S S L L O R P E N G A S A L Q
R E U P S T J A I H W W S B S
I I K D E A A S S K E J P U E
A P I A U U C T G T O R I T G
L K S E C M U Q O N R O H T A
C R P T Z N P R Y P I I C E S
E O L O H O C L A E N D E R U
Q P P G T I L A I G G A D S A
D T U V P E M P N N U D E U S
X O R N J G A A E D G S U Z P
D Z Y N M E E H L N Y S X F P
Y N S V P Z R M E A T P I E S
A B S E B W C E B W S I L E K

ALCOHOL
BUTTER
CAKES
CANDY
CHIPS
COOKIES
CREAM
DOUGHNUTS
DUMPLINGS
ECLAIRS
FRITTERS
FUDGE
JELLY
LASAGNE
MEAT PIES
PASTRIES
PORK PIES
POTATOES
PUDDINGS
ROLLS
SALAMI
SAUSAGES
SUGAR
SYRUP

ROCKS AND MINERALS

24

Y	R	E	M	E	S	X	I	D	O	C	R	A	S	E
H	O	R	N	B	L	E	N	D	E	A	X	Y	L	E
D	E	L	A	H	S	T	C	E	M	L	D	N	E	L
O	B	S	I	D	I	A	N	H	N	C	D	E	V	B
P	R	T	V	U	E	F	S	C	H	I	S	T	A	R
G	U	B	R	P	V	A	K	T	A	T	V	Z	R	A
T	T	D	B	F	U	J	D	V	U	E	G	I	G	M
N	I	M	M	A	I	M	E	Q	N	F	N	V	L	S
K	L	A	H	C	G	N	I	O	B	Y	E	M	S	O
T	E	I	C	E	T	K	T	C	K	E	I	G	J	T
N	N	C	R	U	Z	S	S	B	E	Y	S	K	A	S
I	I	N	R	Z	P	L	U	T	V	T	S	O	I	E
L	S	I	S	A	A	V	E	T	I	N	I	N	O	B
F	N	Z	O	T	K	N	S	E	T	I	R	Y	P	S
E	D	S	E	P	V	F	F	Z	M	J	A	X	K	A

ASBESTOS
AVENTURINE
BONINITE
CALCITE
CHALK
EMERY
FLINT
GABBRO
GNEISS
GRAVEL
HORNBLENDE
IDOCRASE
MARBLE
OBSIDIAN
OLIVINE
ONYX
PUMICE
PYRITES
RUTILE
SCHIST
SHALE
SLATE
SOAPSTONE
ZINC

ROCK AND POP GROUPS

25

B	S	D	G	T	B	W	E	S	Y	O	C	C	M	S
R	U	C	E	N	I	D	E	N	L	A	K	P	R	G
O	I	G	A	N	A	F	D	X	O	E	R	A	X	I
S	E	A	G	Q	M	G	I	A	N	T	D	F	G	B
V	H	S	L	L	X	A	E	B	C	I	S	G	M	R
E	O	S	E	Y	E	S	D	N	O	M	S	O	O	M
O	O	G	S	I	N	S	W	H	A	E	N	T	B	U
K	H	C	A	E	R	E	E	R	A	K	H	U	Y	E
H	Q	W	R	N	U	A	I	O	E	A	A	O	G	X
O	C	N	S	N	D	N	J	E	H	L	U	L	R	H
T	S	T	N	S	E	W	S	M	O	U	I	C	A	V
Y	E	T	E	R	E	W	K	E	L	C	W	X	P	G
Y	C	V	S	R	T	U	H	Z	E	O	Y	A	E	C
M	A	E	T	S	T	N	G	A	L	L	E	M	A	C
I	F	Y	B	B	R	S	D	F	M	R	B	A	B	I

BOSTON

BUGGLES

CAMEL

CLOUT

DAMNED

EAGLES

EXILE

FACES

GUESS WHO

HOLE

KANE GANG

MARINERS

MCCOYS

MOBY GRAPE

MONKEES

MR BIG

OSMONDS

RADIOHEAD

STEAM

STRETCH

STYX

WHAM

WINGS

WOLF

"A" WORDS

26

A	Y	U	T	A	W	L	A	S	S	A	E	H	C	A
S	L	A	T	N	E	D	I	C	C	A	H	A	E	H
M	A	A	B	A	N	N	A	M	A	R	A	N	T	H
H	O	W	M	D	E	R	U	S	S	A	M	A	Z	S
A	S	I	F	Y	A	A	H	Y	H	J	A	S	A	N
S	G	A	X	U	L	A	I	S	T	H	L	I	R	O
A	A	K	W	A	L	A	A	U	A	S	G	T	H	I
N	B	S	V	A	Q	L	A	L	C	I	A	R	C	T
K	A	U	B	U	R	N	Y	A	L	L	M	A	U	C
A	D	A	I	R	A	H	D	I	U	O	A	C	O	A
R	M	F	E	U	A	E	R	M	A	B	T	E	V	A
A	E	E	Q	J	Z	L	N	L	V	A	E	T	A	H
R	A	A	M	A	U	I	N	E	T	S	A	O	E	Y
M	R	C	M	H	R	C	A	S	J	A	K	N	H	D
A	O	A	T	F	E	J	A	S	H	E	N	E	A	A

ABOLISH
ACCIDENTAL
ACETONE
ACTIONS
AIMLESS
ALABAMA
ALLOTTED
ALUMNI
AMALGAMATE
AMARANTH
AMAZED
ANKARA
AQUANAUT
AQUIFER
ARTISAN
ASHEN
ASSURED
AUBURN
AVOUCH
AWASH
AWFULLY
AXIOM
AZTEC
AZURE

SAFARI PARK

27

E	D	E	J	M	E	R	I	L	A	Y	J	E	Y	T
N	Y	N	E	R	O	V	I	N	R	A	C	P	N	V
S	A	W	A	T	R	E	T	R	A	N	G	E	R	N
K	E	C	I	L	M	O	N	K	E	Y	M	S	L	A
N	S	D	I	L	E	A	H	X	G	N	R	E	M	N
B	I	H	I	L	D	J	A	R	O	E	O	A	D	I
D	I	A	T	U	E	L	B	R	G	O	L	F	E	M
B	R	G	E	M	G	P	I	I	M	L	V	N	R	A
E	U	O	G	Y	E	V	T	F	E	N	I	O	E	L
F	P	F	M	A	N	E	A	Y	E	X	S	O	G	S
F	R	K	F	E	M	F	T	D	R	Y	I	B	N	W
A	Q	R	L	A	D	E	R	C	K	E	T	A	A	S
R	M	W	A	L	L	A	B	Y	A	H	O	B	D	G
I	N	V	M	M	W	O	R	L	T	E	R	E	N	O
G	H	C	I	R	T	S	O	Y	B	A	S	X	E	D

ANIMALS
BABOON
BIG GAME
BUFFALO
CARNIVORE
DROMEDARY
ELAND
ENDANGERED
ENVIRONMENT
GIRAFFE
GUIDES
HABITAT
LIONS
LLAMA
MEERKAT
MONKEY
OSTRICH
PELICAN
RANGER
TIGERS
VISITORS
WALLABY
WARDEN
WILDLIFE

GODDESSES

28

S	A	G	V	E	S	T	A	I	R	O	T	C	I	V
E	E	E	S	R	E	A	R	H	I	A	N	N	O	N
F	I	C	Y	C	F	E	S	I	M	E	T	R	A	P
G	S	H	O	E	N	O	H	P	E	S	R	E	P	M
C	O	E	I	E	R	A	I	C	A	L	A	S	I	I
E	H	C	A	L	L	I	S	T	O	F	R	E	Y	A
R	T	A	R	M	K	H	E	S	T	I	A	F	M	S
R	R	T	E	T	I	D	O	R	H	P	A	P	A	U
I	O	E	X	N	F	N	O	L	S	E	H	A	U	N
D	X	H	L	E	E	E	E	R	P	I	U	N	R	E
W	D	X	T	E	Y	H	R	R	T	D	D	D	O	V
E	I	L	U	A	B	V	T	R	V	Q	U	O	R	O
N	A	E	T	J	H	Y	I	A	W	A	S	R	A	N
D	N	E	R	T	A	T	C	N	H	X	V	A	G	A
R	A	G	H	H	E	I	I	W	M	G	D	I	Q	A

AMPHITRITE
APHRODITE
ARTEMIS
ATHENE
AURORA
CALLISTO
CERRIDWEN
CYBELE
DIANA
DURGA
FREYA
HATHOR
HECATE
HESTIA
IRENE
MINERVA
ORTHOSIE
PANDORA
PERSEPHONE
RHIANNON
SALACIA
VENUS
VESTA
VICTORIA

SUMMER

29

E	E	V	A	W	T	A	E	H	Q	U	T	S	I	S
D	R	A	C	T	S	O	P	T	H	S	S	P	K	E
I	A	K	F	T	O	A	N	K	U	I	I	R	G	U
S	P	Y	R	B	E	A	L	G	T	F	N	O	N	C
A	T	O	D	G	V	F	U	A	N	H	N	M	I	E
E	H	R	L	A	H	A	O	G	D	C	E	E	H	B
S	M	A	R	L	I	R	W	E	R	A	T	N	S	R
U	Q	A	S	F	E	S	D	I	D	E	D	A	I	A
M	C	H	E	R	T	N	Y	O	I	B	E	D	F	B
W	O	A	B	R	E	H	W	C	F	T	T	E	N	W
P	A	M	M	A	C	S	G	F	H	H	J	U	N	E
A	O	R	D	P	F	E	Y	I	C	A	O	U	S	Y
S	Z	Y	M	K	I	C	C	A	L	L	I	S	L	E
P	V	A	H	T	T	N	Y	I	H	F	C	N	E	Y
T	I	R	E	M	H	F	G	N	I	N	N	A	T	T

AUGUST
BARBECUES
BEACH
CAMPING
CARAVAN
DAISY CHAIN
FISHING
FLIGHT
HEATWAVE
ICE CREAM
JULY
JUNE
MEADOWS
POLLEN
POSTCARD
PROMENADE
SALAD
SEASIDE
SHORTS
SOMBRERO
TANNING
TENNIS
WARMTH
YACHT

JEWELS AND TRINKETS

30

Z	N	E	U	F	L	Y	S	B	E	L	G	N	A	B
R	I	W	T	I	A	R	A	D	A	O	S	I	S	P
R	P	S	M	E	D	A	I	D	A	C	L	A	S	P
G	T	O	C	O	L	L	A	R	B	E	K	M	E	G
K	S	E	R	O	E	M	A	C	L	N	B	A	N	X
R	A	V	K	D	Y	D	Y	G	E	R	R	I	B	D
N	E	L	N	C	R	L	N	C	A	L	R	E	S	A
I	R	Y	I	X	O	A	K	C	S	Y	X	T	E	I
P	B	E	A	K	D	L	E	R	T	I	E	P	I	N
K	K	B	H	J	A	L	M	I	E	L	B	Z	W	E
C	L	H	C	C	E	J	N	R	K	K	R	W	C	M
I	H	C	E	T	W	R	B	N	A	V	O	R	H	Y
T	N	T	M	C	E	W	A	A	E	H	O	H	R	B
S	E	A	M	T	O	R	Q	U	E	W	C	E	C	G
E	J	W	E	U	E	V	A	S	N	Q	H	J	K	N

ANKLET
BANGLE
BEADS
BRACELET
BREASTPIN
BROOCH
CAMEO
CHAIN
CHARM
CHOKER
CLASP
COLLAR
CROWN
DIADEM
EARDROP
ETERNITY RING
LOCKET
NECKLACE
PEARLS
STICK PIN
TIARA
TIEPIN
TORQUE
WATCH

TAKING A FLIGHT

31

T	K	C	E	D	T	H	G	I	L	F	L	W	R	Y
S	E	R	N	E	H	A	E	M	D	P	U	O	E	A
S	U	K	N	G	Z	H	I	I	X	U	G	D	K	W
A	E	C	N	E	L	U	B	R	U	T	E	N	C	N
D	I	T	V	A	H	W	O	E	P	G	R	I	O	U
G	U	R	A	T	L	E	N	C	D	O	A	W	L	R
C	S	T	S	G	I	B	E	I	S	Y	R	L	I	E
G	H	E	Y	T	V	C	R	M	A	N	R	T	W	G
T	N	V	L	F	E	B	K	K	F	S	I	T	O	A
A	O	I	A	S	R	W	A	E	E	A	V	R	L	G
X	D	L	D	T	I	E	A	H	T	P	A	O	L	G
I	F	E	I	R	S	A	E	R	Y	S	L	L	I	A
I	B	P	A	P	A	G	N	I	D	N	A	L	P	B
N	J	T	A	K	E	O	F	F	N	J	Y	E	P	C
G	T	B	S	E	A	T	B	E	L	T	A	Y	F	E

AIR STEWARD
AIRPORT
AISLES
ARRIVAL
BAGGAGE
BLANKET
BOARDING
BRIDGE
DUTY-FREE
FLIGHT DECK
GATES
LANDING
LOCKER
PILLOW
PILOT
RUNWAY
SAFETY
SEAT BELT
TAKEOFF
TAXIING
TICKETS
TROLLEY
TURBULENCE
WINDOW

FABRICS

32

D	P	K	I	V	M	K	A	R	N	P	P	L	L	S
N	I	L	S	U	M	Y	I	R	V	R	A	E	O	G
A	O	T	S	M	E	R	I	N	O	W	N	L	O	C
N	C	H	N	C	M	A	H	G	N	I	G	I	W	A
G	I	R	H	E	H	I	B	Z	T	J	E	O	K	N
O	L	X	Y	L	N	O	L	A	R	D	O	T	M	D
R	A	Y	E	L	S	A	S	Z	I	Y	R	W	W	L
A	C	M	Q	L	I	H	L	N	I	Z	G	Q	P	E
V	A	E	I	D	A	C	U	A	F	O	E	A	P	W
C	C	S	R	J	Y	H	P	G	E	R	T	N	R	I
Y	L	U	Y	M	T	M	N	R	S	A	T	Y	Y	C
E	C	E	O	W	I	R	S	O	M	D	E	L	Z	K
S	A	D	E	E	I	N	U	L	Y	P	V	O	V	L
T	B	E	A	S	Y	V	E	G	T	A	A	N	K	I
H	D	N	H	B	R	E	K	C	U	S	R	E	E	S

ACRYLIC
ANGORA
BAIZE
CALICO
CAMEL HAIR
CANDLEWICK
DRALON
ERMINE
GEORGETTE
GINGHAM
LAWN
LISLE
MERINO
MUSLIN
NYLON
ORGANZA
RAYON
SATIN
SEERSUCKER
SILK
SUEDE
TOILE
TWEED
WOOL

ASSOCIATE

33

F	D	R	T	R	O	S	N	O	C	J	E	N	H	R
A	S	E	E	L	G	N	I	M	O	F	G	S	G	E
O	T	N	S	M	L	W	F	S	U	S	R	H	U	K
D	K	T	A	R	H	E	E	N	P	I	P	G	E	R
E	C	R	A	E	E	D	H	T	L	J	A	Y	Y	O
C	I	A	L	C	D	D	N	Y	E	E	M	N	T	W
O	K	P	F	E	H	A	L	E	L	U	Q	A	M	O
K	E	T	A	E	T	I	R	U	I	W	C	P	T	C
R	D	N	M	S	F	I	N	M	O	R	D	M	P	E
W	I	A	I	E	E	H	N	V	O	H	F	O	B	T
I	S	S	L	B	Y	C	N	U	O	C	S	C	G	A
B	S	L	I	O	M	C	E	B	S	L	O	B	F	L
A	O	R	A	K	F	O	E	K	A	L	V	E	U	E
W	E	H	R	E	E	Z	C	C	O	M	P	E	E	R
L	F	R	A	T	E	R	N	I	T	Y	S	I	I	B

ASSISTANT
ATTACH
COMBINE
COMPANY
COMPEER
COMRADE
CONSORT
COUPLE
CO-WORKER
FAMILIAR
FELLOW
FRATERNITY
FRIEND
HELPER
INVOLVE
LEAGUE
MATE
MINGLE
PARTNER
RELATE
RUB SHOULDERS
SIDEKICK
UNITE
YOKE

SALAD

34

E	D	E	R	A	S	E	V	I	H	C	S	O	O	E
S	D	N	E	S	I	M	I	Z	U	N	A	T	D	G
E	E	N	A	D	A	C	W	O	I	R	E	R	A	P
E	W	C	T	L	S	D	E	C	T	A	S	E	C	B
H	C	A	B	H	S	T	O	L	B	A	V	S	O	K
C	A	R	L	P	K	I	U	E	E	I	M	U	V	Y
H	E	R	B	S	S	D	D	N	D	R	R	O	A	R
O	S	O	U	E	E	O	R	N	L	T	Y	J	T	O
N	A	T	E	G	L	L	E	E	A	A	E	O	S	C
P	R	E	S	I	U	E	O	F	S	S	W	N	R	I
O	R	J	V	B	Y	L	V	C	K	S	U	I	J	H
T	S	E	H	S	I	D	A	R	A	C	I	O	E	C
A	S	N	E	I	F	M	Y	E	G	T	N	N	H	C
T	T	A	I	H	H	V	P	Y	U	S	R	S	G	T
O	E	N	S	S	E	R	C	R	E	T	A	W	G	H

ARUGULA
AVOCADO
CAESAR
CARROT
CELERY
CHEESE
CHICORY
CHIVES
COLESLAW
DRESSING
ENDIVE
FENNEL
HERBS
MIZUNA
NICOISE
OLIVES
ONIONS
PEAS
POTATO
RADISH
THOUSAND ISLAND
TOMATO
WALNUTS
WATERCRESS

COUNTRIES OF THE WORLD

35

N	E	M	E	Y	A	A	R	U	J	A	J	F	U	J
G	B	S	S	R	V	Y	K	I	G	L	Z	L	P	C
M	A	C	E	D	O	N	I	A	V	A	E	S	E	R
O	A	N	I	N	D	E	E	L	M	A	M	V	F	N
R	A	U	E	R	L	K	L	P	R	O	Y	B	O	Y
O	G	L	G	B	O	I	W	S	A	N	N	B	I	Y
C	Y	E	G	A	M	S	I	A	B	L	A	A	B	A
C	A	U	S	T	R	I	A	U	B	G	N	D	C	D
O	H	Y	C	O	D	Y	L	T	S	H	D	N	N	O
U	O	P	B	S	D	G	L	E	V	I	O	A	A	O
Q	C	K	Y	I	A	A	L	A	U	W	R	L	D	O
A	B	R	M	R	L	A	B	G	T	E	R	O	U	J
A	I	T	I	A	W	U	K	R	N	I	A	P	S	F
A	O	A	R	L	A	N	D	A	A	P	S	I	W	M
U	A	I	N	A	B	L	A	S	U	B	L	A	N	D

ALBANIA
ANDORRA
AUSTRIA
BARBADOS
BULGARIA
GABON
GAMBIA
GUAM
ISRAEL
ITALY
KENYA
KUWAIT
LIBYA
MACEDONIA
MOLDOVA
MONACO
MOROCCO
NEPAL
POLAND
SPAIN
SUDAN
SYRIA
WALES
YEMEN

BILLS

36

K	C	I	H	C	I	L	E	B	C	H	N	S	P	B
G	N	E	L	D	V	I	E	Q	C	O	F	E	U	C
R	E	Y	N	P	N	W	F	U	T	N	A	T	L	L
N	H	E	B	N	A	F	S	L	D	T	Z	A	L	I
I	A	K	M	X	I	X	A	R	U	S	E	G	M	N
G	D	V	U	E	I	W	T	R	E	O	S	S	A	T
H	E	S	R	E	L	B	N	O	M	Y	R	M	N	O
Y	R	H	R	J	Q	B	R	E	N	E	O	T	O	N
Y	R	B	A	C	U	N	D	M	G	R	R	M	S	T
F	F	R	Y	L	O	L	A	O	U	M	A	F	L	Y
B	H	D	L	M	E	H	R	S	C	H	S	Q	I	H
E	O	A	G	Y	A	I	S	R	E	H	T	I	W	R
C	O	S	L	R	J	E	A	R	B	A	J	I	T	T
W	A	B	G	E	L	S	Y	M	A	E	U	O	D	Y
J	I	P	D	L	Y	B	N	A	M	Y	W	E	J	R

BELICHICK
BIXBY
CLINTON
CODY
FARMER
GATES
GRAHAM
HADER
HALEY
MAHER
MEDLEY
MONROE
MURRAY
NIGHY
NYE
PAXTON
PULLMAN
ROGERS
RUSSELL
TURNBULL
WALTON
WILSON
WITHERS
WYMAN

EARLY

37

S	U	O	I	V	E	R	P	M	Y	L	R	Y	O	E
N	U	E	D	S	O	O	G	O	C	A	R	Q	E	M
F	D	C	E	B	A	O	U	V	L	N	O	D	R	I
T	R	N	T	N	E	N	I	M	M	I	I	A	U	T
N	A	A	T	E	G	F	O	E	E	G	R	W	T	F
E	W	V	A	M	M	E	O	O	E	I	P	N	A	O
I	R	D	C	B	I	B	I	R	S	R	E	I	M	D
P	O	A	A	R	K	N	Y	T	E	O	O	N	M	A
I	F	U	E	Y	C	A	F	S	C	H	O	G	I	E
C	E	N	Z	O	B	D	V	R	W	O	A	T	T	H
N	M	R	M	N	G	R	P	I	O	D	I	N	S	A
I	N	I	T	I	A	L	E	F	E	N	U	B	D	E
W	N	P	Z	C	A	Y	D	A	E	R	T	B	D	N
G	A	E	R	O	T	S	N	I	K	E	G	J	C	A
E	V	I	T	I	M	I	R	P	R	E	M	R	O	F

ADVANCE
AHEAD OF TIME
BEFOREHAND
DAWNING
DAYBREAK
EMBRYONIC
FIRST
FORMER
FORWARD
IMMATURE
IMMINENT
IN FRONT
IN STORE
INCIPIENT
INCOMING
INITIAL
ORIGINAL
PREVIOUS
PRIMITIVE
PRIOR
READY
TOO SOON
UNRIPE
YOUNG

CYCLING

38

T	E	K	S	A	B	E	E	C	E	R	A	A	M	S
M	A	M	R	C	U	L	E	C	F	S	V	H	E	U
P	M	U	P	O	D	H	H	Y	R	R	E	K	K	H
R	E	P	I	D	T	A	L	E	X	E	A	B	Y	G
T	C	A	A	F	I	C	I	H	T	R	S	M	A	Z
T	E	S	B	N	X	N	E	E	B	O	T	N	E	U
P	N	K	S	U	N	T	L	L	K	Z	L	R	U	B
N	I	R	C	A	L	E	P	M	F	U	O	V	E	E
B	R	L	P	O	V	E	F	E	G	E	B	A	V	H
E	V	X	C	E	R	A	H	T	O	Z	R	L	L	C
W	K	K	R	E	D	P	E	G	E	I	A	W	I	N
U	H	S	Y	Y	O	A	S	E	N	V	Z	F	G	E
D	D	E	S	E	A	T	L	G	E	A	R	S	H	R
Y	H	S	E	K	O	P	S	S	B	B	F	Q	T	W
E	S	T	G	L	E	L	C	Y	C	I	R	T	S	H

BASKET
BEARINGS
BOLTS
BRAKES
CHAIN
FRAME
GEARS
HELMET
LEVERS
LIGHTS
LOCK
PANNIER
PEDALS
PUMP
REFLECTOR
SADDLE
SEAT
SPOKES
SPROCKET
TOE CLIP
TRICYCLE
VALVE
WHEEL
WRENCH

THINGS THAT FLOW

39

S	E	E	E	N	I	L	O	S	A	G	O	R	A	C
E	L	C	L	R	R	P	E	T	R	O	L	E	U	M
K	K	E	E	F	E	D	S	J	R	E	T	A	W	A
L	C	V	C	R	W	J	T	L	K	A	V	U	L	M
D	I	U	Q	I	L	I	E	A	C	I	F	I	T	G
R	R	E	U	P	U	D	A	V	L	L	E	F	E	A
H	T	E	I	P	Z	J	M	A	O	E	A	O	I	M
F	S	V	D	L	S	B	S	R	K	S	E	Z	E	C
O	M	I	B	E	M	C	O	F	F	E	E	E	A	G
U	B	N	O	I	T	A	S	R	E	V	N	O	C	E
N	T	H	K	O	C	D	E	G	Z	A	D	R	K	B
T	I	I	E	S	O	W	Q	R	Z	W	E	O	B	C
A	K	A	D	O	T	O	U	A	T	A	M	S	X	T
I	R	T	L	E	U	U	L	V	M	S	T	O	L	L
N	U	B	K	D	S	K	F	Y	R	E	S	Y	E	G

BLOOD
COFFEE
CONVERSATION
CREAM
FOUNTAIN
GASOLINE
GEYSER
GRAVY
JUICE
LAVA
LIQUID
MAGMA
PETROLEUM
RIPPLE
RIVER
SALIVA
SMOKE
STEAM
STREAM
TIDES
TRAFFIC
TRICKLE
WATER
WAVES

BACKING GROUPS

40

O	J	S	E	M	E	R	P	U	S	S	Z	G	D	S
J	U	M	S	A	T	O	K	A	D	W	Y	O	D	T
Q	S	P	W	I	N	G	S	E	V	A	W	E	D	I
B	I	Y	E	A	W	C	H	E	Y	L	L	C	F	M
P	B	V	N	U	I	T	O	D	K	T	M	A	B	R
R	R	Y	B	N	B	L	O	M	O	U	M	U	U	E
U	U	V	E	I	B	M	E	N	E	O	G	S	N	H
M	V	A	L	O	I	X	E	R	U	T	G	A	N	G
O	V	N	M	N	K	S	L	S	S	P	S	S	Y	R
U	E	D	O	G	P	X	F	H	I	N	E	V	M	A
R	R	E	N	A	L	L	A	K	C	G	B	L	E	I
D	S	L	T	P	A	D	I	Z	O	X	Y	Y	N	D
E	P	L	S	M	O	S	Y	O	B	Y	A	L	P	E
R	Z	A	E	W	M	U	T	R	N	Z	B	E	T	R
W	W	S	S	G	G	S	S	M	J	K	X	W	O	S

BELMONTS
BRUVVERS
BUNNYMEN
COMETS
DAKOTAS
DEL-TONES
DOMINOES
FAMOUS FLAMES
GANG
HERMITS
NEWS
OUTLAWS
PIPS
PLAYBOYS
RAIDERS
RUMOUR
SHADOWS
STOOGES
SUPREMES
UNION GAP
VANDELLAS
WAILERS
WAVES
WINGS

SHADES OF BLUE

41

```
T R E U E V J E M N E L A C E
S E C T L G C B I A E U E E S
O K Y E C E U N N I F L L K I
I X T A R E D J E S P J K V O
H O F T K I L T D R P Y N R U
N C S O G N H E U E D N I V Q
V I N O R G T P S P E A W T R
G R E E I D H C P T E F I U U
P T E L R U G E E A E F R F T
E C H D N F I N T R S I E T O
A E A R W S R P V L U T P S L
C L H E T O B R O Y A L V A C
O E K E G Y P T I A N B E G O
C U E X E B F G E B C T O A D
K L W E C R O F R I A V E C N
```

AIR FORCE
BRIGHT
CELESTE
CERULEAN
COBALT
DENIM
EGYPTIAN
ELECTRIC
FRENCH
INDIGO
LIGHT
OXFORD
PEACOCK
PERIWINKLE
PERSIAN
POWDER
PURPLE
ROYAL
SAPPHIRE
STEEL
TEAL
TIFFANY
TUFTS
TURQUOISE

42

ARTISTS

T	E	S	U	L	L	Y	W	N	E	Z	O	E	N	F
A	Y	R	W	O	L	U	E	K	I	C	C	O	V	H
B	H	X	H	E	Z	V	Z	M	F	D	S	B	E	G
H	H	R	M	N	O	C	A	B	E	L	O	A	C	U
B	A	Z	A	B	N	C	A	N	O	V	A	R	E	O
W	K	M	P	E	S	L	K	H	G	E	H	T	S	R
B	A	F	P	R	X	B	C	T	B	U	D	O	E	O
E	H	R	L	A	E	I	F	U	S	D	C	L	H	B
X	C	N	E	W	N	H	O	L	U	N	W	O	O	S
M	S	W	T	V	F	G	C	R	P	D	R	M	D	N
O	O	O	H	I	I	I	E	U	C	Z	I	E	Z	I
R	B	R	O	D	E	R	I	L	O	A	O	O	E	A
S	Z	B	R	B	U	D	K	F	I	B	L	E	V	G
E	K	V	P	Z	I	F	D	M	M	C	L	E	U	K
A	W	A	E	L	I	C	Y	C	T	K	O	B	D	P

ANGELICO
BACON
BARTOLOMEO
BOSCH
BOUCHER
BROWN
CANOVA
DELACROIX
DUFY
DURER
ERNST
GAINSBOROUGH
KLEE
LOWRY
MANZU
MAPPLETHORPE
MORSE
NICHOLSON
NOLDE
PENCZ
RIVERA
RODIN
SULLY
WARHOL

US STATES

43

I	E	K	I	E	N	T	U	C	K	A	F	I	S	A
P	A	C	N	D	K	M	O	N	T	A	N	A	W	D
P	N	M	A	D	A	V	E	N	O	I	H	O	T	I
I	V	O	A	Q	N	N	H	Z	L	Q	I	E	D	R
S	W	K	G	B	X	A	M	M	H	N	X	O	S	O
S	K	I	S	E	A	E	G	A	D	A	E	K	I	L
I	N	A	I	N	R	L	V	I	S	W	W	L	O	F
S	I	V	N	D	J	O	A	N	H	P	N	A	N	O
S	S	N	R	S	A	N	Z	E	B	C	N	H	I	N
I	N	E	T	C	A	H	U	T	A	H	I	O	L	I
M	O	W	C	P	G	S	O	P	S	E	Y	M	L	Y
P	C	Y	C	A	L	I	F	O	R	N	I	A	I	O
A	S	O	U	T	H	C	A	R	O	L	I	N	A	Z
N	I	R	A	A	I	N	I	G	R	I	V	E	S	Y
U	W	K	A	K	S	A	L	A	U	Y	C	K	T	S

ALABAMA
ALASKA
CALIFORNIA
FLORIDA
HAWAII
IDAHO
ILLINOIS
INDIANA
IOWA
KANSAS
MAINE
MICHIGAN
MISSISSIPPI
MONTANA
NEVADA
NEW YORK
OHIO
OKLAHOMA
OREGON
SOUTH CAROLINA
TEXAS
UTAH
VIRGINIA
WISCONSIN

WHODUNIT

44

D	E	T	E	C	T	I	V	E	G	N	I	Y	L	G
G	K	S	F	N	S	E	T	V	U	O	T	V	W	S
Y	I	I	A	V	E	W	P	O	L	I	C	E	N	E
S	L	Y	S	A	S	M	K	C	N	Q	R	I	U	C
U	L	R	R	F	A	B	I	U	D	R	A	M	H	N
O	E	L	F	O	C	M	T	E	Y	T	F	I	Q	A
L	D	Y	Z	O	T	R	E	R	S	E	R	T	G	T
A	E	V	C	R	O	S	A	D	F	E	E	C	Y	I
E	A	B	S	P	E	T	O	E	D	F	E	I	S	R
J	T	Q	P	V	S	O	P	R	S	M	U	V	U	E
C	H	O	I	S	L	T	U	R	I	P	S	Z	S	H
L	J	T	I	B	E	M	R	R	I	V	R	A	P	N
S	O	L	V	E	D	U	C	I	P	N	R	O	E	I
M	J	E	S	E	M	U	L	N	A	S	T	Z	C	S
H	N	O	P	A	E	W	A	C	K	L	A	S	T	A

BLOODSTAINS
CASES
CLUES
CORPSE
CRIME
DEATH
DETECTIVE
ENEMIES
FOOTPRINTS
INHERITANCE
JEALOUSY
KILLED
LYING
MOTIVE
MURDER
OPPORTUNITY
POLICE
PROOF
SOLVED
STORY
SUSPECT
TRIAL
VICTIM
WEAPON

HARVEST TIME

45

J	F	E	R	V	E	A	N	E	S	I	R	S	E	J
Q	Y	S	H	D	W	O	D	A	E	M	R	E	Y	E
E	S	U	O	M	T	R	A	I	L	E	R	H	I	S
M	N	P	U	C	A	R	T	S	W	C	O	T	E	W
K	O	P	Y	H	H	C	W	O	B	N	E	Y	L	M
E	I	E	C	B	E	D	L	K	E	A	C	C	D	X
H	N	R	E	R	N	F	A	Y	N	D	U	S	G	P
Z	O	A	E	E	I	E	C	P	U	N	D	E	L	D
M	N	A	H	L	B	V	C	H	G	U	O	V	E	G
S	L	I	U	A	M	R	S	X	U	B	R	Z	A	S
S	O	A	L	R	O	P	C	R	E	A	P	I	N	G
E	C	U	A	P	C	H	L	F	A	E	B	O	I	R
S	A	P	S	G	A	N	E	K	V	E	J	R	N	A
U	M	E	L	F	S	P	J	D	A	Y	P	L	G	I
I	W	B	F	A	E	H	S	B	R	E	H	S	K	N

ABUNDANCE
BEANS
CARTS
CAULIFLOWERS
CEREALS
CHAFF
COMBINE
CROPS
GLEANING
GRAIN
HERBS
HONEY
MEADOW
MOUSE
ONIONS
ORCHARD
PEARS
PRODUCE
REAPING
SCYTHE
SHEAF
SUPPER
TRAILER
YIELD

INTELLIGENCE

46

K	R	E	A	S	G	N	I	N	O	S	A	E	R	A
H	N	O	I	T	A	N	I	G	A	M	I	W	M	E
A	G	A	G	A	J	G	E	M	E	S	S	T	P	S
C	D	F	D	N	N	K	A	E	N	N	L	H	M	F
U	O	A	R	E	I	E	N	C	B	G	I	O	O	S
T	E	C	A	Y	L	N	M	O	I	M	Y	U	D	H
E	T	U	T	S	A	O	R	U	W	T	U	G	S	D
N	D	L	I	R	T	S	O	E	C	I	Y	H	I	E
E	E	T	O	M	E	H	T	H	C	A	N	T	W	R
S	T	I	N	E	I	V	G	P	C	S	R	G	W	O
S	A	E	A	N	M	S	E	I	N	S	I	G	H	T
O	C	S	L	T	H	Q	H	L	R	H	E	D	D	U
S	U	B	R	A	I	N	Y	A	C	B	A	K	T	T
R	D	C	B	L	N	S	S	H	R	E	W	D	L	O
F	E	L	B	I	S	N	E	S	R	P	O	G	E	D

ACUMEN
ACUTENESS
ASTUTE
BRAINY
BRIGHT
CLEVER
DISCERNING
EDUCATED
FACULTIES
GENIUS
IMAGINATION
INSIGHT
KNOWING
MENTAL
RATIONAL
REASONING
SAGACITY
SCHOOLED
SENSIBLE
SHARP
SHREWD
THOUGHT
TUTORED
WISDOM

BAD

47

A	A	D	Y	L	T	S	A	H	G	H	O	R	L	E
O	Y	K	I	W	I	I	P	I	Y	E	M	M	I	L
M	T	S	A	C	E	R	A	A	L	Z	I	L	V	B
L	S	C	W	V	N	A	I	B	Z	K	N	U	E	I
X	A	B	D	W	V	A	I	M	Z	C	F	F	Q	R
U	N	S	T	P	U	R	R	O	C	L	A	T	M	R
A	W	F	U	L	R	E	M	E	T	E	M	R	S	E
D	K	P	E	O	U	T	R	A	G	E	O	U	S	T
R	E	G	H	D	N	B	U	L	W	S	U	H	T	K
O	D	S	L	J	A	I	U	L	U	W	S	V	E	E
T	W	G	R	N	P	F	A	O	O	D	I	O	U	S
T	E	R	E	U	N	J	N	L	W	I	C	K	E	D
E	S	F	O	I	C	I	S	O	L	G	R	O	S	S
N	U	I	S	N	E	L	B	A	N	I	M	O	B	A
L	H	Y	T	H	G	U	A	N	C	C	V	I	L	E

ABOMINABLE
AWFUL
BANEFUL
CORRUPT
CURSED
EVIL
GHASTLY
GROSS
HEINOUS
HORRIBLE
HURTFUL
INFAMOUS
NASTY
NAUGHTY
ODIOUS
OUTRAGEOUS
RANCID
ROTTEN
SINFUL
TERRIBLE
VILE
VILLAINOUS
WICKED
WRONG

ORCHESTRAL INSTRUMENTS

48

R	R	N	O	O	S	S	A	B	T	H	I	E	T	Q
W	A	F	C	O	R	A	N	G	L	A	I	S	Z	D
E	N	O	B	M	O	R	T	T	R	U	M	P	E	T
N	A	B	M	I	R	A	M	T	Z	C	B	T	Y	U
I	K	H	U	W	F	M	G	I	A	A	O	K	A	Y
R	A	Y	P	L	C	U	H	M	F	S	M	C	Z	M
U	K	L	U	I	I	O	U	P	L	T	Z	O	B	T
O	O	T	O	T	C	I	R	A	W	A	O	L	A	E
B	E	N	A	I	N	C	B	N	Z	N	N	B	S	N
M	U	R	A	O	V	M	O	I	E	E	I	D	S	I
A	X	K	H	I	Y	H	A	L	A	T	L	O	D	R
T	O	P	O	C	P	E	R	S	O	S	O	O	R	A
N	U	R	E	M	I	C	L	U	D	L	I	W	U	L
E	S	A	X	O	P	H	O	N	E	E	V	H	M	C
K	B	D	U	J	M	U	R	D	E	L	T	T	E	K

BASS DRUM
BASSOON
CASTANETS
CLARINET
COR ANGLAIS
CORNET
CYMBALS
DULCIMER
EUPHONIUM
FLUTE
GUITAR
KETTLEDRUM
MARIMBA
PIANO
PICCOLO
SAXOPHONE
TAMBOURINE
TAM-TAM
TIMPANI
TROMBONE
TRUMPET
VIOLA
VIOLIN
WOOD BLOCK

"CAN" AND "TIN"

49

```
R E Y A T I N N A C A N D E T
T E L G N I T T C A O U T R I
E I T D L Z S G A N T N I A N
A T N S N E K F N T T I N W V
L E I T I A F E I R E T F N S
L E N N I N C P N N R N O I Z
T E I I K N A N E O O W I T E
I T C M T T N C A N T Y L G K
N I I N T A N A N C N S N T N
C A N N A T E A B S I I N A A
A V A A K C C G D U T T K I C
N C A N A E H E T A L P N I T
K C A N T E R D R A N A C A N
E R E I D L O S N I T A R H I
R E R E N E P O N A C E C I T
```

CAN OPENER

CANADA

CANARD

CANCAN

CANCEL

CANDLE

CANINE

CANISTER

CANKER

CANNON

CANTER

CANYON

TIN SOLDIER

TINEA

TINFOIL

TINGE

TINGLE

TINIEST

TINKER

TINPLATE

TINSTONE

TINTINNABULAR

TINTORETTO

TINWARE

"END" AT THE END

50

R	E	C	O	M	M	E	N	D	N	E	P	S	U	S
D	N	E	C	S	N	A	R	T	U	D	E	N	D	D
E	N	D	N	E	M	H	D	N	E	I	R	F	E	B
O	E	N	N	D	N	E	N	D	D	N	E	G	E	L
P	R	E	T	E	N	D	E	D	N	E	P	E	D	E
O	D	B	D	J	R	D	D	D	D	N	E	H	A	N
R	N	N	D	E	D	E	I	N	E	N	T	A	B	A
T	E	U	N	N	N	M	V	D	E	S	E	S	T	E
E	T	M	E	D	E	G	I	E	N	K	C	T	D	N
N	X	D	S	E	F	S	D	S	R	E	E	E	N	D
D	E	G	N	G	R	G	D	I	S	N	P	E	N	I
D	N	E	F	E	O	Y	U	O	D	P	H	I	W	D
D	N	E	I	R	F	Y	O	B	G	E	E	E	T	F
N	D	N	E	I	R	F	L	R	I	G	S	N	N	S
E	N	D	N	E	T	N	O	C	A	D	E	N	D	D

ATTEND
BEFRIEND
BOYFRIEND
CONTEND
DEPEND
DESCEND
DIVIDEND
EXTEND
FORFEND
GIRLFRIEND
GODSEND
INTEND
LEGEND
MISSPEND
OFFEND
PORTEND
PRETEND
RECOMMEND
REVEREND
STIPEND
SUSPEND
TRANSCEND
UNBEND
WEEKEND

LAKES

51

K	N	M	S	E	R	O	M	N	V	D	H	P	J	O
W	M	G	A	E	Q	V	W	I	K	G	O	P	E	B
N	A	M	R	O	N	O	G	H	A	N	E	C	O	I
E	D	I	A	E	V	F	A	E	T	I	I	E	G	A
U	E	G	L	Y	A	B	N	C	P	E	R	M	T	C
C	D	B	S	K	I	T	H	U	R	O	N	H	R	A
H	R	A	E	R	M	A	S	A	G	O	D	A	L	R
A	T	L	A	I	R	E	C	A	M	S	C	M	S	A
T	O	K	H	T	E	P	C	D	L	S	A	E	A	M
E	H	H	R	H	O	E	O	H	A	T	S	H	I	K
L	R	A	L	A	K	I	A	B	A	Y	A	I	M	W
V	I	S	R	E	U	D	A	W	Z	U	Y	N	A	P
N	D	H	E	C	O	H	A	H	A	I	N	G	A	D
A	L	B	E	R	T	H	B	E	T	H	Y	E	E	N
S	M	O	I	A	C	B	E	G	R	O	E	G	K	M

ABAYA
ALBERT
ARAL SEA
ATHABASCA
BAIKAL
BALKHASH
COHAHA
ERIE
GEORGE
GREAT SALT
HURON
IHEMA
KARIBA
LADOGA
MARACAIBO
NEAGH
NEUCHATEL
NORMAN
NYASA
OHRID
PEIPUS
PONTCHARTRAIN
SAIMAA
TAHOE

52

WORDS WITHOUT RHYMES

F	L	O	G	N	I	H	T	E	M	O	S	O	Y	X
S	K	E	C	R	A	C	S	S	Z	A	M	L	R	F
W	B	T	M	U	U	C	A	V	U	R	T	L	K	T
B	A	P	S	H	T	E	E	L	P	R	U	P	I	E
P	C	A	T	L	E	M	H	J	A	E	T	O	K	F
R	H	P	A	S	P	D	B	T	N	U	U	I	Z	A
L	E	F	K	T	G	A	H	I	X	R	N	Y	C	J
D	L	T	Y	B	S	N	U	C	X	I	R	D	L	R
B	O	N	Y	H	D	G	A	I	E	G	S	I	R	A
C	R	A	A	C	N	E	A	O	N	Z	S	N	E	Y
H	L	D	K	E	A	R	N	A	L	M	O	N	D	N
P	O	E	P	H	B	O	E	G	L	J	O	G	A	S
W	Y	P	M	S	S	U	S	C	I	J	I	N	M	V
F	L	O	W	A	U	S	T	P	T	N	O	Y	T	T
C	O	N	N	O	H	T	A	R	A	M	E	O	T	H

ALMOND
ANGRY
ANGST
BACHELOR
CITRUS
DANGEROUS
DEPTH
EMPTY
ENGINE
FILM
GOLF
HUSBAND
LAUNDRY
MARATHON
MONTH
PEDANT
PENGUIN
PURPLE
SCARCE
SHADOW
SIXTH
SOMETHING
VACUUM
WOLF

WIND AND BRASS INSTRUMENTS

53

N	O	O	S	S	A	B	A	W	A	F	S	N	H	J
R	E	L	C	W	S	I	A	L	G	N	A	R	O	C
O	L	J	T	R	U	M	P	E	T	N	E	O	R	N
H	S	C	E	E	E	E	O	E	U	C	T	H	N	O
H	T	E	Q	N	N	N	U	O	J	Q	U	T	P	I
C	C	R	P	H	E	O	O	P	Z	R	L	S	I	D
N	O	U	O	I	A	L	H	H	H	A	F	O	P	R
E	T	R	A	M	P	U	T	P	P	O	K	P	E	O
R	N	E	N	O	B	N	H	S	L	O	N	O	M	C
F	Y	B	N	E	L	O	A	A	I	E	X	I	O	C
S	P	O	B	I	T	O	N	P	U	H	K	A	U	A
E	H	R	E	D	R	O	C	E	R	T	W	C	S	M
O	C	A	R	I	N	A	O	C	L	P	B	N	E	I
G	K	V	W	A	D	A	L	I	I	M	B	O	I	H
S	H	A	R	M	O	N	I	C	A	P	O	H	Y	T

ACCORDION
ALPENHORN
BASSOON
CLARINET
COR ANGLAIS
CORNET
EUPHONIUM
FLUTE
FRENCH HORN
HARMONICA
HAUTBOY
HECKELPHONE
HORNPIPE
KAZOO
OCARINA
PANPIPES
PICCOLO
POST HORN
RECORDER
SAXOPHONE
SHAWM
TIN WHISTLE
TROMBONE
TRUMPET

"HALF..."

54

A	K	H	I	K	E	A	P	H	P	L	F	W	S	S
W	V	T	E	E	U	E	I	D	D	E	K	A	B	D
A	S	U	R	N	E	E	E	S	H	T	U	R	R	E
K	I	R	U	L	E	T	W	E	H	U	O	A	O	M
E	S	T	S	E	R	N	N	Y	E	T	O	G	P	I
R	T	A	A	A	E	P	O	N	H	B	A	E	E	T
A	E	Z	E	Z	C	A	F	E	L	L	N	L	N	V
P	R	H	M	H	A	F	R	Z	L	M	N	I	N	F
N	O	O	M	A	P	E	V	O	I	D	L	M	O	T
P	U	P	P	R	S	R	N	D	T	S	G	N	S	D
M	P	V	A	D	J	O	P	O	S	B	A	A	L	D
Y	A	E	N	Y	Y	K	U	I	T	N	B	C	E	E
V	E	S	S	N	L	S	O	E	C	I	R	P	N	E
E	W	I	T	T	E	D	N	J	E	R	A	H	A	P
T	S	D	N	U	O	P	D	E	K	C	O	C	T	S

ASLEEP
AWAKE
BAKED
BOARD
BROTHER
COCKED
DOZEN
GALLON
HARDY
HEARTED
MAST
MEASURE
MILE
MOON
NELSON
POUND
PRICE
SISTER
SPACE
SPEED
TIME
TONE
TRUTH
WITTED

NOISY

55

G	H	C	H	K	Q	V	K	C	A	R	C	R	B	O
S	H	C	L	E	U	Q	S	L	H	L	H	C	X	F
T	Q	U	P	I	T	R	W	A	V	M	I	L	I	L
D	U	U	D	E	N	V	U	T	N	S	M	A	C	K
N	E	F	E	A	A	K	W	T	E	Q	E	N	P	S
V	D	W	T	A	R	L	H	E	G	G	R	G	U	E
E	T	U	M	U	L	T	I	R	H	C	N	U	R	C
G	N	I	G	N	I	P	S	N	W	H	P	H	R	M
A	O	I	A	M	I	D	T	E	G	C	T	C	I	K
V	P	Z	H	K	I	R	L	N	H	T	S	E	H	M
A	T	N	C	W	S	C	E	O	H	A	A	E	C	A
D	H	O	L	L	R	B	V	F	L	R	L	R	T	E
G	N	I	T	E	P	M	U	R	T	C	B	C	J	R
K	A	Y	A	P	M	O	T	S	I	S	F	S	G	C
C	V	K	Y	V	N	E	I	J	F	A	L	U	N	S

BLAST
CHIME
CHIRRUP
CLANG
CLATTER
CLINK
CRACK
CREAK
CRUNCH
KNOCK
PEALING
PINGING
SCRATCH
SCREAM
SCREECH
SMACK
SQUEAL
SQUELCH
STOMP
TRUMPETING
TUMULT
TWEET
WHINE
WHISTLE

UNDER THE GROUND

56

```
A O U A A B S J W B I L F N F
Q U I P J T Q A G E J O H V R
V J C Q O T R O J R U R M Y A
N W O O I R E K N N A I L M L
M O R B E Z B B D G R V R C L
H R B N J X U A E X E E E I E
T A O S Q F T M Q N V R K U C
R S E C U I S J J U L W I C S
U W P E O T W U L Q I V R M E
F O U N O E G N U D S F I C D
F R S N L G K E V W H T E Q A
L M E L O L Y A W L I A R R H
E M A G M A U B A S E M E N T
S E W E R L V B A B E E R I S
X O T A T O P B S B L U B F L
```

AQUIFER
BASEMENT
BULBS
CELLAR
CORM
DUNGEON
FOUNDATIONS
GEMSTONE
GRAVE
HADES
MAGMA
POTATO
RABBIT
RAILWAY
RIVER
ROOTS
SEWER
SILVER
TRUFFLES
TUBER
VAULT
WARREN
WELL
WORM

CAKES

57

S	H	E	R	A	V	E	B	R	D	R	A	E	L	V
E	J	U	S	S	N	M	E	M	R	N	P	P	E	Z
N	W	Y	A	A	T	M	R	F	O	E	U	T	D	S
O	B	E	I	M	S	A	S	W	F	C	Y	O	X	T
C	R	M	A	T	I	R	N	Y	E	O	H	A	P	O
S	O	I	S	S	G	B	Y	A	R	T	C	A	L	L
T	W	D	I	I	T	L	E	U	I	R	N	W	T	L
O	N	N	H	R	Y	E	W	U	G	G	E	N	W	E
R	I	T	A	H	U	M	R	N	E	D	A	H	N	N
R	E	E	R	C	L	F	I	L	D	R	K	O	C	M
A	S	G	E	H	E	L	F	I	R	O	R	H	U	I
C	M	L	N	A	L	O	N	U	R	F	E	F	E	L
E	W	C	D	I	O	G	C	H	F	E	F	Y	P	S
B	E	E	F	D	G	N	H	A	S	I	E	B	T	U
T	U	N	O	C	O	C	S	E	N	T	P	I	O	C

ANGEL FOOD
BROWNIES
CARROT
CHEESE
CHERRY
CHRISTMAS
COCONUT
COFFEE
CURRANT
EASTER
FILLING
FRUIT
GINGER
LAYER
MARBLE
MOCHA
MUFFIN
POUND
RAISIN
SAFFRON
SCONES
STOLLEN
WEDDING
YULE LOG

COINS

58

E	G	E	R	O	D	I	O	M	K	D	T	S	E	G
T	N	C	O	P	P	E	R	S	N	L	E	B	O	N
A	I	V	D	N	U	O	P	A	T	S	I	T	U	A
C	H	L	N	D	S	W	R	Y	T	A	H	G	S	P
U	T	H	A	M	A	R	R	E	R	R	T	B	U	O
D	R	A	R	L	E	N	R	E	E	B	H	E	I	L
B	A	H	E	G	I	C	D	E	T	E	T	R	R	E
S	F	G	U	N	E	L	P	I	E	H	A	E	A	O
U	V	R	C	J	I	E	N	N	P	U	O	L	N	N
D	K	O	W	U	N	U	I	B	T	R	S	A	E	R
I	P	A	G	N	D	C	G	D	E	A	A	H	D	A
L	S	T	Y	I	K	J	I	P	M	Z	E	T	F	L
O	Z	B	M	E	B	A	N	K	C	U	A	Y	J	L
S	I	E	L	B	O	N	F	L	O	R	I	N	A	O
T	G	D	O	N	O	O	L	B	U	O	D	B	T	D

BEZANT
COPPER
DANDIPRAT
DENARIUS
DIME
DOLLAR
DOUBLOON
DUCAT
FARTHING
FLORIN
GROAT
GUILDER
GUINEA
KRUGERRAND
MOIDORE
NAPOLEON
NICKEL
NOBLE
POUND
SESTERCE
SOLIDUS
STATER
THALER
THREEPENNY BIT

WILD FLOWERS

59

H	E	D	E	P	A	N	I	A	T	N	A	L	P	B
K	A	H	E	S	J	I	E	P	T	G	E	H	H	A
B	A	R	T	S	I	A	U	N	E	T	E	A	A	S
J	P	E	N	N	Y	R	O	Y	A	L	T	W	V	A
O	R	X	D	S	S	F	N	H	S	B	I	K	E	P
H	I	R	D	L	A	O	C	G	E	L	N	W	T	V
Y	S	N	A	T	Y	S	A	W	L	A	O	E	C	I
F	A	N	C	R	O	W	F	O	O	T	C	E	H	O
T	E	A	B	M	E	P	W	W	E	R	A	D	L	L
E	L	N	T	P	U	H	E	N	H	P	R	R	D	E
K	F	E	T	R	E	F	O	I	L	I	B	A	W	T
C	C	M	H	R	D	A	F	L	Y	L	C	Y	Y	L
O	Y	O	B	U	L	R	U	S	H	X	H	E	T	F
R	C	N	T	S	E	A	F	T	T	O	I	E	T	T
X	G	E	O	S	R	T	F	I	R	H	T	A	E	T

ACONITE
ANEMONE
ASTER
BARTSIA
BRYONY
BULRUSH
CROWFOOT
HAWKWEED
HENBANE
MOSCHATEL
OXLIP
PENNYROYAL

PLANTAIN
PURSLANE
ROCKET
STOCK
TANSY
TEASEL
THRIFT
TREFOIL
VETCH
VIOLET
WILLOWHERB
YARROW

60

THINGS WITH WINGS

V	E	M	C	H	F	A	R	M	E	P	Z	H	R	E
N	F	E	A	B	S	N	F	Z	L	I	W	V	R	E
P	M	R	U	U	S	U	G	E	B	A	Y	U	R	C
B	P	O	G	R	F	W	S	Y	R	T	U	I	R	G
Y	U	S	T	E	M	A	K	A	E	S	P	O	I	P
E	W	M	U	H	I	S	Y	L	G	M	I	G	D	U
U	C	V	B	C	D	P	G	H	A	E	E	I	Y	L
X	E	C	J	L	G	A	U	V	C	E	P	U	E	P
N	B	U	T	T	E	R	F	L	Y	U	W	B	K	U
I	E	E	U	K	I	B	L	E	C	Y	G	B	H	M
H	L	C	R	A	N	E	E	H	V	F	I	T	S	R
P	T	E	N	R	O	H	O	E	A	R	G	N	A	T
S	E	G	L	I	D	E	R	I	D	W	X	Y	F	R
U	E	W	S	P	S	N	R	S	V	R	K	E	A	T
L	B	C	F	Y	T	Y	M	E	B	D	B	P	V	E

ANGEL
ASH KEY
BEETLE
BIRDS
BUMBLEBEE
BUTTERFLY
CHERUB
CRANE
CUPID
EAGLE
EROS
FAIRY
GLIDER
GNAT
HARPY
HAWK
HORNET
MIDGE
MOTH
PEGASUS
SPHINX
VAMPIRE
WASP
WYVERN

"HOUSE" WORDS

61

G	O	K	S	J	O	B	F	S	I	C	U	S	A	E
C	A	R	T	F	A	R	C	E	H	P	H	B	J	V
I	A	H	E	V	E	E	Z	T	B	R	Y	Y	F	E
H	M	S	L	T	O	A	E	A	O	O	D	W	V	J
K	A	E	O	T	T	K	F	M	W	U	U	I	C	K
A	S	E	J	S	A	I	H	R	S	D	T	N	E	R
S	T	C	E	N	K	N	S	D	W	C	S	E	D	E
D	E	R	S	E	O	G	R	U	E	P	L	A	N	T
R	R	G	E	N	J	O	S	T	A	R	N	M	W	N
A	E	G	U	R	L	S	E	R	M	O	U	S	E	I
C	T	U	A	F	A	D	T	A	U	Z	D	J	Q	A
F	N	E	O	G	D	Y	R	E	D	L	I	U	B	P
O	U	S	C	L	E	A	N	E	R	J	E	I	E	H
V	H	T	O	V	M	N	X	K	R	A	S	S	W	I
E	G	H	L	E	B	G	T	T	A	F	D	E	S	Y

AGENT
ARREST
BOUND
BREAKING
BUILDER
CLEANER
CRAFT
DETECTIVE
GUEST
HOLD
HUNTER
LEEK

MASTER
MATES
MOUSE
OF CARDS
OF LORDS
PAINTER
PARTY
PLANT
PROUD
RULES
SITTER
SNAKE

NORTHERN IRELAND

62

A	N	S	U	B	E	R	A	C	C	S	R	F	A	E
H	R	W	Y	E	N	R	E	H	G	U	O	L	N	Y
G	E	N	O	A	W	H	I	H	J	F	V	O	O	I
A	K	F	S	D	B	W	G	U	B	C	R	U	T	N
N	N	E	W	R	Y	A	N	P	A	Y	L	G	N	C
A	N	T	R	I	M	W	N	S	T	H	U	H	I	L
R	H	G	U	O	L	C	T	G	G	Y	K	B	F	A
C	I	T	E	L	V	L	M	A	O	E	A	E	L	U
K	E	A	D	Y	E	F	N	I	R	R	L	G	D	D
K	O	J	H	R	J	A	R	D	R	E	S	S	U	Y
M	O	N	E	Y	M	O	R	E	E	N	B	G	N	V
H	B	A	S	R	S	P	D	K	N	R	V	M	L	A
F	G	E	E	J	W	X	L	E	S	U	A	R	O	R
H	J	F	P	H	S	I	L	G	E	O	K	L	Y	C
E	N	R	A	L	K	B	U	S	H	M	I	L	L	S

ANTRIM
ARDRESS
BANGOR
BUSHMILLS
CASTLEREAGH
CLAUDY
CLOUGH
COMBER
CRANAGH
DOWN
DUNLOY
EGLISH
FERMANAGH
FINTONA
KEADY
KILKEEL
LARNE
LOUGH BEG
LOUGH ERNE
MONEYMORE
MOURNE
NEWRY
OMAGH
TYRONE

PALINDROMES

63

T	R	E	M	I	S	N	M	S	T	R	O	T	O	R
F	A	E	H	I	M	N	O	A	N	O	C	E	L	H
P	D	F	D	L	N	L	N	O	O	T	I	W	E	T
U	U	E	E	D	O	I	H	W	N	S	E	O	O	O
P	S	H	E	S	E	L	M	E	E	T	K	S	N	O
I	T	K	R	D	A	R	B	X	S	Y	E	R	S	H
L	O	B	B	R	E	R	E	T	R	V	A	Y	E	O
S	P	H	R	E	D	S	E	E	E	D	P	M	E	T
S	S	R	E	P	B	W	V	N	D	U	R	E	S	T
L	S	S	E	L	X	I	E	E	T	R	S	G	N	O
I	P	H	D	F	V	V	R	U	A	T	A	A	O	H
P	O	A	S	E	E	V	P	D	A	E	G	G	E	O
U	T	H	R	S	G	R	A	T	R	M	A	E	L	O
P	S	S	E	P	V	R	S	E	K	I	S	M	E	T
K	R	O	T	A	V	A	T	O	R	T	B	B	G	H

BIRD RIB
DEED
DEER BREED
LEON SEES NOEL
MEGA GEM
MINIM
NOON
PUPILS SLIP UP
PUT UP
RADAR
REDDER
REFER
REVIVER
ROTAVATOR
ROTOR
SAGAS
SEVEN EVES
SEXES
SHAHS
SOLOS
STATS
STOPS SPOTS
TOO HOT TO HOOT
WET STEW

SIGNS

64

Q K E H O A T Y E R A N E W B

J L F M E R K L A T I P S O H

E A A K E E P L E F T E T D E

T W S N K T T V J B G N I B E

I A N B R U T S I D T O N O D

X S U E O O S H I E C I L O P

E N E J Y Y T R C Q M O F S G

E J V Y D A B N D O N T R U N

R H E L P W A N T E D I E D I

I R E T O R O B W W A B G A N

F I O L T S N A V T S S F N R

Y O W N I D Y A S P L L M G A

F H E O D E S O L C O X Q E W

K A P O T S S U B O W V H R J

R J F O R T O C D L O O H C S

BUS STOP

CLOSED

DANGER

DO NOT DISTURB

DON'T RUN

ENTRANCE

FIRE EXIT

FLOOD

FOOTPATH

HELP WANTED

HOSPITAL

KEEP LEFT

LOW BRIDGE

ONE WAY

POISON

POLICE

SCHOOL

SLOW

STAIRS

UNSAFE

WALK

WARNING

WAY OUT

YIELD

TIMBER

65

T	C	E	R	I	N	S	O	R	S	T	I	P	L	R
L	R	E	D	L	A	S	E	R	Z	E	P	W	T	C
K	O	E	A	P	H	C	E	E	B	W	T	U	H	U
K	C	O	L	M	E	H	B	O	H	W	L	E	K	P
R	V	E	D	L	P	R	N	I	A	I	R	S	A	Y
S	L	N	P	Q	A	Y	T	L	P	R	C	R	O	K
A	T	A	N	W	G	E	N	W	Y	E	A	Y	D	E
W	M	U	O	N	O	U	O	J	O	N	L	D	E	T
O	A	O	N	A	T	O	I	M	A	A	E	V	R	Y
L	D	O	K	T	D	D	O	O	W	E	S	O	R	M
L	O	B	D	H	S	A	P	E	L	E	T	L	E	E
I	T	M	A	C	G	E	N	N	H	H	P	A	A	R
W	O	A	T	R	Q	I	H	V	C	E	D	A	R	B
S	M	B	X	I	P	H	I	C	K	O	R	Y	Z	A
E	A	X	T	B	H	I	C	K	B	E	E	C	B	U

ALDER
BALSA
BAMBOO
BEECH
BIRCH
CEDAR
CHERRY
CHESTNUT
EBONY
HEMLOCK
HICKORY
MAPLE
MERBAU
PARANA
PINE
RED OAK
ROSEWOOD
SAPELE
TEAK
TULIPWOOD
WALNUT
WHITE OAK
WILLOW
ZEBRAWOOD

PUNCTUATION MARKS AND SIGNS

66

V	K	R	A	M	N	O	I	T	A	T	O	U	Q	U
A	A	T	T	A	O	B	B	T	R	K	F	Q	O	P
C	A	R	L	A	X	K	C	L	S	H	A	S	H	D
E	D	L	I	T	S	A	W	E	I	U	O	E	Y	E
E	S	U	V	I	R	M	E	I	S	Q	R	Y	P	E
D	B	X	L	E	A	R	R	O	W	B	U	A	L	R
K	L	E	T	C	G	T	Z	D	R	I	E	E	U	O
Z	B	J	R	E	S	H	N	A	O	C	J	A	S	F
O	D	O	D	S	I	L	C	E	J	I	K	L	P	E
B	N	R	O	L	G	E	A	M	C	C	R	O	P	R
K	U	R	Y	W	A	X	X	U	I	C	U	E	J	E
A	C	T	U	A	L	M	U	T	Q	N	A	J	P	H
S	H	S	A	D	T	A	M	X	D	E	U	S	N	T
T	K	X	E	I	D	I	L	O	J	V	V	S	S	M
N	O	L	O	C	O	R	E	E	C	W	I	R	Y	U

ACCENT
ARROW
BRACE
CARET
COLON
COMMA
CROSS
DASH
DEGREES
EQUALS
EURO
HASH
MACRON
MINUS
OBELISK
OBLIQUE
PERIOD
PLUS
POUND
QUOTATION MARK
THEREFORE
TICK
TILDE
UMLAUT

CHEMISTRY

67

X	T	E	G	L	T	T	Y	E	G	T	O	E	N	B
D	A	E	L	N	E	R	R	M	E	A	C	J	O	H
N	N	F	H	N	L	K	C	I	S	E	V	E	R	V
E	D	J	C	Z	I	N	C	L	L	I	Q	U	I	D
S	M	E	R	Y	D	O	M	I	T	H	X	M	L	L
A	E	E	A	I	E	S	B	U	N	S	E	N	B	Y
A	M	N	T	W	H	P	U	T	I	O	U	K	C	O
D	T	A	S	E	Y	D	E	M	H	N	I	R	E	E
P	L	H	L	I	D	B	Z	P	T	U	A	F	L	R
C	N	T	W	G	R	R	O	A	T	I	P	R	L	U
U	E	E	A	H	A	I	Y	F	P	I	L	C	U	S
N	G	M	V	T	T	M	K	I	L	X	D	U	L	O
R	Y	N	O	C	I	L	I	S	C	U	C	E	O	U
A	X	M	J	G	O	U	L	A	Q	E	I	B	S	O
Y	O	F	R	A	N	C	I	U	M	A	R	D	E	C

AMALGAM
BUNSEN
CELLULOSE
DEHYDRATION
DRY ICE
FLUID
FRANCIUM
IONIC
IRON
LEAD
LIME
LIQUID
LITMUS
METHANE
NICKEL
OXYGEN
PEPTIDE
RUST
SILICON
STARCH
TALC
URANIUM
WEIGHT
ZINC

TIME

68

E	N	L	E	K	O	A	H	J	A	M	O	O	T	S
S	O	R	H	T	G	N	V	C	O	S	R	O	N	S
M	O	R	T	R	A	T	U	N	T	N	D	I	E	P
Y	N	O	P	E	R	I	O	D	X	A	G	V	S	R
E	R	Y	A	K	H	Q	N	E	Y	H	W	M	E	I
A	E	T	U	Y	A	U	U	S	T	H	I	Q	R	N
K	T	H	L	T	Y	I	P	E	T	L	E	N	P	G
A	F	U	S	A	H	T	A	U	L	A	S	O	O	N
M	A	R	E	E	S	Y	O	I	A	P	N	E	T	E
R	I	R	D	P	T	Y	S	E	T	Y	D	T	C	S
F	Z	Y	E	S	J	E	V	L	T	T	L	A	A	L
S	O	E	J	A	C	U	I	A	E	N	L	R	V	U
C	D	C	L	O	C	K	K	P	R	T	H	E	A	P
E	H	T	N	O	M	E	R	S	T	W	H	I	L	E
E	B	D	T	A	R	I	S	E	R	U	D	N	E	T

AFTERNOON
ANTIQUITY
CLOCK
EARLY
ELAPSE
ENDURE
ERSTWHILE
FIRST
HURRY
INSTANT
LATTER
MILLISECOND
MONTH
NIGHT
PERIOD
PRESENT
PULSE
SOON
SPEED
SPRING
TODAY
WATCH
YORE
YOUTH

ABIDE WITH ME

E	R	A	K	W	D	A	J	S	T	R	U	E	U	S
O	U	V	T	X	F	F	K	A	W	A	I	T	Y	D
C	I	N	S	A	S	E	T	T	L	E	R	A	N	D
L	H	L	I	T	U	T	U	P	Z	Z	H	R	W	K
E	C	O	S	T	N	L	I	V	E	O	N	E	Y	U
T	A	D	R	E	N	E	N	C	R	L	L	L	J	T
N	M	G	E	N	A	O	N	I	K	L	O	O	E	I
A	O	E	P	D	R	R	C	A	A	O	A	T	R	B
T	T	B	M	T	U	E	K	E	M	T	U	U	E	A
S	S	R	V	O	N	M	F	P	E	R	S	T	V	H
N	V	O	J	N	R	A	E	F	R	U	E	U	E	N
O	P	O	N	H	T	I	W	P	U	T	U	P	S	I
C	S	K	R	X	F	N	R	H	D	S	H	V	R	X
N	A	D	E	L	C	S	A	C	N	A	K	R	E	N
E	D	I	S	E	R	A	N	T	E	B	Y	J	P	O

69

ATTEND
AWAIT
BROOK
CONSTANT
CONTINUE
DWELL
ENDURE
INHABIT
LIVE ON
LODGE
PERMANENT
PERSEVERE
PERSIST
PUT UP WITH
REMAIN
RESIDE
SETTLE
SOJOURN
STICK OUT
STOMACH
SUFFER
SUSTAIN
TARRY
TOLERATE

HALLOWEEN

70

S	N	O	I	T	A	T	N	A	C	N	I	T	O	N
U	J	E	A	P	P	A	R	T	I	E	S	E	T	A
P	K	L	V	A	M	P	I	R	E	P	E	S	E	G
E	M	M	A	S	K	S	P	A	P	O	G	A	U	A
R	Y	I	I	C	S	H	Y	M	E	N	Y	B	O	P
N	R	L	R	G	A	Y	N	V	I	L	W	B	L	S
A	A	T	F	N	B	E	G	B	R	J	T	A	Y	R
T	C	M	T	A	V	N	B	Y	E	S	C	T	L	E
U	S	O	L	P	I	O	F	L	E	A	I	O	T	D
R	M	L	V	L	B	R	W	R	I	Y	G	A	S	I
A	P	S	K	E	T	L	I	N	O	D	A	D	O	P
L	M	C	L	G	N	Y	O	E	E	G	M	S	H	S
C	A	P	G	O	R	M	T	V	S	R	S	Q	G	G
C	P	C	H	L	E	V	I	T	A	T	I	O	N	T
A	I	P	W	D	I	L	Y	F	E	A	S	P	M	I

APPLE BOBBING
CACKLING
COVEN
DEMONIACAL
DEVIL
EERIE
FAIRIES
FROGS
GHOSTLY
IMPS
INCANTATION
LEVITATION
MAGIC
MASKS
PAGAN
PARTIES
PHANTOM
SABBAT
SCARY
SPIDERS
SUPERNATURAL
TALISMAN
TOADS
VAMPIRE

CARTOON CHARACTERS

71

N	G	G	S	I	Y	W	T	Y	I	Y	Z	F	R	J
H	O	U	E	T	G	H	J	B	W	R	L	N	U	D
I	F	S	T	O	U	I	O	E	E	O	A	Y	H	R
L	H	U	P	M	R	B	P	G	R	M	N	X	T	O
G	T	W	P	M	B	G	G	Y	T	R	Y	S	R	O
W	V	E	Z	Y	I	I	E	A	K	S	Y	N	A	P
O	R	V	H	L	T	S	B	J	Z	R	W	O	Y	Y
M	W	I	N	N	I	E	T	H	E	P	O	O	H	U
V	L	R	T	L	B	A	T	R	U	T	L	P	T	N
L	J	S	A	I	C	U	T	B	A	G	S	Y	A	D
X	G	G	T	P	N	K	B	O	E	B	Z	O	I	E
S	S	U	O	I	H	T	V	B	W	A	H	J	N	R
O	Y	T	M	O	M	A	I	V	L	G	V	T	V	D
L	R	H	R	B	F	P	E	N	N	E	L	I	N	O
E	K	I	P	S	Y	Y	Y	L	F	R	S	I	S	G

ARTHUR
BART SIMPSON
BATMAN
BEAVIS
BOBBY HILL
BUBBLES
DROOPY
GEORGE JETSON
GOOFY
GUMBY
JERRY
MOWGLI
PORKY PIG
RAPHAEL
SNOOPY
SNOWY
SPIKE
STIMPY
THUMPER
TIGGER
TINTIN
TOP CAT
UNDERDOG
WINNIE-THE-POOH

"B" WORDS

X	A	R	O	B	H	B	B	U	A	E	D	B	W	O
B	E	A	L	E	O	S	B	E	D	T	I	R	E	B
O	A	G	J	N	F	B	U	I	B	O	E	U	L	B
R	P	G	D	C	E	E	R	R	D	J	K	L	B	A
O	Z	E	B	B	E	T	I	E	L	T	A	B	D	S
Y	D	B	G	I	S	D	G	R	A	U	R	U	C	H
N	O	Y	H	E	G	R	T	B	B	T	B	S	S	F
B	E	U	B	E	A	O	A	X	F	B	H	H	A	U
R	U	J	B	D	N	S	T	F	I	B	E	E	E	L
H	N	B	A	R	P	A	U	B	B	W	R	L	B	G
E	K	B	I	O	I	L	L	E	C	I	T	T	O	B
B	L	A	H	E	B	I	C	D	B	P	N	E	J	W
E	B	S	J	V	G	Y	B	U	F	B	U	V	B	O
E	I	J	N	H	Y	B	L	C	A	R	W	V	A	E
B	A	Y	T	Q	Y	B	M	H	E	B	Y	M	I	B

BAIRN
BASHFUL
BEGGAR
BELOW
BESTRIDE
BETWIXT
BIGOT
BIODEGRADABLE
BISHOP
BLEW
BLIGHT
BLUFF
BLURB
BONDED
BORAX
BOTTICELLI
BRAKE
BREATH
BRIDGE
BRIEF
BULB
BULRUSH
BUOY
BUSHEL

GRASSES

73

C	G	B	O	T	M	W	S	H	N	E	M	O	R	B
A	W	K	T	Y	E	U	S	A	P	M	A	P	S	S
O	F	M	R	I	R	L	L	S	O	R	G	H	U	M
O	Y	C	A	Y	M	A	L	R	N	T	W	H	E	C
B	C	N	P	I	N	O	S	I	O	P	F	S	E	D
M	L	A	S	R	Z	O	T	O	M	E	L	I	C	K
A	P	U	E	B	U	E	F	H	V	Z	S	U	L	W
B	B	V	E	C	Q	S	N	N	Y	J	R	I	R	O
E	S	F	R	G	K	B	E	A	R	D	A	P	A	D
O	Y	E	X	C	R	Y	T	H	C	T	I	W	T	A
V	E	S	O	Z	E	A	T	M	S	R	Z	S	T	E
H	L	C	S	L	E	Z	S	G	J	G	A	J	A	M
V	R	U	X	H	O	O	O	S	L	U	C	G	N	U
H	A	E	W	L	X	D	R	G	N	I	K	A	U	Q
Z	B	O	O	R	A	G	N	A	K	A	R	Y	P	S

BAMBOO
BARLEY
BEARD
BLUEGRASS
BROME
COCKSFOOT
DOG'S TAIL
ESPARTO
FESCUE
KANGAROO
MAIZE
MEADOW
MELICK
MILLET
PAMPAS
PAPYRUS
QUAKING
RATTAN
SORGHUM
SUGAR CANE
TIMOTHY
TWITCH
VERNAL
WHEAT

MACHINES

74

N	H	T	E	R	A	A	S	E	G	N	I	Y	L	F
C	J	E	G	A	N	T	F	L	R	F	G	V	D	T
G	J	A	N	W	A	V	E	E	S	N	F	J	D	O
N	K	M	I	M	R	A	A	C	I	E	R	I	J	L
I	H	G	P	U	E	C	N	T	R	O	A	Y	E	S
M	U	I	A	H	C	G	O	R	U	L	N	E	E	F
A	N	N	E	G	O	V	A	O	Y	T	K	W	X	N
G	Y	E	R	G	R	R	R	S	O	T	I	M	D	G
N	G	N	I	D	D	A	I	T	U	N	N	M	B	N
I	W	E	C	M	I	S	E	A	G	A	G	U	E	I
T	W	U	Y	V	N	E	D	T	E	N	S	E	T	L
T	I	B	K	D	G	G	N	I	N	N	I	P	S	L
I	T	U	R	I	N	G	G	C	A	L	J	W	G	I
N	T	U	R	T	H	C	N	U	P	Y	E	K	A	K
K	H	G	C	F	G	N	I	W	O	R	R	N	I	S

ADDING
DIALYSIS
ELECTROSTATIC
ENIGMA
FLYING
FRANKING
FRUIT
GAMING
KEYPUNCH
KILLING
KNITTING
REAPING

RECORDING
ROWING
SAUSAGE
SAWING
SEWING
SLOT
SPINNING
STAMPING
TIME
TURING
VOTING
WAVE

FUNDRAISING

75

C	H	A	R	I	T	Y	R	O	S	N	O	P	S	E
F	B	T	T	S	R	Q	B	P	G	E	V	W	K	C
P	E	J	A	E	I	O	L	C	L	N	E	H	I	O
K	R	F	T	B	O	A	K	F	G	L	I	N	S	T
U	Y	T	R	K	N	A	F	N	A	E	C	B	E	H
W	O	H	S	T	R	A	I	S	D	I	S	C	O	K
L	L	A	S	A	R	C	E	C	P	E	P	V	Y	F
E	L	A	O	O	N	K	E	B	C	A	I	C	R	S
E	L	K	F	A	A	E	H	E	D	N	D	A	A	I
E	E	N	D	B	F	X	C	L	E	E	Y	R	A	N
G	N	I	K	I	H	N	A	R	U	M	K	W	Z	G
E	K	B	T	R	E	C	N	O	C	R	C	A	A	I
N	E	W	S	L	E	T	T	E	R	C	U	S	B	N
C	A	S	I	N	O	N	I	G	H	T	L	H	U	G
K	U	S	F	K	W	O	H	S	G	O	D	I	E	J

ART SHOW
BAKED BEAN BATH
BAKE SALE
BAZAAR
BINGO
BOOK SALE
CAR WASH
CASINO NIGHT
CHARITY
CONCERT
DANCING
DISCO
DOG SHOW
HIKING
KARAOKE
LOTTERY
LUCKY DIP
NEWSLETTER
PICNIC
PLANT SALE
RAFFLE
SILENCE
SINGING
SPONSOR

THINGS THAT GO ROUND

76

Y	E	F	Y	E	L	B	A	T	N	R	U	T	N	L
M	L	N	I	A	R	T	L	E	D	O	M	E	P	E
N	F	I	S	H	I	N	G	R	E	E	L	S	A	S
L	E	D	Y	P	J	A	D	O	A	Y	P	A	G	U
T	E	D	R	V	A	E	P	S	D	I	A	T	I	O
R	R	E	E	O	E	C	T	E	N	J	M	E	G	R
E	E	A	H	R	C	E	E	D	Q	Q	R	L	I	A
A	G	L	K	W	R	E	L	S	B	O	L	L	L	C
D	P	R	L	O	O	E	R	C	T	C	B	I	R	T
M	C	L	I	O	G	D	K	S	Y	A	A	T	I	U
I	M	D	A	N	R	H	A	S	K	C	T	E	H	R
L	U	O	U	N	D	C	D	N	I	J	L	I	W	B
L	H	T	R	A	E	E	H	T	R	H	Q	O	O	I
F	A	N	B	E	L	T	R	F	T	O	W	F	N	N
A	R	M	A	T	U	R	E	P	B	F	T	R	W	E

ARMATURE

ASTEROID

CAROUSEL

CASTOR

CYCLONE

FAN BELT

FISHING REEL

GO-KART

GRINDER

MODEL TRAIN

PLANET

RECORD

ROLLER

SATELLITE

SPACE STATION

SPINDLE

THE EARTH

TORNADO

TREADMILL

TURBINE

TURNTABLE

WHEEL

WHIRLIGIG

WHISK

“E” BEFORE “I”

77

```
H V I E T I E H N E R H A F P
D E I T N P B O I E M V T P I
I M S T E I N C H N M T U R E
L E N H D P E I D E S M D E D
I I H E A C A S S I O P E I A
E G D R T R F G E G T Z G S D
C N E E H E I G U H X A S O N
N I E I G H T Y U I K I F I S
L S E N I I E I O G E D E E L
I M A D E I R A E N D K I I I
E D B Z H B E I G E S Z K S E
S E V E I N S E T U U I E I V
B I I N U H Z S U R F E I T N
A T V S A E I N E S S I E M U
R Y U I E E K C O S S E I M V
```

ABSEIL
BEIGE
CASSIOPEIA
CEILIDH
DEITY
EISTEDDFOD
FAHRENHEIT
GEISHA
GNEISS
HEIGHT
MADEIRA
MEISSEN
NEIGH
NIKKEI
NONPAREIL
SEINE
SEIZURE
SKEIN
STEIN
SURFEIT
THEREIN
UNVEIL
VEINS
ZEITGEIST

CALENDAR

78

R	A	E	Y	W	E	N	T	M	L	I	R	P	A	N
B	U	T	U	E	S	I	A	J	O	O	S	C	X	Y
H	N	P	R	S	Y	E	T	M	M	N	E	V	R	H
J	E	A	O	T	E	N	U	J	O	W	T	A	M	S
Y	N	R	I	E	S	S	N	S	Y	R	U	H	E	S
A	A	O	E	L	R	O	A	A	E	R	H	T	S	K
Y	V	D	O	T	U	E	C	A	B	Y	A	G	Y	E
P	A	S	S	M	S	J	B	E	U	D	P	T	A	E
Y	A	D	Y	R	L	A	F	M	T	G	O	G	D	W
S	A	H	I	P	U	L	E	J	E	N	U	E	R	V
A	U	M	A	R	C	H	U	A	A	T	E	S	U	E
E	T	N	X	I	F	L	T	F	E	F	P	P	T	E
J	M	N	D	Y	Y	N	J	W	T	G	N	E	A	Y
T	U	B	U	A	R	E	B	O	T	C	O	A	S	L
S	R	L	B	T	Y	S	A	M	T	S	I	R	H	C

APRIL

AUGUST

CHRISTMAS

DATES

EASTER

FEBRUARY

FRIDAY

FULL MOON

JULIAN

JULY

JUNE

MARCH

MAY

MONTHS

NEW YEAR

OCTOBER

PENTECOST

ROMAN

SATURDAY

SEASONS

SEPTEMBER

SUNDAY

THURSDAY

WEEKS

SO BRIGHT

79

S	V	E	J	G	N	I	R	E	T	T	I	L	G	S
S	H	L	L	Q	J	G	N	I	M	A	E	B	A	M
S	I	O	I	U	C	W	E	I	H	A	R	S	H	H
H	E	L	W	G	E	L	H	I	S	B	U	H	O	J
G	R	A	V	Y	H	V	E	S	N	X	P	I	H	R
N	A	C	E	E	C	T	G	A	I	T	M	N	S	D
I	D	I	F	K	R	L	R	H	R	R	E	I	T	I
D	I	R	U	L	O	Y	K	Q	I	H	A	N	E	D
N	A	Z	G	W	F	P	Y	D	G	S	E	G	S	N
I	N	F	I	G	L	A	R	I	N	G	S	V	E	E
L	T	N	W	O	E	P	E	L	L	U	C	I	D	L
B	G	Y	M	L	I	G	I	U	N	F	E	V	E	P
T	N	S	T	A	R	K	F	N	U	L	U	I	E	S
G	N	I	M	A	L	F	Y	N	M	L	K	D	A	Z
J	S	A	T	N	E	C	S	E	D	N	A	C	N	I

BEAMING
BLINDING
CLEAR
EFFULGENT
FIERY
FLAMING
GARISH
GLARING
GLITTERING
GLOWING
HARSH
INCANDESCENT
INTENSE
LIGHT
LURID
PELLUCID
RADIANT
SHINING
SHOWY
SILVERY
SPLENDID
STARK
SUNNY
VIVID

SAILING

80

N	D	W	A	R	I	N	A	T	E	I	L	Z	L	R
W	R	N	E	R	R	J	M	N	P	L	D	Y	E	R
L	A	K	W	S	S	P	R	H	U	V	P	E	B	R
B	O	A	P	N	M	L	E	H	O	N	F	Z	C	E
L	B	O	I	U	J	T	K	Y	R	R	G	T	A	D
I	R	B	T	E	K	C	A	J	E	F	I	L	R	D
Y	A	E	P	S	C	G	N	R	F	F	M	Z	G	U
C	T	N	T	D	E	N	N	R	P	T	R	S	O	R
M	S	H	C	A	S	A	I	L	S	A	C	A	M	N
N	L	T	T	H	W	L	P	T	C	H	U	J	H	S
E	T	P	A	F	O	O	S	N	O	K	Q	L	E	W
D	A	E	O	K	B	R	R	O	U	W	L	D	I	Q
E	E	D	L	E	E	U	N	P	R	F	I	Q	C	N
A	J	B	F	S	T	E	K	I	S	T	K	N	L	T
A	A	O	A	G	R	B	L	T	E	I	P	B	G	A

AFLOAT
ANCHOR
CABINS
CARGO
COURSE
DEPTH
HELM
HORIZON
HULL
KEEL
LIFE JACKET
PROW
REEF
RUDDER
SAILS
SCHOONER
SPINNAKER
STARBOARD
TARPAULIN
TIDES
TOWING
VOYAGE
WATER
WHARF

FRUITS

81

D	E	T	R	A	U	R	H	A	E	C	N	I	U	Q
M	A	P	K	M	R	O	R	A	N	G	E	C	B	K
A	R	T	A	U	E	S	N	W	T	A	L	O	G	N
M	D	N	E	S	C	E	K	O	E	L	N	D	I	I
B	G	A	J	T	S	H	C	E	M	I	F	A	F	D
O	V	R	B	A	B	I	S	L	E	E	T	C	B	I
E	W	R	H	S	R	P	O	A	S	N	L	O	N	D
A	E	U	I	P	P	Y	G	N	A	M	V	V	E	N
P	T	C	A	E	I	L	R	L	F	S	U	A	N	I
A	E	K	A	G	I	D	P	R	O	R	E	P	U	R
W	V	C	F	J	R	A	T	L	E	A	U	K	R	A
P	H	A	J	I	P	A	I	S	E	B	T	I	P	M
A	T	L	U	A	H	V	P	O	M	E	L	O	T	A
W	H	B	Y	G	E	R	S	E	B	L	E	U	J	T
O	G	A	N	A	T	U	B	M	A	R	E	B	M	E

APRICOT
AVOCADO
BANANA
BLACK CURRANT
DATE
GRAPE
GUAVA
LEMON
MANGO
MULBERRY
OLIVE
ORANGE
PAPAYA
PASSION FRUIT
PAWPAW
PEACH
PLANTAIN
POMELO
PRUNE
QUINCE
RAMBUTAN
ROSEHIP
SATSUMA
TAMARIND

CALM DOWN

82

A	U	B	A	T	V	L	R	Y	F	I	C	A	P	N
Y	N	B	D	U	Z	S	F	E	E	S	O	L	E	W
Y	R	E	M	O	Y	I	U	E	U	S	W	T	A	J
K	E	I	B	L	L	B	H	B	E	I	N	N	M	J
Z	C	T	A	L	P	A	R	E	D	E	E	S	B	I
U	O	I	O	I	P	L	H	N	P	U	E	T	N	H
H	N	M	E	H	R	T	A	A	Q	S	E	E	E	M
R	C	P	E	C	O	T	Q	C	C	G	K	A	T	O
L	I	V	E	O	P	U	L	R	A	C	E	D	F	D
O	L	K	S	R	I	E	E	U	A	T	I	Y	O	E
Q	E	L	E	E	T	V	S	L	A	G	E	D	S	R
U	W	R	T	A	I	S	S	B	L	L	S	O	N	A
E	O	E	D	X	A	L	E	R	A	I	P	V	G	T
L	N	E	K	G	T	R	N	E	S	E	T	T	L	E
L	S	E	S	A	E	P	P	A	R	R	B	S	L	O

APPEASE
ASSUAGE
CHILL OUT
LESSEN
MODERATE
MOLLIFY
PACIFY
PLACATE
PROPITIATE
QUELL
QUIETEN
REBATE
RECONCILE
RELAX
REPOSE
SEDATE
SETTLE
SLACKEN
SOFTEN
SOOTHE
STEADY
STILL
SUBDUE
WANE

HAIRSTYLES

83

C	E	R	A	K	C	I	L	W	O	C	C	T	X	G
N	L	N	E	B	D	P	C	Q	M	O	Y	O	Q	T
E	G	V	R	V	H	E	U	K	W	J	S	N	S	N
S	N	A	U	I	O	I	R	L	F	S	E	K	N	A
F	I	E	S	T	F	B	I	E	K	T	I	P	O	F
D	H	V	N	F	U	S	M	C	Y	N	D	O	I	F
E	S	A	O	D	E	C	O	O	H	A	S	T	S	U
L	D	W	T	D	B	L	W	E	C	W	L	Z	N	O
R	A	L	R	I	D	S	A	E	V	I	H	E	E	B
U	J	E	C	A	A	D	E	M	R	A	V	E	T	P
C	I	C	E	T	G	L	X	U	C	C	E	A	X	O
H	F	R	E	N	C	H	P	L	E	A	T	W	E	U
L	D	A	B	R	I	N	G	L	E	T	S	E	L	F
E	Z	M	C	R	I	M	P	E	D	M	I	R	C	F
L	I	A	T	G	I	P	E	T	N	H	M	I	N	E

BEEHIVE
BOUFFANT
BRAID
COMB OVER
COWLICK
CREW CUT
CRIMPED
CURLED
DREADLOCKS
EXTENSIONS
FRENCH PLEAT
LAYERED
MARCEL WAVE
MULLET
PIGTAIL
PLAIT
POUFFE
QUIFF
RINGLETS
SHINGLE
SKINHEAD
TONSURE
TOPKNOT
WEAVE

THEY COME IN PAIRS

84

C	W	O	S	S	O	O	C	A	I	C	U	P	Q	S
S	S	P	E	A	K	E	R	S	H	D	H	E	C	K
H	U	U	S	L	K	C	Z	R	R	W	I	X	C	C
B	Z	R	Q	E	E	B	O	O	K	E	N	D	S	A
S	H	E	A	R	S	M	Z	S	Z	N	I	B	X	L
S	E	I	T	T	O	S	S	S	H	L	T	L	V	S
N	P	Y	H	S	K	H	A	G	E	O	P	S	P	L
I	H	G	O	I	U	S	G	P	N	L	E	T	S	A
W	I	M	I	W	A	D	Y	G	M	U	A	O	E	B
T	E	S	G	N	I	W	S	A	G	O	L	C	S	M
S	Y	B	D	C	H	O	P	S	T	I	C	K	S	Y
K	R	A	S	A	C	A	R	A	M	S	I	I	A	C
J	L	J	S	E	H	C	E	E	R	B	E	N	L	F
S	T	I	R	R	U	P	S	A	U	R	S	G	G	O
L	F	A	A	R	U	S	R	U	P	S	K	S	P	B

BOOKENDS
BREECHES
CHOPSTICKS
CHROMOSOMES
COMPASSES
CYMBALS
GLASSES
LUNGS
MARACAS
PLIERS
SANDALS
SCALES
SHEARS
SLACKS
SOCKS
SPEAKERS
SPURS
STAYS
STIRRUPS
STOCKINGS
TIGHTS
TONGS
TWINS
WINGS

PIZZA

85

N	I	N	O	R	E	P	P	E	P	X	R	S	S	S
E	M	O	Z	Z	A	R	E	L	L	A	Z	E	D	R
K	K	R	O	P	D	E	C	I	D	L	I	O	O	E
C	F	P	G	S	E	V	I	L	O	V	U	T	R	P
I	C	I	S	A	H	R	M	G	O	G	G	A	E	A
H	Y	N	G	I	R	D	X	H	H	R	E	M	G	C
C	B	E	N	A	E	L	C	C	O	S	E	O	A	J
G	B	A	I	E	I	N	I	U	E	S	O	T	N	A
A	Q	P	P	B	A	Z	N	C	E	N	M	F	O	L
X	S	P	P	Y	Y	D	I	E	I	H	L	C	F	A
I	A	L	O	N	B	P	H	O	N	G	X	N	B	P
N	U	E	T	E	S	C	N	S	A	U	S	A	G	E
J	C	P	E	M	U	S	H	R	O	O	M	S	K	N
V	E	F	S	V	M	A	H	D	E	K	O	M	S	O
T	S	U	R	C	N	I	H	T	D	X	Z	G	Y	S

ANCHOVIES
BBQ SAUCE
CAPERS
CHEESE
CHICKEN
DEEP PAN
DICED PORK
DOUGH
GARLIC
GROUND BEEF
JALAPENOS
MOZZARELLA
MUSHROOMS
OLIVES
ONIONS
OREGANO
PEPPERONI
PINEAPPLE
SAUSAGE
SMOKED HAM
SPICES
THIN CRUST
TOMATOES
TOPPINGS

BRISK

86

F M R H N B T N E I C I F F E
E E A C A O S P I R I T E D D
B R G G I S N V L A T I V X E
X A E N D M T O L R E U Y S X
G I V C I J A Y N V G A P N H
N O I T P H O N I S R I P A I
I C T M A C S G Y B E T I P L
L R C P R T O E Q D N N Z P A
T I A X R R K B R U E Q S Y R
S S U A O A N R E F I H I E A
U P M U I Y H U L C E C M G T
B S S F E N Z S B E E R K N I
Y L E V I L U Q M P Y X A K N
B R A C I N G U I S A P S Y G
V E K I L S S E N I S U B Z C

ACTIVE
BRACING
BRUSQUE
BUSINESSLIKE
BUSTLING
CRISP
DYNAMIC
EFFICIENT
ENERGETIC
EXHILARATING
HASTY
LIVELY
NIMBLE
NO-NONSENSE
QUICK
RAPID
REFRESHING
SHARP
SMART
SNAPPY
SPIRITED
VIGOROUS
VITAL
ZIPPY

ENDING "EX"

87

C	X	S	V	O	R	T	E	X	E	L	P	I	R	T
I	G	E	J	V	X	U	N	I	S	E	X	H	S	E
R	X	S	D	E	X	E	E	X	D	G	E	R	G	T
C	I	E	D	U	E	U	A	G	O	U	L	X	E	X
U	O	N	S	G	A	S	S	O	X	F	E	A	X	F
M	I	S	S	S	P	C	G	E	A	L	T	E	Z	X
F	X	C	M	A	U	O	P	R	P	R	F	A	E	D
L	U	E	N	C	L	S	E	M	E	I	N	L	K	U
E	W	D	T	P	U	X	O	X	T	T	F	C	E	P
X	E	K	L	A	V	C	E	N	A	O	C	O	X	L
X	T	E	X	E	L	L	O	P	R	P	O	N	E	E
E	X	E	R	R	F	P	E	T	S	Q	R	V	A	X
A	U	T	U	E	T	X	E	K	K	R	T	E	Y	A
E	E	V	R	X	E	R	U	M	E	A	E	X	R	E
X	E	A	F	X	E	Y	D	L	H	G	X	P	E	X

ANTAPEX
AUSPEX
CAUDEX
CIRCUMFLEX
COMPLEX
CONVEX
CORTEX
DUPLEX
GOOGOLPLEX
INDEX
LATEX
MUREX
PERSPEX
POLLEX
PONTIFEX
REFLEX
RETROFLEX
SPANDEX
SUSSEX
TELEX
TRIPLEX
UNISEX
VERTEX
VORTEX

TIRED

88

Y	E	R	A	Y	W	T	U	O	N	R	O	W	B	H
R	C	O	B	S	I	D	E	N	E	K	A	E	W	D
A	F	E	A	W	S	W	A	S	T	E	D	S	R	E
E	F	N	W	O	D	N	U	R	C	D	A	D	U	K
W	A	W	L	R	U	S	E	D	U	P	D	R	N	C
S	T	U	O	D	E	Y	A	L	P	U	E	A	R	A
H	I	D	G	E	D	A	N	E	Z	M	R	I	A	H
A	G	E	N	P	E	D	D	O	N	E	I	N	G	W
T	U	T	I	O	A	Y	R	Y	Z	Q	T	E	G	D
T	E	E	G	O	D	S	B	O	T	G	G	D	E	T
E	D	L	G	P	B	A	L	S	O	O	O	B	D	L
R	B	P	A	I	E	E	S	E	R	P	D	J	U	K
E	E	E	L	T	A	P	A	N	E	X	I	R	C	W
D	A	D	F	I	T	Y	M	A	S	P	U	N	O	E
M	F	G	N	I	T	L	I	W	T	E	Y	D	G	P

DEAD BEAT
DEPLETED
DOG-TIRED
DONE IN
DRAINED
DROOPING
DROWSY
FATIGUED
FLAGGING
PLAYED OUT
POOPED
READY TO DROP
RUN RAGGED
RUN-DOWN
SAPPED
SHATTERED
SLEEPY
USED UP
WASTED
WEAKENED
WEARY
WHACKED
WILTING
WORN OUT

WORDS CONTAINING "LIP"

89

S	P	I	L	T	E	J	U	C	P	I	L	A	T	I
W	N	H	P	R	P	I	L	L	I	F	E	P	I	L
P	I	L	X	O	S	P	P	I	L	R	E	D	N	U
E	F	E	N	P	H	R	P	A	R	R	C	I	J	I
N	I	S	L	I	P	S	T	R	E	A	M	L	P	O
O	L	I	L	L	O	H	P	P	P	P	G	V	I	M
I	I	I	I	E	L	I	P	I	I	I	K	P	L	P
T	P	S	P	H	C	I	L	L	L	E	C	S	F	P
C	I	L	R	I	L	A	E	H	C	U	I	L	K	I
U	N	I	E	F	L	R	L	L	R	N	T	I	C	L
S	O	P	A	D	A	S	I	I	E	R	S	P	A	C
O	E	K	D	H	Y	P	Y	M	P	D	P	A	B	N
P	P	N	E	S	S	O	K	A	A	H	I	W	K	U
I	I	O	R	E	M	S	R	E	P	I	L	A	C	H
L	L	T	C	L	I	P	P	I	N	G	M	Y	Y	K

BACKFLIP
CALIPERS
CALIPH
CIRCLIP
CLIPPING
ECLIPSE
FILIPINO
FILLIP
FLIPPER
HARELIP
HELIPORT
LIPOSUCTION
LIP-READER
LIPSTICK
OXLIP
PAPER CLIP
PAYSLIP
PHILIP
SLIP AWAY
SLIPKNOT
SLIPSTREAM
TULIPS
UNCLIP
UNDERLIP

CONTAINERS

90

H	T	L	H	O	S	H	E	T	V	E	A	S	E	R
B	C	E	W	Z	D	T	O	C	S	K	D	I	M	Y
J	A	U	K	O	I	Y	R	T	I	L	T	R	C	G
N	Q	A	O	S	B	R	D	A	S	L	P	I	U	T
L	W	C	S	P	A	E	L	U	S	P	A	C	E	M
A	A	A	V	T	H	B	P	R	G	H	R	H	S	L
R	L	I	R	R	E	S	E	C	E	E	C	M	C	E
G	A	O	H	E	Z	K	Z	T	E	A	E	A	W	S
T	M	F	R	P	K	J	C	G	S	H	L	E	N	A
U	M	Y	U	V	T	A	H	O	A	A	R	P	O	C
R	A	R	G	P	M	T	E	L	L	A	W	F	G	F
E	S	S	A	D	D	L	E	B	A	G	T	C	A	E
E	Q	O	X	O	B	G	N	O	R	T	S	I	L	I
N	A	C	N	I	T	E	K	N	U	R	T	D	F	R
A	S	G	T	E	T	O	P	O	Y	O	J	E	W	B

BEAKER
BOWL
BRIEFCASE
CAPSULE
CHALICE
DRUM
EWER
FLAGON
GLASS
LOCKET
MORTAR
PARCEL
PHIAL
POUCH
PURSE
SACHET
SADDLEBAG
STRONGBOX
TIN CAN
TRASH CAN
TRUNK
TUREEN
WALLET
WASTEBASKET

PLACES THAT START AND END THE SAME

91

```
A P O T R O P O K K N X E M G
N K I O G A H W A S R A W O R
D E S A I B A R A G I E C W U
O Y Q A W I C K L O W O A A B
R I C A L L I D A C N E N S S
R G H J A A T E Q I D G G R Y
A D V O L I C N R U O E O A T
T C G J A R R O E L P A C R T
E E K H B T A C A W R L T A E
Z P K A A S T A N A T X L R G
B X O X M U N E M I Z O R A M
O N D R A A A S P T W E W K D
N S I E U F A E A E P E A N R
T F A R L E H P L O Y L Z A Z
I R K B S E L L E H C Y E S D
```

ALABAMA	EUROPE
ALASKA	GETTYSBURG
ANDORRA	KODIAK
ANGOLA	LOWELL
ANKARA	MIZORAM
ANTARCTICA	NEWTOWN
ARABIA	OHIO
ASMARA	OPORTO
ASTANA	ORINOCO
AUSTRIA	SEYCHELLES
CADILLAC	WARSAW
COGNAC	WICKLOW

HELP

92

I	S	H	E	N	N	E	R	I	A	R	G	E	Y	S
H	E	A	R	T	E	N	C	O	U	R	A	G	E	J
L	O	W	C	R	A	D	L	E	W	X	N	O	Y	E
S	F	E	Y	F	E	D	E	C	R	E	T	N	I	R
T	E	S	R	U	N	X	O	N	I	E	V	R	E	S
T	S	E	E	G	P	E	P	M	D	G	M	S	M	E
K	H	O	U	R	V	R	P	E	M	O	T	E	G	C
K	Z	I	O	E	E	R	E	E	D	O	R	B	O	O
R	D	P	I	B	O	C	V	T	R	I	C	S	I	N
E	U	L	H	V	N	E	S	E	S	U	T	C	E	D
P	E	A	E	A	G	Y	A	G	B	O	T	E	A	P
R	E	G	N	I	F	A	T	F	I	L	F	R	U	C
E	J	I	L	E	R	O	S	N	O	P	S	S	U	K
H	F	B	X	V	M	E	C	H	A	M	P	I	O	N
W	O	R	K	W	I	T	H	S	N	A	R	I	N	U

ACCOMMODATE
BOOST
CHAMPION
CRADLE
ENCOURAGE
ENDORSE
EXPEDITE
FINANCE
FOSTER
GUIDE
HEARTEN
IMPROVE
INTERCEDE
LIFT A FINGER
NURSE
NURTURE
OBLIGE
PROP UP
RELIEVE
RESTORE
SECOND
SERVE
SPONSOR
WORK WITH

COFFEE

93

H	E	T	S	A	T	A	T	S	I	R	A	B	A	B
D	O	E	D	O	R	B	A	G	E	O	N	R	I	B
N	C	A	F	E	A	U	L	A	I	T	A	E	D	S
U	D	A	A	U	T	K	B	E	E	R	I	W	N	M
O	T	A	T	L	E	E	T	N	R	L	B	I	I	A
R	I	A	C	S	W	L	Y	H	E	K	M	N	T	C
G	A	N	H	O	U	S	E	J	I	E	O	G	Y	C
T	N	L	R	C	D	B	A	C	T	O	L	I	A	H
V	B	I	W	O	O	V	O	N	E	W	O	B	T	I
K	P	R	N	H	A	M	T	R	F	C	C	O	A	A
H	C	L	A	R	I	S	V	C	A	R	O	M	A	T
T	A	A	A	Z	O	T	T	D	C	M	E	W	G	O
Y	E	C	L	T	I	M	E	E	S	S	E	N	C	E
S	N	A	E	B	T	L	R	J	D	R	S	E	G	K
K	I	P	V	U	N	E	B	T	C	A	E	C	E	E

AROMA
BARISTA
BEANS
BLACK
BRAZIL
BREWING
CAFE AU LAIT
CAFETIERE
COLOMBIA
ESSENCE
GROUND
HOUSE

INDIA
JAVA
LATTE
MACCHIATO
MOCHA
MORNING
ROASTED
ROBUSTA
SMOOTH
TABLE
TASTE
WHITE

SAVING MONEY

94

A	N	N	I	G	N	I	Y	A	T	S	E	B	H	E
S	K	L	O	D	S	S	R	E	H	C	U	O	V	A
T	G	O	F	E	A	G	N	I	K	L	A	W	O	C
N	N	D	I	S	E	L	A	S	K	D	O	H	F	W
U	I	G	S	E	R	A	E	B	R	W	S	O	F	E
O	W	E	G	T	E	R	U	E	K	P	H	M	E	S
C	E	R	V	N	A	Y	S	N	A	D	C	E	R	K
S	S	S	G	H	I	S	E	W	A	A	L	C	S	N
I	C	Y	S	N	M	L	S	M	M	R	I	O	S	A
D	V	R	G	A	I	S	C	P	V	N	B	O	N	B
M	A	R	K	E	T	D	I	Y	K	I	R	K	O	Y
C	I	I	U	Q	S	N	N	D	C	N	A	I	P	G
G	N	I	L	G	G	A	H	E	E	G	R	N	U	G
G	G	N	I	T	T	I	N	K	M	Y	Y	G	O	I
U	A	G	N	I	Z	I	S	N	W	O	D	K	C	P

BULK BUYING
CAMPING
CAR SHARE
COUPONS
CYCLING
DARNING
DISCOUNTS
DOWNSIZING
DRESSMAKING
HAGGLING
HOME COOKING
KNITTING
LIBRARY
LODGERS
MARKET
MENDING
OFFERS
PIGGY BANK
SALES
SEWING
STAYING IN
SWAPS
VOUCHERS
WALKING

"M" TO "M"

95

```
M M M M H M E S M E R I S M M
E A M O O I U E I M U M V A A
B R A M N O D N M I S M W E I
M O G U F O R M E D I U M B N
P J N E M M G H T D M A M N S
M R U S P E U R S Z B S I O T
A A M U M H Y S A U S Y L O R
I M R M A L C O L M M U L M E
R M A T E R I A L I S M I O A
O A N Y Y I M O X T M N G L M
M I D S T R E A M S I X R A M
E F J M G O D F Z M O J A L M
M L M E P M V O U H M B M F Y
U M A Y H E M M M O D I C U M
M E T O N Y M S I D O H T E M
```

MAGNUM
MAINSTREAM
MALCOLM
MARJORAM
MARTYRDOM
MARXISM
MATERIALISM
MAYHEM
MEDIUM
MEMORIAM
MESMERISM
METHODISM
METONYM
MIDSTREAM
MILLIGRAM
MINIMUM
MODEM
MODICUM
MOLYBDENUM
MONOGRAM
MOONBEAM
MUSEUM
MUSHROOM
MUSLIM

RACECOURSES FOR HORSES

96

Q	U	I	S	L	H	I	A	L	E	A	H	N	X	E
K	R	A	P	A	I	Z	V	E	S	J	T	O	R	I
Y	A	W	L	A	G	W	E	X	F	O	R	D	A	T
K	E	R	O	M	A	R	T	L	H	H	I	G	M	E
C	S	A	L	I	S	B	U	R	Y	A	L	N	L	K
I	W	N	V	I	N	A	V	A	R	M	L	I	E	R
R	I	G	I	S	B	O	R	N	E	I	I	T	D	A
T	N	L	P	H	A	D	N	A	O	L	T	N	C	M
A	C	O	A	D	S	P	O	C	T	T	O	U	W	W
P	A	A	I	L	E	N	P	O	S	O	X	H	U	E
N	N	K	E	H	E	Y	A	O	W	N	G	O	O	N
W	T	L	B	Y	L	B	J	H	R	D	N	A	F	E
O	O	A	E	S	U	E	E	S	H	O	O	H	W	J
D	N	W	N	U	B	S	D	J	M	Y	S	O	R	E
S	A	N	T	A	A	N	I	T	A	E	V	L	G	Z

DEL MAR

DELHI

DOWNPATRICK

FOXTON

GALWAY

GISBORNE

GOODWOOD

HAMILTON

HANSHIN

HIALEAH

HUNTINGDON

JEBEL ALI

MYSORE

NEWMARKET

OAKLAWN

RILLITO

SALISBURY

SANTA ANITA

SAPPORO

SARATOGA

TRAMORE

WEXFORD

WINCANTON

ZIA PARK

WATERFALLS

97

L	E	S	A	A	R	F	U	A	R	E	M	L	O	T
E	K	E	G	H	A	V	A	S	U	R	I	N	K	A
N	W	A	I	H	F	W	A	T	S	O	N	K	B	J
O	N	N	U	T	I	G	O	R	D	A	R	B	D	F
T	E	G	S	L	U	J	H	Q	A	E	U	D	E	B
S	S	E	Z	L	D	Z	I	E	I	C	P	G	J	T
W	M	L	B	A	L	L	G	C	R	K	H	K	I	R
O	I	U	N	L	P	A	H	L	O	E	A	U	U	U
L	N	S	E	L	X	E	F	A	T	B	N	K	A	O
L	N	L	H	I	N	F	O	N	C	R	T	O	L	C
E	E	X	M	B	Q	W	R	G	I	O	O	L	I	N
Y	H	P	A	M	O	G	C	F	V	W	M	A	H	I
M	A	C	Z	U	I	N	E	O	Z	N	T	H	I	L
X	H	C	S	Y	A	R	E	S	L	E	H	C	A	E
P	A	L	O	U	S	E	K	S	B	W	C	A	W	M

ANGEL
BROWNE
HALOKU
HAVASU
HIGH FORCE
IGUASSU
KRIMML
LANGFOSS
MELINCOURT
MINNEHAHA
PALOUSE
PHANTOM
REICHENBACH
RHINE
RINKA
TOLMER
TWIN FALLS
UTIGORD
VICTORIA
WAIHILAU
WATSON
WISHBONE
YELLOWSTONE
YUMBILLA

“TIGHT” SPOT

98

N S P B R F I S T E D I L D F
S I A S U U I C E M N A M E G
T T D T E D K T A M C C U K Y
R T E F L C G J T E H F R H Z
E I R B I O U E D I C I D C G
T N X T Z N G R T E N N A R Z
C G A N C T N O I P R G S E G
H S P T D E I E O T E E A N F
A I I A E S P E K E Y R I R E
M O E R P T E M L A E D L O Z
N F S E P S E G M E L U E C E
S S D T I F L U E O R R A G E
E D Y A L Y S H H F N R Z S U
R I N W E A T H E R U E A D Q
I B V E H A N G O N R E Y B S

AS A DRUM
AS A TICK
BARREL
BUDGET
CONTEST
CORNER
ENDS
FINGER
FISTED
FITTING
HANG ON
HOLDING
HUG-ME
JUNCTION
LACED
LIPPED
MONEY
SECURITY
SITTING
SLEEPING
SQUEEZE
STRETCH
WATER
WEATHER

LADDERS

99

T	H	G	I	A	R	T	S	Y	A	W	G	N	A	G
E	C	S	Y	S	Z	O	N	J	A	C	O	B	S	E
R	O	X	T	K	E	J	P	E	P	I	A	V	Y	X
L	M	E	H	I	C	N	P	E	T	O	S	E	T	T
L	P	J	N	J	L	T	I	A	B	S	A	K	G	E
E	A	I	E	E	F	E	D	L	I	R	E	V	N	N
M	N	G	L	I	H	O	R	W	T	L	E	D	I	S
O	I	E	C	O	M	E	L	I	Y	A	D	N	L	I
N	O	D	F	M	T	I	C	D	L	B	R	V	L	O
K	N	E	O	R	B	U	T	E	I	E	P	D	O	N
E	I	C	A	R	L	G	R	E	T	N	A	F	R	M
Y	C	U	A	A	E	X	O	S	L	R	G	E	Y	P
A	Q	R	T	I	M	E	O	G	J	A	I	Z	A	G
F	Y	E	P	L	A	T	F	O	R	M	C	E	Z	M
S	D	N	E	H	C	T	I	K	N	P	Z	S	R	N

ACCOMMODATION
ARTICULATED
COMPANION
ETRIER
EXTENSION
FOLDING
GANGWAY
JACOB'S
KITCHEN
LIBRARY
MONKEY
PILOT
PLATFORM
QUARTER
RATLINE
ROLLING
ROOF
ROPE
SCALE
SIDE
STEP
STERN
STILE
STRAIGHT

NUTS AND SEEDS

100

H S E M A S E S N D C I S W R
Y U E Y N X U B N Z H J E N E
A N J A A Y R O K C I H O C D
W F G L H A M F E S S A C O N
A L F P Z L I A S A H N E C A
R O M I A P N T C T U N L O I
A W L O N E O C E S D A E N R
C E N J M C P I W C P T R U O
P R C I O A W I H A Y T Y T C
M X N B K N D E N C L O H E T
G Y N O V P S R Q E A N M B U
D U T H P T M H A V N T U N N
T F E N N E L U P C E U S T A
M E R U F P O P P Y V J T I E
F L T C R I U T R E B L I F P

ALMOND
ANNATTO
BRAZIL
CARAWAY
CARDAMOM
CASHEW
CELERY
CHESTNUT
COBNUT
COCONUT
CORIANDER
FENNEL
FILBERT
FLAX
HICKORY
PEANUT
PECAN
PINE NUT
PISTACHIO
POPPY
PUMPKIN
SESAME
SUNFLOWER
WALNUT

FLOWERY GIRLS' NAMES

101

Y	L	L	O	H	N	R	W	D	T	M	Z	A	D	T
Y	L	E	C	I	C	R	A	L	A	D	W	I	S	M
T	O	D	L	N	N	I	E	O	N	E	L	L	A	A
W	X	B	J	G	S	R	K	F	S	J	E	O	R	R
Y	Y	N	O	Y	R	B	M	V	Y	N	R	N	O	G
S	L	L	C	O	G	Y	U	L	H	E	U	G	L	U
H	I	I	S	C	R	C	D	P	L	S	A	A	F	E
E	F	L	L	T	B	I	A	T	G	O	L	M	C	R
A	A	I	L	H	A	D	V	M	H	R	R	A	A	I
T	N	E	H	Y	V	J	V	J	W	M	I	V	Y	T
H	Q	L	T	L	R	S	I	F	X	I	I	G	Q	E
E	L	U	W	V	L	A	F	R	A	R	P	I	V	Z
R	C	A	M	A	Q	G	M	K	I	P	O	P	P	Y
D	L	A	Q	Q	I	E	R	A	U	S	K	Z	L	Z
A	Y	E	H	A	C	I	N	O	R	E	V	E	N	S

AMARYLLIS
BRYONY
CICELY
DAHLIA
DAISY
DAPHNE
FERN
FLORA
HEATHER
HOLLY
IRIS
IVY
LAUREL
LILY
MAGNOLIA
MARGUERITE
MAY
MYRTLE
POPPY
PRIMROSE
SAGE
SORREL
TANSY
VERONICA

THINGS YOU CAN PEEL

102

O	R	C	C	Y	U	I	R	L	N	R	Q	W	R	T
K	B	B	R	Y	I	N	X	I	P	Z	I	V	D	O
N	G	R	A	P	E	A	K	C	M	O	P	R	Z	R
P	O	B	E	G	W	S	U	F	N	A	E	G	R	R
H	M	R	Z	M	S	H	R	I	M	P	Y	O	E	A
F	L	A	C	E	D	P	O	T	A	T	O	O	K	C
S	J	B	T	T	W	N	K	P	Z	A	D	R	O	P
T	X	U	N	S	P	D	L	N	T	I	L	A	H	I
I	W	H	T	B	E	L	A	B	E	L	X	N	C	N
C	R	R	O	C	A	G	C	B	E	L	L	G	I	S
K	A	F	M	W	X	D	A	H	T	P	P	E	T	R
E	P	F	A	T	J	N	S	T	R	Q	Q	P	R	A
R	P	J	T	C	A	G	Y	J	S	T	N	I	A	P
V	E	F	O	N	G	P	T	D	P	O	Y	Q	X	T
W	R	L	A	E	P	F	E	P	Q	A	P	W	T	Z

APPLE
ARTICHOKE
BANANA
CARROT
DECAL
EGGSHELL
GRAPE
LABEL
ONION
ORANGE
PAINT
PARSNIP
POSTAGE STAMP
POTATO
RHUBARB
SHRIMP
SKIN
STICKER
TAPE
TOMATO
WALLPAPER
WAX
WRAPPER
YAM

WARSHIPS

103

S	V	U	Z	E	G	Z	C	G	U	W	R	N	Z	D
U	O	G	D	I	P	E	R	T	N	I	E	K	A	D
G	R	T	Q	D	P	V	T	W	N	W	G	T	I	I
R	I	E	I	L	J	K	T	T	A	W	I	V	P	K
A	K	N	F	Q	H	Q	G	J	Y	R	T	Y	M	H
Q	Y	R	N	I	M	I	T	Z	P	S	R	Z	Y	O
Z	S	O	T	O	G	A	C	I	H	C	B	I	L	O
A	S	H	A	H	D	P	T	I	K	E	R	U	O	D
B	B	U	Y	F	P	Z	D	L	L	U	O	U	R	R
G	D	S	L	S	E	R	V	F	H	D	Y	T	N	G
N	K	H	O	I	A	R	A	S	N	U	A	E	I	G
I	I	X	R	G	T	S	N	O	I	B	L	A	G	J
R	A	O	O	S	T	U	O	K	D	S	O	H	A	R
A	E	N	W	B	Q	L	A	K	O	J	A	U	K	H
D	A	X	C	A	L	B	A	N	Y	F	K	U	A	D

AKAGI
ALBANY
ALBION
ARGUS
BELFAST
CHICAGO
DARING
DRAGON
GETTYSBURG
HOOD
HORNET
INTREPID
IOWA
KIDD
KIROV
NAUTILUS
NELSON
NIMITZ
OLYMPIA
ROYAL OAK
TAYLOR
TIGER
TIRPITZ
WARRIOR

SLUMBER PARTY

104

P	M	G	L	G	I	G	G	L	I	N	G	Y	T	G
I	W	C	A	G	N	T	A	F	Y	R	P	F	S	A
L	E	Q	U	I	L	A	C	Z	D	A	R	E	S	B
L	G	Q	G	B	S	L	U	U	Z	P	G	S	S	G
O	N	N	H	E	J	K	G	G	C	I	E	C	X	N
W	I	X	T	D	S	I	N	X	A	I	P	G	M	I
S	T	R	E	R	D	N	B	I	R	M	N	Y	V	P
M	T	K	R	O	N	G	T	O	R	I	E	R	T	E
E	A	K	G	O	E	P	T	X	Y	D	Y	S	E	E
V	H	K	I	M	I	S	A	A	M	N	K	E	V	L
W	C	S	E	S	R	W	L	B	U	I	U	K	U	S
L	E	A	S	U	F	P	C	A	S	G	B	A	D	T
S	B	O	F	B	P	U	Y	K	I	H	P	C	U	Z
J	G	Y	V	T	G	N	I	H	C	T	A	W	G	I
T	X	H	T	N	E	M	E	T	I	C	X	E	M	E

BEDROOM
CAKES
CHATTING
DARES
DRINKS
DUVET
EXCITEMENT
FRIENDS
GAMES
GIGGLING
GOSSIP
LAUGHTER
MAKEUP
MIDNIGHT
MUSIC
NOISES
PILLOWS
PIZZA
PLAYING
SINGING
SLEEPING BAG
STORIES
TALKING
WATCHING TV

SIX-LETTER WORDS

105

V	X	Z	I	K	H	H	U	D	E	D	R	I	J	K
E	X	N	L	C	Z	S	U	B	D	H	N	B	T	W
Y	N	T	A	Z	P	Q	A	J	P	D	P	I	Q	L
M	E	T	A	L	A	S	K	A	I	U	X	O	U	B
I	T	N	C	M	K	R	C	A	L	G	B	R	R	S
A	Y	E	Y	E	O	Q	N	U	J	J	E	L	N	Q
S	E	C	T	E	Q	F	U	N	T	V	Y	D	I	H
M	L	E	V	A	R	T	I	R	O	E	O	L	Q	C
A	U	R	R	I	N	H	T	L	E	T	S	S	D	N
Q	O	S	G	E	T	S	P	I	G	D	E	T	N	E
C	N	H	C	I	D	I	M	Y	U	E	I	U	A	T
Z	T	U	W	L	C	N	E	T	T	I	M	P	L	S
G	L	A	G	A	E	A	X	H	O	U	N	D	S	T
S	E	V	O	L	G	D	E	C	I	N	E	V	I	L
J	H	F	A	V	S	H	U	N	K	P	L	C	B	F

ALASKA
ATTACH
BASKET
CUTEST
DANISH
EXEMPT
FRIGHT
GLOVES
HOUNDS
INDIAN
ISLAND
LUCENT
MIASMA
MITTEN
MUSCLE
PLOVER
PUBLIC
RECENT
SEETHE
SPIDER
STENCH
TRAVEL
VENICE
WITHIN

TASTES

106

H	K	R	R	T	W	X	B	J	H	A	C	R	I	D
D	M	J	A	J	A	I	M	S	B	C	J	Y	C	P
I	J	R	Q	X	T	A	I	P	R	A	H	S	Q	N
C	T	W	S	T	D	E	L	I	C	I	O	U	S	U
I	D	Q	E	A	R	D	G	B	K	P	R	W	C	D
T	M	R	K	O	L	C	L	Y	H	J	U	U	L	H
R	R	B	M	D	G	T	H	X	M	C	Y	I	O	Y
U	P	A	C	H	V	V	Y	E	J	M	M	Y	T	S
S	S	W	E	E	T	K	I	N	E	D	U	I	N	Q
P	Y	Z	L	L	O	O	E	N	V	S	U	Y	E	Y
Q	U	A	R	M	Y	T	H	T	E	R	Y	M	G	T
J	T	I	S	I	T	T	A	O	F	G	Y	A	N	T
S	Q	J	F	O	G	N	W	T	G	G	A	E	U	U
R	X	Q	R	L	G	F	F	I	S	H	Y	R	P	N
N	X	C	H	Y	B	K	G	C	Q	Z	E	C	Y	I

ACRID
BITTER
CHEESY
CITRUS
CREAMY
DELICIOUS
FISHY
FRUITY
HOT
MILD
MOREISH
NUTTY
PUNGENT
ROTTEN
SALTY
SHARP
SMOKY
SOUR
STALE
SWEET
TANGY
TART
VINEGARY
YUMMY

BRITISH MONARCHY FIRST NAMES

107

S	E	L	R	A	H	C	R	E	T	E	P	B	Z	R
W	J	H	B	E	A	T	R	I	C	E	C	M	A	A
X	Q	E	A	G	U	X	N	E	D	L	L	F	R	R
I	H	N	L	L	T	G	N	Y	S	R	G	S	A	D
S	O	R	I	K	L	N	E	A	N	I	A	I	F	N
A	U	Y	C	H	A	E	S	N	W	U	U	W	J	A
R	L	G	E	W	V	E	I	D	I	K	C	O	D	X
A	A	E	N	G	M	L	Z	R	P	E	M	I	L	E
H	R	A	E	A	S	F	R	E	B	I	V	A	S	L
G	T	K	J	I	S	O	Z	W	H	A	L	X	R	A
L	H	E	I	W	H	H	J	I	D	H	G	I	H	Y
N	U	U	F	L	F	P	E	G	U	A	J	K	H	S
L	R	M	C	E	T	T	O	L	R	A	H	C	K	P
T	H	V	N	S	U	X	Y	S	E	E	T	C	K	T
G	E	O	R	G	E	Z	Z	T	L	N	H	X	Q	I

ALEXANDRA
ALICE
ANDREW
ANGUS
ANNE
ARTHUR
BEATRICE
CHARLES
CHARLOTTE
DAVID
EDWARD
EUGENIE
GABRIELLA
GEORGE
HELEN
HENRY
JAMES
LOUISE
MARY
PETER
PHILIP
SARAH
SOPHIE
ZARA

"THREE..."

108

C	G	Q	L	C	E	E	Z	O	M	J	T	L	I	D
G	Z	W	I	S	E	M	E	N	N	I	H	R	D	N
F	I	N	A	B	T	V	D	O	U	Z	N	E	I	I
W	V	H	E	E	Y	E	L	S	T	N	E	K	M	K
S	P	A	N	A	R	W	E	B	S	X	V	C	E	A
B	R	O	F	E	H	C	F	C	G	J	A	E	N	F
S	R	S	N	E	E	S	H	A	N	D	E	D	S	O
S	C	R	E	I	S	E	Z	R	I	E	H	S	I	U
D	O	L	P	L	E	E	E	D	H	G	O	E	O	R
C	E	A	J	R	C	R	I	T	T	N	T	G	N	T
R	Q	T	S	I	A	O	I	R	R	O	S	O	A	I
C	R	P	S	U	R	C	K	I	A	R	P	O	L	M
B	O	U	Q	A	G	S	K	C	F	P	E	T	T	E
A	N	S	N	E	M	S	E	K	I	R	T	S	K	O
M	E	N	I	N	A	T	U	B	C	E	S	V	I	J

BEARS
CARD TRICK
CHEERS
CORNERED
DECKER
DIMENSIONAL
FARTHINGS
FOUR TIME
GRACES
HANDED
MASTED
MEN IN A TUB
OF A KIND
PHASE
PIECE SUIT
PRONGED
SCORE
SQUARE
STEPS TO HEAVEN
STOOGES
STRIKES
TENORS
WHEELER
WISE MEN

BASEBALL TERMS

109

```
S Q P E G S E W T U Z W E S C
S E R U T S T Z N R R R T T Q
H S K I T A A O H U I H M E L
O U K I N H L E U P R P V A U
R M H L R N E P M O U E L L O
T R R B F T I U W E N T M E F
S R K L A B S N G A L E G O Y
T E M V J E X N G N L T T H H
O T A N H S A V Y L A K T G D
P T E G I H F H B G B T L D L
C A T N C X E A M D E O D O E
Y B G F N U S Z Q U V J B U I
S L Q C N E S G C E R I N B F
E M A L S D N A R G U L N L N
R H D L R E H C T A C Y D E I
```

BALK
BASES
BATTER
CATCHER
CHANGE UP
CURVE BALL
DOUBLE
FOUL
GLOVE
GRAND SLAM
HITS
HOME RUN
INFIELD
INNING
PLATE
SHORTSTOP
SINGLE
STEAL
STRIKE
TEAM
THROW
TRIPLE
UMPIRE
WALK

ANCIENT PEOPLES

110

U	H	C	A	R	T	L	Y	S	N	X	B	I	G	N
T	T	C	E	F	H	H	X	D	A	N	C	J	N	A
Y	N	S	O	T	I	C	R	S	I	R	N	Q	I	M
I	R	R	H	C	Z	N	E	H	C	A	T	H	K	O
W	I	W	E	A	I	A	E	E	I	C	M	M	I	R
J	N	L	F	I	N	L	Z	N	N	J	Q	E	V	N
S	T	A	S	L	L	G	O	H	E	R	U	D	D	A
S	T	H	E	E	F	L	Z	F	O	A	B	T	X	E
R	M	C	N	A	Y	E	H	L	H	U	N	L	E	A
T	O	I	I	B	T	L	G	V	P	A	Y	D	A	M
N	C	S	A	P	N	A	Y	A	M	D	S	I	H	A
F	H	B	N	L	U	V	B	R	I	S	X	O	E	R
W	E	Y	K	L	B	L	O	A	C	J	D	Z	C	A
Z	J	G	S	N	W	N	N	I	N	N	E	F	N	H
S	U	S	M	I	N	O	A	N	B	G	T	L	D	Z

ARAMAEAN
AZTEC
BABYLONIAN
CELTS
FENNI
GAULS
HELLENIC
INCA
JIROFT
JUTE
LYDIAN
MAYAN
MEDE
MINOAN
MOCHE
NABATAEAN
NORMAN
PHOENICIAN
PICTS
ROMAN
SHANG
VIKING
XIA
ZHOU

CONTAINING "RUM"

111

M	U	R	S	C	R	U	M	P	T	I	O	U	S	M
I	R	I	H	M	U	R	U	N	M	M	U	R	Q	U
E	S	U	L	U	B	R	A	U	A	B	M	U	R	R
R	T	S	M	O	M	N	R	M	I	X	U	C	M	T
U	L	A	D	B	I	D	U	L	U	S	R	U	M	S
M	V	R	N	M	L	R	R	M	U	R	R	O	S	O
Z	U	N	U	I	T	I	S	U	F	U	T	T	F	L
M	F	R	O	S	M	M	N	U	M	R	E	N	E	O
K	U	C	O	V	P	U	U	G	P	P	U	L	A	C
T	L	R	Q	C	P	E	R	R	M	M	B	M	A	T
R	C	U	O	S	E	C	C	U	T	M	U	J	P	Z
U	R	M	M	U	J	D	R	T	U	N	U	R	M	Y
M	U	M	U	S	Q	C	C	R	R	I	E	R	U	R
E	M	Y	R	P	L	E	C	T	R	U	M	C	R	V
N	I	R	U	M	S	S	C	R	U	M	M	A	G	E

BODRUM
CENTRUM
COLOSTRUM
CRUMBLE
CRUMMY
CRUMPET
DECORUM
FRUMPY
FULCRUM
HUMDRUM
OIL DRUM
PLECTRUM
QUORUM
ROSTRUM
RUMBA
RUMBLING
RUMEN
RUMINANT
RUMINATE
RUMPUS
SCRUMMAGE
SCRUMPTIOUS
SPECTRUM
TANTRUM

"U" WORDS

112

U	V	N	A	T	S	I	K	E	B	Z	U	Z	O	U
B	Y	D	D	U	N	J	U	L	S	T	E	R	B	I
U	T	R	F	R	C	I	D	U	R	N	T	U	D	J
N	R	D	U	L	L	A	G	E	I	G	A	F	S	G
P	U	E	N	S	U	Y	I	R	Y	S	A	E	N	U
A	H	N	L	A	U	T	A	R	O	H	S	U	I	F
T	N	U	P	B	H	M	O	O	A	S	U	U	U	R
R	U	A	U	E	A	R	Y	P	Y	C	U	W	A	E
I	U	U	I	R	R	N	E	L	I	J	I	N	D	T
O	N	M	T	S	E	T	U	D	L	A	L	T	E	A
T	A	L	S	T	E	R	U	R	N	U	Y	X	R	L
I	U	U	G	K	G	V	I	R	E	U	F	D	E	U
C	B	U	N	E	L	U	U	P	B	C	G	E	H	D
U	T	E	N	S	I	L	S	F	M	E	L	O	S	N
D	E	T	I	N	U	R	B	A	N	U	D	U	U	U

ULCER
ULLAGE
ULNAR
ULSTER
ULTRAMARINE
ULYSSES
UMPIRE
UNABLE
UNDERHAND
UNDULATE
UNEASY
UNHURT
UNITED
UNPATRIOTIC
UNPERTURBED
URBAN
URGENT
URTICARIA
USEFULLY
USHERED
USURY
UTENSILS
UTOPIA
UZBEKISTAN

FOOT

113

S Y X U Z L P W R E T S I L B
U Q P C T Z A X W D B I U Z O
L P L H A E B S V A E X G D L
A E A I M C N K R L L H D I D
T T N L X U G D K A O K V E D
T S T B Z B E N O P T P I X E
Q N A L A O A N P N S A U N C
B I O A Q I P I A E A L T D G
H G B I T D N E N C L N V E L
G E N N N G M O D A L A W T M
Q S E I C U B N H I I A D F S
K E Q L T O B U N A C L C T B
X I L L H C R A L C S U S A K
Z L B O V X C N T O E S R H B
J Q E V S N B R S G Q E R E A

ANKLE
ARCH
BARE
BLISTER
BONES
BUNION
CALCANEUM
CHILBLAIN
CORN
CUBOID
DIGIT
HALLUX
HEEL
HOPPING
INSTEP
METATARSAL
NAILS
PEDICURE
PLANTA
SOLE
TALUS
TENDON
TOES
WALKING

CATCH

114

P	M	A	A	G	N	S	H	D	T	C	K	R	Z	N
J	K	S	A	M	N	U	H	C	N	R	M	E	S	O
M	P	A	R	T	N	E	O	D	T	Z	E	N	D	G
F	S	P	U	D	N	U	O	R	G	U	Z	R	N	N
D	A	S	Z	T	J	U	K	G	E	Z	L	O	E	A
N	R	E	N	T	A	N	G	L	E	E	E	C	H	H
O	G	T	Z	A	J	P	L	M	R	S	O	T	E	V
T	G	A	M	I	P	C	V	A	I	N	E	G	R	A
N	X	V	M	A	E	U	N	R	A	N	R	A	P	Z
O	U	I	K	R	F	S	P	Q	C	I	L	M	P	X
H	C	T	G	R	N	R	S	U	P	L	K	H	A	U
C	Q	P	R	E	U	V	T	H	O	T	I	C	V	K
T	B	A	A	S	L	J	O	C	Y	T	S	N	O	Z
A	M	C	B	T	V	L	P	I	C	G	N	Y	H	D
L	C	L	P	F	D	M	I	H	C	V	M	J	Q	T

APPREHEND
ARREST
CAPTIVATE
CLUTCH
COLLAR
CORNER
ENSNARE
ENTANGLE
ENTRAP
GRAB
GRASP
GRIP
HANG ON
HITCH
HOLD
HOOK
LATCH ON TO
NET
ROUND UP
SEIZE
SNAP UP
STOP
SURPRISE
UNMASK

BUILDINGS

115

W	R	E	W	O	T	C	A	S	I	N	O	N	U	N
G	Q	X	L	M	C	B	Y	G	J	E	P	D	A	L
P	M	E	I	T	B	N	L	D	D	E	P	O	T	L
C	C	T	P	E	S	O	E	M	S	D	S	T	C	I
O	L	K	Y	J	O	A	O	G	W	R	N	S	H	M
R	I	C	A	Q	F	T	C	J	N	E	H	H	U	D
X	N	B	A	K	E	R	Y	O	M	A	S	I	R	N
Q	I	A	L	L	I	V	B	T	C	D	R	X	C	I
D	C	E	L	O	Q	D	R	K	D	A	V	G	H	W
M	N	C	I	E	C	A	Q	K	T	A	F	C	I	J
O	L	A	B	Z	P	I	L	E	I	N	I	B	A	C
S	G	L	R	A	J	A	N	I	A	O	G	R	O	T
Q	Y	A	A	C	A	A	H	E	E	J	S	K	Y	H
U	O	P	R	T	L	D	K	C	M	B	S	K	B	Q
E	W	Z	Y	P	S	P	G	D	Q	A	Y	S	L	D

ABBEY
APARTMENT
BAKERY
CABIN
CASINO
CASTLE
CHAPEL
CHURCH
CINEMA
CLINIC
DAIRY
DEPOT
GRANGE
IGLOO
KIOSK
LIBRARY
MOSQUE
MOTEL
PALACE
PLANETARIUM
SHACK
TOWER
VILLA
WINDMILL

FRACTIONS

116

I	K	W	K	E	X	R	H	I	C	B	K	A	E	B
R	A	G	L	U	V	F	O	T	S	I	X	T	H	V
H	T	E	I	T	N	E	W	T	F	I	W	R	C	T
U	J	Q	A	D	I	N	W	N	C	L	H	A	L	F
N	C	U	R	G	O	U	R	D	O	A	E	G	N	T
D	J	O	H	I	R	M	E	E	R	M	F	W	Z	J
R	T	T	R	B	D	E	T	F	U	I	M	E	T	R
E	H	I	O	S	E	R	R	H	K	C	H	O	U	M
D	L	E	N	Z	R	A	A	S	P	E	H	T	C	I
T	T	N	W	Z	C	T	U	I	Y	D	G	D	O	X
H	J	T	O	T	Y	O	Q	M	F	I	F	T	H	E
H	T	N	I	N	E	R	A	P	M	O	C	V	C	D
S	G	O	S	Y	B	P	E	L	P	I	T	L	U	M
S	N	E	T	Q	N	I	N	E	T	E	E	N	T	H
I	M	P	R	O	P	E	R	D	U	O	P	V	K	K

COMMON
COMPARE
DECIMAL
EIGHTH
FACTOR
FIFTH
FRACTION
HALF
HUNDREDTH
IMPROPER
MIXED
MULTIPLE
NINETEENTH
NINTH
NUMERATOR
ORDER
QUARTER
QUOTIENT
SIMPLE
SIXTH
THIRD
TWELFTH
TWENTIETH
VULGAR

GLOBAL WARMING

117

```
T U Q N E N G N I T L E M Y E
S S C G D E U S I F U D E C N
O O E S I G D S W A M R E C O
L I B R X U Q R L I E B L C Z
A L B M O M V B C H C I C P O
R W I L S F E I P N D E Y I P
R E C W U D T S A M R Q C P I
A L E Y O C O E E E O C N A G
D L S C R M C T K K U A O Q P
I E H A T O H O R Z G R B A D
A S E A I A I A M T H W R U L
T G L Q N W A T E R T Z A K K
I B F E K C A B D E E F C W N
O N O S E A L E V E L R Y I Z
N G R E E N H O U S E G A S O
```

ALBEDO
ARCTIC
ATMOSPHERE
CARBON CYCLE
CLOUDS
COAL
DROUGHT
FEEDBACK
FOREST
GREENHOUSE GAS
ICE CAP
ICE SHELF
IPCC
MELTING
METHANE
NITROUS OXIDE
OCEAN
OIL WELL
OZONE
SEA LEVEL
SOLAR RADIATION
SUN
TREES
WATER

THINK ABOUT IT

118

I	F	T	U	O	E	R	U	G	I	F	Z	A	E	N
E	S	O	P	P	U	S	E	R	E	V	I	S	E	I
T	Y	D	U	T	S	Q	I	M	A	G	I	N	E	N
Z	C	N	E	E	C	C	F	K	E	V	I	B	S	S
E	Y	E	S	X	S	O	L	V	E	M	D	Y	N	T
J	C	S	P	S	E	U	U	D	R	I	B	O	B	E
E	A	U	I	X	U	K	E	E	S	R	K	E	G	W
S	I	Q	D	M	E	T	T	T	E	C	W	D	R	O
U	U	N	Z	E	A	E	I	A	E	O	U	R	X	V
R	F	C	F	M	D	N	Y	R	N	J	I	E	W	E
E	F	N	D	E	G	B	H	D	M	O	N	A	S	R
P	Q	E	A	U	R	M	E	P	K	K	V	S	Y	J
Z	Z	Y	I	O	U	R	Q	K	Z	I	E	O	F	W
W	U	S	O	S	S	W	L	Q	W	U	N	N	Z	G
O	H	K	E	D	C	O	N	J	E	C	T	U	R	E

ASSESS
BROOK
CONJECTURE
DEDUCE
DETERMINE
DEVISE
DISTINGUISH
EXPECT
FIGURE OUT
IMAGINE
INFER
INVENT
JUDGE
MUSE
PERUSE
REASON
RECKON
REMEMBER
REVISE
SOLVE
STEW OVER
STUDY
SUPPOSE
WONDER

GOLFING TERMS

119

D	H	A	B	E	K	C	D	N	Y	N	M	J	K	Q
Y	O	A	C	L	K	A	E	O	R	B	H	E	C	K
N	P	I	D	S	X	E	Y	E	O	C	J	C	I	F
X	L	D	N	C	R	M	N	D	T	W	S	N	L	M
S	A	K	O	G	O	M	O	A	C	T	K	A	B	R
A	S	T	R	R	O	E	R	L	E	E	S	T	I	V
L	W	Y	P	L	M	C	I	B	J	M	H	S	N	F
B	R	I	A	I	S	Y	D	S	A	P	O	B	F	Y
A	O	Z	B	W	C	F	I	P	R	O	L	O	F	T
T	Z	G	H	L	R	F	M	O	T	P	E	L	D	K
R	Z	M	E	A	L	I	S	O	R	E	O	S	S	M
O	O	E	U	Y	Z	F	A	L	T	L	U	P	A	X
S	K	U	Z	U	O	A	K	F	P	U	T	T	E	R
S	U	O	G	R	D	E	R	R	Y	V	C	R	J	G
X	R	Y	E	H	F	C	E	D	Z	L	N	B	X	R

ALBATROSS
APRON
BLADE
BOGEY
CLEEK
DORMY
FAIRWAY
FORE
GREEN
HAZARD
HOLE OUT
LOFT
MIDIRON
NIBLICK
PUTTER
ROUGH
SCRATCH
SLICE
SPOOL
STANCE
TEE OFF
TEMPO
TRAJECTORY
WOOD

120

WORDS STARTING "FOR"

U S N F O R E H A R E E R O F

F N R O W S R O F F O R M E D

Y W O T F O R E T A S T E F O

N A L F D S T F G F O R R O F

N R R F O A O T F A R E M R O

O O O O M R O O F O R M G M R

O O F R F O R O F F R O S A S

N R O E O T R O G A I S F L K

E F O H R E R F E N E E A C B

R O U E W B D R R L I F E K F

O R S A I A O E K F O D O O E

F S R D N F K R G R E M R O F

D N A H E R O F M R O G X O B

F O R T I F Y I O S O E E Y F

F O R W A O C F I T F F O R F

FORAGE
FORAY
FORBID
FORDING
FOREARM
FOREDECK
FOREHAND
FOREHEAD
FORENOON
FORETASTE
FOREWARN
FORGED
FORGOT
FORKLESS
FORLORN
FORMAL
FORMAT
FORMED
FORMER
FORMIC
FORSAKE
FORSWORN
FORTIFY
FORTRESS

SOUNDS

121

G	W	I	O	Q	T	Z	E	Y	O	T	A	E	X	E
L	S	G	K	N	C	C	I	K	Q	F	O	N	X	J
V	W	I	E	G	W	H	I	S	T	L	E	O	W	E
P	S	C	O	G	N	I	T	A	E	L	B	T	H	O
I	C	P	C	R	E	S	O	N	A	N	C	E	Z	J
A	O	I	T	V	L	S	B	I	X	T	C	R	O	Q
N	C	E	Y	J	G	U	E	K	K	I	B	U	Z	Z
I	T	R	P	F	G	R	L	W	O	R	G	M	I	H
S	P	C	A	N	I	H	L	V	W	B	K	R	X	W
S	C	I	T	R	G	A	O	K	Z	O	W	U	N	D
I	H	N	O	I	E	C	W	D	F	O	H	M	G	S
M	I	G	E	U	Y	E	D	Z	F	M	E	Z	E	O
O	M	N	Q	Q	J	E	H	A	Z	I	E	Y	H	Q
U	E	S	I	O	N	L	L	C	W	N	Z	C	O	L
Z	N	B	P	A	K	E	M	L	B	G	E	E	S	Z

ACCENT
BELLOW
BLEATING
BOOMING
BUZZ
CHEER
CHIME
ECHO
GIGGLE
GROWL
HISS
HOOT
MURMUR
NEIGH
NOISE
PIANISSIMO
PIERCING
RESONANCE
SQUEAL
TONE
VOICE
WHEEZE
WHISTLE
YELL

FOUND

122

```
L A R K O U D E S S E N T I W
W S B E H B U E T I J P D A T
D C P U T E S N C R U L E D E
E E U G N R V E O A H A T Q Z
R R E Y O E I U R T R N C W J
E T M H P T A E Z V I T E V D
T A A A N H H R V V E C T O E
N I C P P L C O T E S D E H R
U N Q P G H F U L H D E D D R
O E J E A W D P L D G V D M U
C D L N U E T A N I G I R O C
N B C E D N U O R G F E L T N
E E Q D N N I N U F W C M F I
D X L O C A T E D A Q E U O H
K U E H V S H I S M D R A G J
```

ASCERTAINED
CAME UP
CHANCED
DETECTED
ENCOUNTERED
FELT
GOT HOLD
GROUND
HAPPENED
INCURRED
LAUNCH
LOCATED
NOTICED
OBSERVED
ORIGINATE
PLANT
RECEIVED
RETRIEVED
RULED
SAW
SET UP
TRACED
UNEARTH
WITNESSED

CASTLES

123

K	E	X	U	R	Y	K	Y	O	D	N	E	P	E	I
Q	G	E	D	G	Q	E	L	R	A	D	R	R	J	A
U	D	E	A	E	L	A	S	L	U	L	U	A	B	R
V	I	R	T	I	C	J	P	X	W	O	S	C	U	C
Z	R	E	A	A	Y	O	A	K	N	H	A	S	L	H
A	B	B	U	N	G	L	N	E	N	G	R	E	W	W
C	W	M	R	C	A	N	D	O	A	N	B	G	A	A
R	A	A	B	T	V	D	R	T	A	O	M	V	R	Y
E	R	H	U	L	O	M	E	E	E	R	E	G	K	E
N	D	C	T	K	A	W	L	R	T	T	D	L	T	C
E	O	E	T	N	A	L	E	H	Q	S	M	T	V	H
L	I	F	R	Y	H	N	C	R	H	O	O	I	K	A
S	E	G	E	I	S	T	Q	G	A	M	C	P	E	P
K	G	M	S	B	I	B	A	T	T	E	R	Y	E	E
H	D	I	S	D	Q	R	S	L	S	W	D	G	P	L

ARCHWAY
BAILEY
BATTERY
BULWARK
BUTTRESS
CHAMBER
CHAPEL
CRENEL
DITCH
DRAWBRIDGE
EMBRASURE
ESCARP
GATEWAY
KEEP
MOATS
MOTTE
NORMAN
POSTERN GATE
REDAN
SIEGES
SPANDREL
STRONGHOLD
TOWER
VICES

WATCHES

124

S	H	G	T	L	L	K	I	N	E	T	I	C	L	Y
B	M	P	G	N	I	V	I	D	G	J	X	A	S	R
Q	R	C	A	H	B	E	C	A	F	C	I	X	R	E
S	K	A	G	R	C	B	N	P	I	D	D	X	B	T
B	P	A	C	Y	G	T	J	T	O	T	P	H	H	T
O	P	R	W	E	Z	O	A	Q	I	F	O	L	O	A
F	Q	P	I	U	L	M	N	W	O	N	C	E	U	B
S	D	U	X	N	O	E	C	O	P	V	K	V	R	L
E	F	S	A	T	G	R	T	R	R	O	E	E	H	A
S	X	N	U	R	Y	V	E	N	P	H	T	R	A	T
R	Z	A	I	S	T	D	S	A	A	N	C	S	N	I
U	D	Z	T	A	N	Z	T	V	U	D	O	Z	D	G
N	Y	A	P	I	H	Y	R	H	N	U	N	H	F	I
Y	L	V	W	L	R	C	A	X	C	X	G	E	H	D
P	G	N	I	T	A	E	P	E	R	H	C	K	P	L

AUTOMATIC
BATTERY
BRACELET
CHAIN
CHRONOGRAPH
CRYSTAL
DIAL
DIGITAL
DIVING
FACE
FOB
HOUR HAND
HUNTER
KINETIC
LEVER
NURSE'S
PENDANT
POCKET
QUARTZ
REPEATING
SPRING
STOPWATCH
STRAP
WINDER

SOCIAL MEDIA

125

P	X	H	W	L	R	F	P	T	S	N	J	D	T	E
U	X	V	V	Z	H	M	U	M	U	S	J	C	N	H
H	T	Q	R	S	Y	W	O	R	C	K	T	V	E	L
S	K	F	E	S	T	A	R	M	H	N	R	F	M	K
A	D	J	D	C	E	E	G	M	A	I	E	O	M	O
M	R	E	P	T	B	S	E	L	T	L	B	O	O	O
W	E	B	L	J	S	E	F	W	O	E	U	N	C	B
F	T	I	I	M	T	A	I	S	T	A	T	U	S	E
W	T	O	H	U	F	T	C	I	J	M	U	T	D	C
V	I	D	P	D	I	L	V	D	Q	Y	O	A	N	A
I	W	K	I	R	J	N	I	Y	O	B	Y	T	E	F
T	T	G	I	U	I	U	H	C	F	P	F	T	I	F
A	G	R	A	V	A	T	A	R	K	A	U	E	R	C
G	N	I	T	S	O	P	N	P	N	R	N	J	F	X
S	D	E	L	I	C	I	O	U	S	G	C	S	L	A

AVATAR
CHAT
COMMENT
DELICIOUS
DIGG
FACEBOOK
FANS
FEEDS
FLICKR
FRIENDS
GROUP
INVITE
LINKS
MASHUP
MEETUP
ORKUT
PODCAST
POSTING
STATUS
TAGS
TWEETS
TWITTER
WIKI
YOUTUBE

BOOKS

126

M	W	E	Y	L	W	E	S	T	E	R	N	A	Y	E
L	T	E	E	L	N	R	V	E	K	J	T	T	J	M
A	A	V	H	D	A	Q	M	U	T	L	H	O	Z	I
U	O	O	I	U	I	U	O	P	A	X	Y	L	J	T
N	T	N	T	S	L	T	I	S	S	I	Y	P	H	E
A	G	H	F	O	E	R	O	L	Z	D	R	B	L	L
M	O	D	V	T	C	I	A	R	U	P	Y	B	W	T
R	M	R	D	S	R	N	R	T	M	U	I	B	N	S
W	A	E	L	M	N	I	S	E	R	B	K	L	Q	I
I	F	V	I	A	D	R	L	E	S	V	M	E	Q	P
I	S	O	A	I	D	E	P	O	L	C	Y	C	N	E
T	T	C	B	N	U	A	L	Y	G	M	B	O	M	H
X	L	M	I	Q	P	W	V	L	L	Y	M	O	C	D
E	O	E	E	F	G	E	R	Q	W	R	T	T	S	E
T	W	S	U	G	I	B	R	E	M	I	R	P	N	X

ANNALS
ATLAS
AUTHOR
BIBLE
COVER
EDITOR
ENCYCLOPEDIA
ENDING
EPISTLE
MANUAL
NOVEL
PAPER
PLOT
PRIMER
SCI-FI
SCRIPT
SEQUEL
SERIES
STUDY
TEXT
TOME
TRILOGY
VOLUME
WESTERN

CELL PHONE

127

```
S I G K F Q A U P T S Q N D T
S B H O P J N Q J K T E Y S Q
T R N U X D I G I T A L M E Z
W H P E G N I G G O L L L A C
P O T G T M G R K K J K E R G
T S F V R W E N O U O M F X K
T U K E U E O S I T I K R A C
L R E I A C K R S T A N D B Y
Y X A L N T E A K A X R I A M
R M A M Q S U L E E G E B H L
O R S W S T A R L P Y I T I A
M A N N E T N A E U S L N O V
E R O A M I N G H S L A O G U
M H Y D I R E L L A C A J C V
N G G K W I R E L E S S R Y K
```

ALARM
ANTENNA
CALL LOGGING
CALLER ID
CAR KIT
CELLULAR
DIGITAL
FEATURES
GAMES
GPRS
KEY LOCK
MEMORY
MESSAGING
NETWORK
ROAMING
SKINS
SMART
SPEAKER
STANDBY
TALK TIME
TEXTING
TOP-UP
VIBRATOR
WIRELESS

PHOTOGRAPHY

128

N	Q	P	E	N	J	S	T	I	L	L	L	I	F	E
T	W	E	R	U	S	O	P	X	E	F	M	F	M	N
F	T	R	Z	I	E	C	X	F	Z	Y	K	L	P	W
K	S	A	D	P	N	A	M	U	R	H	E	G	I	W
S	Z	J	M	X	U	T	R	F	Q	W	F	D	A	F
M	G	R	P	H	O	T	O	G	R	A	P	H	E	R
F	A	N	E	R	U	T	R	E	P	A	P	J	E	R
I	V	R	I	U	Z	T	S	D	K	O	M	O	R	T
S	W	F	G	T	X	C	A	T	L	W	H	E	B	E
H	R	A	L	O	T	D	K	A	N	S	X	M	L	X
E	W	E	K	A	L	O	R	C	T	I	U	E	U	T
Y	R	G	W	H	S	O	P	O	F	Q	T	T	B	U
E	U	U	S	I	I	H	H	S	H	U	T	T	E	R
C	D	G	C	D	N	X	W	G	J	A	N	G	L	E
E	S	N	I	R	R	D	Q	I	N	S	E	T	N	O

ANGLE
APERTURE
BULB
EXPOSURE
FILM
FISHEYE
FIXER
FLASH
FRAME
HOLOGRAM
HOT SHOE
INSET
MATT
PHOTOGRAPHER
POLAROID
PRINT
RED-EYE
REWIND
RINSE
SHUTTER
SPOTTING
STILL LIFE
TEXTURE
TINTS

LINKS

129

O	R	Z	M	I	O	H	D	C	W	E	Y	R	T	V
A	D	H	E	R	E	S	U	O	R	O	E	L	P	S
C	S	E	T	I	N	U	Y	N	Y	H	S	X	A	S
K	E	U	X	E	B	S	S	N	T	F	W	L	R	K
B	S	X	T	V	P	U	S	E	I	T	L	K	T	N
N	I	S	G	U	L	P	G	C	H	I	P	M	N	I
K	A	N	V	S	C	O	Y	T	E	C	E	O	E	L
F	I	Y	D	H	T	Y	T	S	Q	R	T	T	R	R
O	L	N	A	S	O	S	T	C	G	B	J	I	S	E
S	O	I	W	P	E	O	E	E	O	O	N	P	H	T
B	N	E	Y	S	N	T	S	I	I	U	L	Q	I	N
S	S	B	O	K	E	Q	A	N	R	I	P	N	P	I
H	X	S	K	M	I	S	S	L	C	R	S	L	S	C
O	M	T	E	O	Z	V	U	E	E	X	A	U	E	Y
N	L	R	S	Z	Q	T	S	F	E	R	S	M	H	S

ADHERES
ALLIES
BINDS
BONDS
CHAINS
CONNECTS
COUPLES
FASTENS
FUSES
HITCHES
INTERLINKS
JOINS
KNOTS
LIAISES
MARRIES
MERGES
PARTNERSHIPS
PLUGS IN
RELATES
SEWS TOGETHER
SPLICES
TIES UP
UNITES
YOKES

130

DELIVERY SERVICE

Z	W	I	F	S	T	N	T	X	J	D	S	G	B	N
R	C	B	N	Y	E	C	X	R	T	Q	Q	V	D	V
O	D	R	I	V	E	R	E	E	D	U	F	A	T	Z
O	S	V	O	R	O	I	O	I	X	I	H	Q	B	E
D	I	D	I	U	R	I	N	T	R	P	T	F	O	C
O	Y	D	O	U	T	S	C	S	S	H	R	M	X	R
T	F	R	O	O	U	E	T	E	G	V	B	E	E	Q
R	N	C	D	R	G	C	M	I	F	C	P	C	S	Q
O	G	U	A	N	L	H	E	A	N	M	E	O	P	S
O	R	N	V	A	U	R	N	F	P	I	Q	N	E	T
D	C	A	S	X	F	A	I	C	P	H	B	T	C	R
E	N	S	C	Q	T	Z	L	T	B	V	H	E	I	A
S	N	S	I	N	S	K	R	O	W	T	E	N	A	V
S	D	A	O	R	R	A	I	L	W	A	Y	T	L	E
W	Z	J	P	A	C	K	A	G	E	I	D	S	F	L

AIRLINE
BOXES
CONTENTS
COURIER
DIRECT
DOOR-TO-DOOR
DRIVER
EXPRESS
FIRST CLASS
FREIGHT
GOODS
INSURANCE
INVOICE
LAUNDRY
NETWORK
PACKAGE
RAILWAY
RECEIPT
ROADS
ROUTE MAP
SPECIAL
STORES
TRAVEL
VANS

THE AUTUMNAL SEASON

131

T Y M F G D A G W R D Y R S M
K S R I H L O G F I R E R S I
F L O O C P P E Z M S E E D S
V O N E S H A B V N T V J O T
T E T S C S A C R S A U I G E
U I G N T B V E A E M D N P W
W V U E H S O Y L P C I A U S
C O Q S T M K E E M N O P M R
X J L I B A H R Q A A H P P P
C N U L N E B N E N X S L K O
X R E R E O A L O D J Q E I B
F E O D O Y G N E S F T S N M
R C N T L S S E S S A X T Z O
A C S Z U O F C O N K E R S G
C B E G H I G H T I D E S R E

ACORN
APPLES
ASTERS
BEANS
BOOTS
CONKERS
COOL
DAMP
FEAST
FRUITS
GLEANING
GOLDEN
HIGH TIDES
JUMPER
LEAVES
LOG FIRE
MICHAELMAS
MIST
PUMPKIN
SEASON
SEEDS
STEWS
VEGETABLES
YELLOW

RISKY

132

```
D W P S G X J O Y R I D E O F
B I A Y T Q E G Z A C Y G D F
A G T S M E L T D O W N N A L
G U R E N V E R R F D A I N O
T N O V L I O P X O Q M W R O
L P I I K E A L P Y V I O O D
O O S N G A C H C A L T R T B
O W Q K T K E T C A T E H A O
P D U O W H A L R V N H T B Y
L E A Q H M G Q S I O O E Y R
R R L O B P G I G A C G N S A
I R L U T U M U L D G I O S C
H W S V E V A W L A D I T T E
W H S D R O W S R O C K S Y R
R A Z O R B L A D E U F G U S
```

ABYSS
AMBUSH
BOY RACERS
CHAINSAW
DYNAMITE
ELECTRICITY
FLOOD
GAS LEAK
GUNPOWDER
JOYRIDE
KNIVES
LIGHTNING
MELTDOWN
RAZOR BLADE
ROCKS
SQUALL
STEEP PATH
STONE-THROWING
SWORDS
TIDAL WAVE
TORNADO
VOLCANO
VORTEX
WHIRLPOOL

CATTLE BREEDS

133

J	Y	J	B	F	D	G	A	Y	R	S	H	I	R	E
L	A	F	R	C	N	S	I	M	M	E	N	T	A	L
O	W	X	A	K	A	N	N	U	A	M	I	E	I	M
N	O	H	H	F	L	R	I	E	F	N	U	E	C	L
G	L	O	M	E	T	R	A	R	R	L	K	L	X	T
H	L	L	A	A	E	K	I	C	B	E	W	O	L	T
O	A	S	N	T	H	E	V	N	U	N	H	S	L	R
R	G	T	X	Q	S	G	A	D	A	S	I	M	O	E
N	I	E	A	I	Y	I	N	I	E	E	T	S	P	T
K	D	I	A	E	G	X	V	I	Y	V	E	W	D	A
B	P	N	S	L	J	T	K	M	L	D	O	L	E	W
Z	F	R	E	R	A	J	E	G	C	L	U	N	R	S
G	E	B	A	L	X	R	R	I	F	I	I	X	V	E
J	D	U	R	H	A	M	R	O	N	M	R	H	W	E
A	L	D	E	R	N	E	Y	G	E	I	E	S	C	T

ALDERNEY
ANKOLE
AYRSHIRE
BELGIAN BLUE
BRAHMAN
CARACU
CHILLINGHAM
DEVON
DEXTER
DURHAM
FRIESIAN
GALLOWAY
HERENS
HOLSTEIN
JERSEY
KERRY
LATVIAN
LONGHORN
LUING
RED POLL
SHETLAND
SIMMENTAL
TEESWATER
WHITE

MUSEUM PIECE

134

F	I	N	T	Q	X	R	J	S	N	N	U	V	T	K
T	T	K	U	J	Y	B	B	X	C	Y	Q	C	R	E
T	N	E	I	C	N	A	A	F	T	I	A	J	K	Q
X	Y	B	O	N	E	S	I	R	M	R	L	T	E	M
S	D	R	O	C	E	R	L	M	T	U	U	E	E	I
X	P	S	O	E	V	Q	I	S	B	D	M	M	R	G
S	R	E	T	T	E	L	B	Y	O	L	O	M	G	N
L	O	R	Q	E	I	A	A	R	S	A	M	C	Y	I
I	V	F	O	T	L	S	R	N	B	O	O	K	S	N
S	Z	S	A	M	C	E	O	V	M	X	Y	M	Y	R
S	E	R	D	R	A	P	M	P	A	O	Z	P	N	A
O	Y	S	O	Y	A	N	E	L	E	U	S	Z	M	E
F	M	L	A	E	Q	Q	M	W	E	R	L	A	I	L
Z	L	S	W	C	T	O	U	R	I	S	T	T	I	X
A	B	D	A	B	E	R	U	T	P	L	U	C	S	C

ABSTRACT
ANCIENT
BONES
BOOKS
CASES
FOSSILS
GREEK
LEARNING
LETTERS
MEMORABILIA
MILITARY
MOSAIC
MUMMY
RECORDS
RELICS
REPOSITORY
ROMAN
SCROLL
SCULPTURE
STELE
TOURIST
TUDOR
VAULTS
WEAPONS

"WINE..."

135

U	S	R	S	S	R	X	T	R	N	G	K	D	G	Z
X	O	B	G	E	F	N	F	B	T	S	I	L	R	C
O	M	V	V	U	A	F	S	C	A	Z	L	Q	A	O
O	F	O	N	H	M	K	F	U	J	R	F	R	C	O
Y	L	N	C	F	I	S	S	A	L	G	R	R	K	L
B	E	R	E	N	L	A	S	P	Y	R	R	E	B	E
L	E	F	O	O	S	C	N	E	O	V	Y	K	L	R
M	T	N	D	R	P	A	H	D	R	D	W	P	M	E
L	E	G	A	W	H	W	E	R	D	P	V	T	Y	F
E	E	B	C	R	A	N	P	A	S	I	Q	L	T	N
B	Z	C	H	I	T	T	A	W	N	M	N	K	R	T
A	P	U	T	O	S	V	R	E	X	B	M	E	A	M
L	Q	E	E	O	D	I	G	T	Y	E	V	S	P	O
M	R	F	F	N	I	A	J	S	I	A	R	Y	S	A
B	I	J	K	G	R	K	S	N	T	L	G	J	C	B

AND DINE
BARREL
BARS
BERRY
BOX
CASK
COOLER
FUNNEL
GLASS
GRAPE
GUMS
LABEL
LIST
LODGE
LOVER
MERCHANT
PARTY
PRESS
RACK
SKIN
STEWARD
TAVERN
VINEGAR
WAITER

136

MONEY

E	E	S	O	U	S	E	C	R	U	O	S	E	R	D
P	I	T	T	A	N	C	E	P	T	L	U	J	B	N
R	Z	T	I	E	P	A	Y	M	E	N	T	Z	R	U
O	E	I	A	L	X	X	Y	S	F	C	D	E	Y	O
S	D	A	E	X	L	C	N	K	N	O	D	A	V	R
P	E	W	D	J	A	E	I	Q	B	N	Q	S	K	P
E	R	T	G	Y	P	T	T	S	E	R	E	T	N	I
R	H	T	O	M	M	R	I	T	E	C	C	A	S	H
I	M	T	O	N	E	O	L	O	U	Y	S	K	G	W
T	V	C	L	A	L	A	N	R	N	S	V	J	N	U
Y	E	O	S	A	G	V	I	E	E	X	R	P	I	T
R	T	U	N	E	E	T	G	T	Y	M	E	A	N	S
I	R	U	L	R	I	W	S	Z	L	M	D	A	R	W
Y	W	O	D	E	C	H	A	N	G	E	R	M	A	Q
L	D	C	S	E	H	C	I	R	L	G	O	G	E	X

ASSETS
CASH
CHANGE
DUTY
EARNINGS
EXCISE
GRANT
INTEREST
LEGAL TENDER
MEANS
NOTES
ORDER
PAYMENT
PITTANCE
PROSPERITY
READY MONEY
RECOMPENSE
RESOURCES
RICHES
SECURITIES
TAXATION
TREASURY
WEALTH
WHIP-ROUND

RICHARDS

137

H	N	B	O	S	I	N	A	R	O	M	F	E	P	M
Y	O	S	N	I	K	W	A	D	H	Z	X	Z	A	U
E	X	A	Z	C	V	R	L	N	D	A	E	D	O	W
L	I	D	N	Q	Y	B	B	O	Y	T	D	Q	E	D
E	N	A	J	E	L	R	K	M	Q	E	K	L	K	J
D	O	M	P	R	A	I	H	M	N	C	L	F	E	C
A	X	S	G	N	N	E	E	A	I	I	O	R	V	E
M	A	Q	S	R	C	R	C	H	V	S	E	U	E	K
P	A	O	I	A	E	S	T	E	B	T	R	H	R	S
A	N	Y	C	G	F	I	N	U	N	E	B	K	O	T
B	A	C	N	D	V	F	R	E	N	C	U	Q	D	P
R	M	A	A	E	U	Y	P	G	C	Z	R	P	G	R
V	J	R	R	S	T	R	A	U	S	S	T	Y	E	Y
X	A	T	F	E	A	W	Q	O	B	K	O	I	R	O
W	F	Q	O	C	Z	Q	X	Y	B	Y	N	S	S	R

ADAMS
BRANSON
BRIERS
BURTON
CARPENTER
COURT
DAWKINS
EDGAR
FOSBURY
FRANCIS
GERE
HADLEE
HAMMOND
MADDEN
MADELEY
MORANIS
NEVILLE
NIXON
PRYOR
RODGERS
STRAUSS
TRACY
TREVITHICK
WAGNER

HIKING GEAR

138

S	V	S	R	U	R	Q	P	K	W	A	T	E	R	T
E	Y	S	K	C	O	S	N	F	N	R	H	E	T	N
S	H	C	A	M	E	R	A	S	E	I	V	A	D	E
S	M	J	T	R	A	H	K	K	C	Z	F	T	S	L
A	V	A	X	R	Z	T	K	S	C	A	E	E	R	L
L	H	F	O	O	S	I	C	E	S	K	R	U	A	E
G	U	S	I	E	N	W	L	H	N	A	C	F	L	P
N	Z	T	V	G	P	L	H	A	E	K	P	E	U	E
U	F	O	P	V	P	A	L	I	S	S	Y	M	C	R
S	L	O	S	H	M	B	N	A	S	H	C	R	O	T
G	L	B	O	J	T	I	C	D	E	T	L	I	N	C
E	S	N	H	D	G	K	W	L	Z	R	L	T	I	E
D	E	M	F	I	E	L	D	G	U	I	D	E	B	S
V	A	C	U	U	M	F	L	A	S	K	N	T	P	N
P	F	I	R	S	T	A	I	D	K	I	T	E	K	I

BINOCULARS
BLANKET
BOOTS
CAMERA
CELL PHONE
COMPASS
FIELD GUIDE
FIRST-AID KIT
FOOD
GLOVES
HAT
INSECT REPELLENT
KNIFE
MAP
MATCHES
RUCKSACK
SCARF
SOCKS
SUNGLASSES
TORCH
TREKKING POLE
VACUUM FLASK
WATER
WHISTLE

RIVERS OF CANADA

139

L	Q	T	B	C	M	N	I	P	I	G	O	N	G	P
G	L	H	E	L	T	F	R	K	J	Y	C	S	E	O
I	E	A	A	L	B	A	N	Y	U	K	S	L	P	E
C	V	H	Y	V	G	K	B	K	X	O	L	M	I	D
O	L	W	S	B	T	A	O	T	X	Y	F	Z	N	U
L	H	S	I	L	G	N	E	M	T	N	N	Y	N	A
U	C	H	U	R	C	H	I	L	L	E	O	K	I	Q
M	X	C	Y	U	C	X	F	Q	K	L	O	O	W	B
B	E	V	A	L	S	H	W	C	S	S	L	M	E	W
I	W	C	L	L	A	W	A	T	T	O	H	S	I	K
A	Z	O	N	R	D	M	E	Y	A	N	S	N	A	M
S	E	T	I	H	W	W	F	L	E	O	I	Z	H	V
Q	C	O	F	R	A	S	E	R	Z	S	A	M	H	T
M	M	H	O	R	T	O	N	F	K	N	X	K	S	S
C	R	W	T	Z	C	O	P	P	E	R	M	I	N	E

ALBANY
CHURCHILL
COLUMBIA
COPPERMINE
EAGLE
ENGLISH
FINLAY
FRASER
HAYES
HORTON
KAZAN
MACKENZIE
MOIRA
NELSON
NIPIGON
OTTAWA
PELLY
SLAVE
SMOKY
STEWART
WHITE
WINISK
WINNIPEG
YUKON

WORDS STARTING "CON"

140

C	O	N	P	B	E	T	U	T	I	T	S	N	O	C
O	Z	E	V	G	C	C	A	N	C	H	O	N	O	C
N	C	L	N	C	O	N	O	A	X	W	C	D	O	X
E	O	A	C	O	N	K	T	N	R	F	N	N	E	E
Y	N	E	O	N	D	N	T	O	F	E	H	V	O	T
R	N	G	N	X	O	N	T	C	T	I	N	T	D	C
A	I	N	R	C	L	C	O	N	I	O	N	N	C	U
R	V	O	C	O	E	F	O	C	C	L	A	E	O	D
T	E	C	O	V	D	C	O	O	R	B	F	S	N	N
N	C	G	N	O	W	N	N	C	A	E	C	N	C	O
O	A	O	G	I	I	C	O	R	O	N	O	O	O	C
C	C	N	N	F	T	O	T	C	O	N	N	C	U	C
N	O	N	E	V	H	N	J	C	O	G	F	T	R	N
C	O	R	H	C	O	N	C	R	E	T	E	I	S	O
C	O	N	M	C	R	Y	N	R	G	C	R	H	E	C

CONCH
CONCOURSE
CONCRETE
CONDOLED WITH
CONDONE
CONDOR
CONDUCT
CONFER
CONFINE
CONFLICT
CONGEAL
CONGER
CONGO
CONIFER
CONNIVE
CONSENT
CONSTITUTE
CONTACT
CONTEND
CONTRABAND
CONTRARY
CONVECTOR
CONVEX
CONVOY

DOUBLE "M"

141

C X P Y N R M M E J E M M Y S
N R O U M E M P M T F T Q W X
O L Y M M M T M J V S I I N U
M R A K M M I U F E A M A N A
M E B C V U E H P V M M H I E
A M L S C S L L S I M U G O R
G M A M H O A F N A A S E C O
K I I M M I M G M M L M M C G
C L R S G U M M E D U M M Y R
A G E M I Y A D O M U M K M A
B A T Y M M M T E D G L R M M
Y M A G H M M M G M A X R U M
Y M M U T U J E U F M T U H E
M A M S V R M D R P Q A E C D
A C I R T E M M Y S A D J M M

ACCOMMODATE
AEROGRAMME
AMMAN
ASYMMETRIC
BACKGAMMON
CHUMMY
DUMMY
FLUMMOX
GAMMA
GLIMMER
GUMMED
IMMATERIAL
JAMMED
JEMMY
LAMMAS
MAMMAL
PUMMEL
RUMMY
SHIMMY
SIMMER
SUMMER
SUMMIT
SWIMMING
TUMMY

142

MAGIC

Y	E	M	X	S	W	S	H	F	O	E	W	N	E	P
S	P	Q	D	U	N	A	M	Y	W	S	G	O	A	D
A	A	S	L	I	E	Y	T	X	B	W	C	N	H	I
M	C	S	A	E	S	P	A	E	T	I	U	P	P	S
A	R	H	T	T	C	T	M	W	R	F	R	R	O	A
Z	C	I	I	R	A	C	R	Q	I	T	M	E	W	P
E	H	F	A	O	P	K	A	F	C	N	A	D	E	P
W	Y	U	E	N	O	P	H	H	K	E	Q	N	R	E
N	X	W	Y	G	L	D	C	A	E	S	R	O	K	A
T	X	G	S	Q	O	O	O	L	R	S	K	W	O	R
A	J	T	L	J	G	O	C	O	Y	N	O	B	C	I
D	N	A	W	A	I	Y	T	K	V	Y	L	P	C	N
E	V	D	Y	N	S	M	Y	S	S	A	K	K	U	G
W	K	H	K	A	T	S	O	R	C	E	R	Y	L	P
I	L	L	U	S	I	O	N	K	H	E	G	A	T	S

AMAZE
BLACK
CAPE
CHAINS
CHARM
DISAPPEARING
ESCAPOLOGIST
GLASS
ILLUSION
LOCKS
MYSTIFY
OCCULT
POWER
SHOW
SORCERY
STAGE
STOOGE
SWIFTNESS
TRICKERY
VOODOO
WAND
WATER TANK
WHITE
WONDER

NOCTURNAL CREATURES

143

B	A	I	K	A	L	S	E	A	L	M	R	G	C	P
J	A	N	O	I	P	R	O	C	S	Z	P	P	R	A
I	C	M	O	L	E	G	R	U	F	F	Q	K	C	U
W	T	N	K	N	U	K	S	D	E	P	I	R	T	S
X	A	O	P	L	A	W	B	B	M	R	O	B	U	C
R	R	O	O	S	D	M	A	F	E	L	P	U	M	A
E	N	C	G	E	J	D	I	I	X	I	P	C	Z	E
E	W	C	Z	P	G	R	S	S	E	B	O	E	Z	W
D	O	A	N	E	E	R	M	E	V	R	S	Y	H	O
A	R	R	R	F	A	S	T	U	K	E	A	A	C	T
K	B	A	L	T	A	O	T	S	S	G	C	E	D	T
I	H	Y	P	Y	Y	I	M	W	R	S	L	Y	I	E
S	Q	L	W	O	Y	N	W	A	T	O	O	A	N	R
S	S	I	C	B	E	H	M	J	T	K	J	P	G	W
X	L	R	E	D	I	L	G	R	A	G	U	S	O	F

AYE-AYE
BADGER
BAIKAL SEAL
BROWN RAT
COLUGO
COYOTE
DINGO
FIREFLY
GERBIL
LEOPARD
MARGAY
MOLE
OCELOT
OPOSSUM
OTTER
PUMA
RACCOON
SCORPION
SIKA DEER
STOAT
STRIPED SKUNK
SUGAR GLIDER
TARSIER
TAWNY OWL

WASHING A CAR

144

S	S	T	H	G	I	L	P	S	P	O	N	G	E	R
H	K	F	R	D	W	C	A	E	P	O	L	I	S	H
I	V	I	X	V	J	W	O	R	I	N	S	I	N	G
N	M	L	A	P	M	R	S	F	E	I	U	W	L	R
E	N	C	D	R	I	V	E	W	A	Y	A	S	A	S
C	M	V	K	P	K	R	I	T	S	X	P	D	R	H
X	D	N	E	F	H	N	R	S	I	A	C	O	J	C
S	Q	R	T	H	D	J	A	N	C	H	R	O	M	E
I	H	M	Y	O	I	L	G	B	W	R	D	R	C	B
O	Z	K	W	I	G	C	U	W	I	H	Z	R	U	X
M	K	S	A	A	N	H	L	M	A	V	E	C	A	B
A	S	Q	U	E	E	G	E	E	K	T	K	E	R	C
H	N	N	F	V	D	D	O	I	Q	E	E	U	L	W
C	L	E	A	N	I	N	G	F	T	G	S	R	Q	S
P	A	Q	E	D	O	O	R	S	F	H	R	Z	D	M

BRUSH
BUCKET
CHAMOIS
CHROME
CLEANING
DOORS
DRIVEWAY
DRYING OFF
GLASS
GRIME
HUBCAPS
LIGHTS
MIRRORS
POLISH
RINSING
SHINE
SOAP
SPONGE
SQUEEGEE
VEHICLE
WATER
WAXING
WHEELS
WINDOWS

HERBS

145

U	S	D	W	M	U	A	V	T	R	F	O	E	K	N
Q	E	A	P	K	J	C	Z	O	P	U	W	D	L	F
L	M	T	G	E	U	I	C	M	O	D	S	O	A	C
L	E	N	N	E	F	N	T	A	R	I	V	E	A	U
P	T	Q	V	Z	C	R	H	G	E	A	L	T	C	O
W	K	S	E	L	L	A	Y	R	G	Y	M	Z	M	E
Y	T	E	H	A	Y	U	M	E	A	I	Y	P	L	I
R	D	V	V	S	N	B	E	B	N	R	A	I	S	J
A	C	I	L	R	A	G	N	T	O	R	M	O	R	F
M	V	H	L	L	V	W	E	V	S	O	R	R	E	L
E	R	C	Y	L	E	Q	A	L	M	N	A	D	I	B
S	B	E	Z	W	F	S	E	A	I	N	N	Q	W	A
O	U	N	P	M	X	Y	C	V	I	C	Z	I	G	S
R	Y	A	W	A	R	A	C	S	Y	G	A	I	J	I
R	K	O	C	J	C	V	E	S	T	U	H	R	H	L

ANGELICA
ANISE
ARNICA
BASIL
BAY LEAF
BERGAMOT
CAMOMILE
CAPER
CARAWAY
CATMINT
CHIVES
DILL
FENNEL
GARLIC
LOVAGE
MACE
OREGANO
PARSLEY
ROSEMARY
RUE
SAGE
SAVORY
SORREL
THYME

DRINKING VESSELS

146

F	U	N	F	R	S	M	X	T	Y	S	T	O	U	P
S	C	Y	P	H	U	S	H	O	T	G	L	A	S	S
S	G	O	B	L	E	T	A	Z	Z	A	L	T	N	X
A	G	M	F	L	A	S	K	L	X	B	E	T	A	N
L	Q	L	S	S	A	V	U	R	G	I	L	E	G	O
G	F	A	F	S	C	D	E	R	N	E	S	A	G	G
Y	D	J	T	V	A	H	L	L	C	P	T	C	A	A
D	L	E	R	I	J	L	O	W	T	M	F	U	N	L
N	X	U	M	I	P	V	G	O	O	T	S	P	L	F
A	P	W	G	I	I	O	B	R	N	B	O	N	E	F
R	A	G	W	N	T	Y	C	N	E	E	U	B	S	X
B	E	D	G	N	J	A	C	W	H	T	R	C	I	K
R	F	C	Z	U	H	N	S	N	V	L	A	L	G	G
Y	U	A	G	F	M	T	L	S	F	V	Y	W	R	N
P	D	O	B	E	A	K	E	R	E	C	Y	V	J	K

BEAKER
BOTTLE
BOWL
BRANDY GLASS
COPITA
CRUSE
CYLIX
DEMITASSE
FLAGON
FLASK
FLUTE GLASS
GOBLET
JIGGER
LOVING CUP
MUG
SCHOONER
SCYPHUS
SHOT GLASS
STEIN
STOUP
TAZZA
TEACUP
TOBY JUG
WATER GLASS

PHONETIC ALPHABET

147

Q	M	E	I	L	R	A	H	C	E	U	X	N	A	E
T	U	O	N	U	G	M	R	O	L	L	K	N	H	K
B	Q	E	Z	O	S	V	S	E	H	U	A	I	P	C
I	U	C	L	T	T	C	T	M	D	Z	J	A	L	O
C	H	F	T	G	A	O	I	O	D	P	N	N	A	O
G	S	Q	A	R	H	W	N	R	V	Q	O	H	G	Y
E	E	K	N	A	Y	M	D	E	F	P	V	P	A	G
E	V	Q	G	T	D	R	I	D	A	B	E	W	T	C
V	U	R	O	O	Y	O	A	P	V	R	M	S	I	W
J	I	Q	E	R	D	F	A	Q	A	A	B	S	F	A
U	L	C	S	T	R	I	N	U	D	V	E	L	R	L
K	H	W	T	X	R	N	H	E	X	O	R	R	I	P
O	N	B	Q	O	W	U	L	B	G	R	E	M	S	R
X	R	A	Y	F	R	T	A	E	T	I	A	T	K	X
M	I	K	E	Z	A	F	B	C	S	Z	L	E	V	Z

ALPHA

BRAVO

CHARLIE

DELTA

ECHO

FOXTROT

GOLF

HOTEL

INDIA

KILO

LIMA

MIKE

NOVEMBER

OSCAR

PAPA

QUEBEC

ROMEO

SIERRA

TANGO

UNIFORM

VICTOR

X-RAY

YANKEE

ZULU

ZOOLOGY

148

```
L S E A R C M E E E A V I A N
L A L J G H F N V C Z N G O E
R V D Y H E I L L Z D A A V T
O T K U L N A D A C J R M I A
I M E I A V Y E V O L U B P D
R E N C I C L T I L J N U A E
E E L N B T A N B O E A L R P
T Z U I N P T E X N O U A O C
N Y L A G E J M G I L Z C U A
A R M P D A L G X A D N R S U
D E O T N E V E R L S A A I D
T D A I L T B S M V J C L Z A
C I L O B A T E M U G B A O T
E P I G S E N I U G N A G L E
A S K F R C M U I L L A P S Y
```

ACAUDAL
ALULAR
AMBULACRAL
ANGUINE
ANTERIOR
ANURAN
AVIAN
BIVALVE
CANINE
CAUDATE
COLONIAL
EVEN-TOED
FELINE
JOINTED
MANTLE
METABOLIC
OVIPAROUS
PALLIUM
PEDATE
SCALY
SEGMENTED
SPIDERY
UNIVALVE
VAGILE

ROMAN DEITIES

149

K	H	S	U	T	C	I	V	N	I	L	O	S	S	F
N	J	K	Y	P	T	A	H	E	P	D	A	N	T	A
S	E	L	E	N	E	A	N	U	R	N	F	S	E	U
A	I	R	E	G	E	K	J	O	U	I	G	A	M	N
N	G	C	O	V	X	C	H	L	M	Y	T	L	P	U
V	T	V	N	E	D	L	U	P	I	O	Z	A	E	S
M	F	I	U	N	H	I	O	Z	T	N	P	C	S	X
J	T	R	J	F	R	L	A	Z	H	U	H	I	T	M
C	A	T	K	S	L	S	N	N	R	C	G	A	A	W
E	V	U	D	O	Y	O	G	N	A	A	L	R	S	B
S	I	S	P	I	W	M	R	E	S	I	S	F	S	F
E	M	A	T	M	P	A	L	A	N	V	M	U	E	N
J	U	L	T	R	O	U	L	U	C	I	F	E	R	Y
C	J	U	X	N	S	R	C	O	F	R	U	T	E	I
T	Q	S	D	H	J	E	S	P	X	T	Z	S	C	K

APOLLO
CAELUS
CERES
CUPID
DIANA
EGERIA
FAUNUS
FLORA
GENIUS
JUNO
LUCIFER
LUNA
MARS
MITHRAS
MORS
POMONA
SALACIA
SALUS
SELENE
SOL INVICTUS
TEMPESTAS
TRIVIA
VERITAS
VIRTUS

VITAMINS AND MINERALS

150

S	E	L	E	N	I	U	M	U	I	M	O	R	H	C
W	V	M	U	I	S	S	A	T	O	P	C	M	M	D
G	E	M	O	R	R	E	N	O	I	D	A	N	E	M
R	W	N	L	U	W	E	N	C	G	U	O	B	I	G
L	F	H	O	E	L	I	P	O	U	Z	E	X	N	Z
M	I	P	R	N	C	Z	M	P	G	T	N	E	I	E
O	U	E	Y	A	I	N	V	H	O	I	I	N	V	D
L	N	I	I	R	C	U	O	E	M	C	L	I	A	I
Y	R	N	C	I	I	C	Q	R	W	Y	O	M	L	R
B	F	E	T	L	W	D	E	O	B	F	H	A	F	O
D	L	R	T	K	A	D	O	L	L	I	C	I	O	U
E	I	W	F	I	A	C	X	X	R	L	O	H	V	L
N	W	I	L	E	N	I	D	O	I	K	Y	T	O	F
U	N	Y	A	Z	R	O	N	X	C	N	S	H	I	A
M	D	I	C	A	C	I	L	O	F	C	E	L	P	N

ADERMIN
ANEURIN
BIOTIN
CALCIUM
CHOLINE
CHROMIUM
CITRIN
COPPER
FLUORIDE
FOLIC ACID
IODINE
IRON
MENADIONE
MOLYBDENUM
NIACIN
OVOFLAVIN
PHYLLOQUINONE
POTASSIUM
PYRIDOXINE
RETINOL
SELENIUM
THIAMINE
TOCOPHEROL
ZINC

"GOLD" AND "GOLDEN"

151

N	N	E	K	R	T	N	S	R	P	X	S	C	D	V
K	O	D	E	W	W	Q	E	L	S	N	J	I	Z	G
E	Y	Y	J	O	Y	T	A	N	A	I	I	D	Z	F
Y	B	Q	R	O	S	T	T	G	T	D	U	A	I	B
V	E	B	K	A	E	C	E	M	L	S	E	N	H	I
E	L	E	J	Z	S	S	M	I	T	H	C	M	N	C
L	G	S	C	F	A	R	J	Y	D	H	G	G	U	D
U	A	D	I	E	O	Y	E	S	M	L	O	Y	M	G
R	E	S	I	M	E	P	W	V	L	T	O	E	N	N
E	H	S	B	R	B	L	I	E	I	K	S	L	Y	I
C	D	E	G	W	B	C	F	N	W	N	E	T	Y	N
O	H	F	B	O	A	E	R	H	I	Y	N	T	Y	I
R	L	I	I	L	V	G	T	G	I	O	Z	A	H	M
D	J	K	F	G	A	N	W	A	T	Z	N	W	Q	C
M	U	J	S	C	Y	N	U	G	G	E	T	S	C	M

ANNIVERSARY
ASTER
BROWN
CALF
CHAIN
DUST
EAGLE
FINCH
FISH
FLEECE
GATE BRIDGE
GLOW
GOOSE
INGOT
MEDAL
MINING
NUGGET
OLDIE
OPINIONS
PLATE
RECORD
RULE
SMITH
WATTLE

COUNTRIES' FORMER NAMES

152

Z	A	N	L	F	D	T	G	A	A	I	S	R	E	P
D	A	O	B	A	S	U	T	O	L	A	N	D	D	A
Y	U	I	G	A	B	Y	S	S	I	N	I	A	G	I
E	K	B	R	A	I	D	I	M	U	N	Z	H	W	V
M	A	L	F	E	P	N	A	O	C	L	S	O	X	A
O	M	A	O	P	M	T	O	A	S	I	A	I	Z	R
H	P	D	R	V	O	K	T	D	U	N	H	L	A	O
A	U	N	M	P	R	H	O	D	E	S	I	A	C	M
D	C	S	O	R	A	I	V	A	D	L	O	M	E	J
G	H	S	S	Y	B	O	H	E	M	I	A	V	Y	U
T	E	C	A	R	T	Z	L	L	I	M	H	C	L	Z
M	A	U	P	P	E	R	V	O	L	T	A	N	O	X
B	E	C	H	U	A	N	A	L	A	N	D	N	N	P
A	E	O	A	D	N	A	L	A	S	A	Y	N	G	U
J	M	A	N	A	I	U	G	H	C	T	U	D	D	I

ABYSSINIA
ALBION
BASUTOLAND
BECHUANALAND
BOHEMIA
CALEDONIA
CATHAY
CEYLON
DAHOMEY
DUTCH GUIANA
FORMOSA
KAMPUCHEA
MANGI
MESOPOTAMIA
MOLDAVIA
MORAVIA
NUMIDIA
NYASALAND
PERSIA
RHODESIA
SIAM
UPPER VOLTA
USSR
ZAIRE

"GRAND..."

153

F	L	B	B	W	M	C	V	M	N	U	I	W	K	K
S	S	M	I	E	T	S	A	Q	K	I	X	R	B	O
Z	N	U	E	H	J	S	P	C	W	G	E	J	K	E
F	A	N	P	P	T	E	L	L	A	N	A	C	C	M
M	L	H	H	E	G	H	G	O	E	N	H	S	E	Z
Z	E	A	R	N	L	C	U	C	N	K	Y	C	U	G
K	C	O	N	D	X	U	S	Z	O	G	K	O	G	N
Y	R	U	J	O	N	D	R	L	M	D	I	I	N	X
J	H	T	N	L	I	A	A	C	A	S	R	U	O	T
M	F	T	H	E	F	T	L	L	R	R	T	W	G	Y
J	O	F	Q	U	O	N	A	S	N	O	C	A	Y	Z
O	I	T	N	T	Y	H	S	N	I	N	S	E	N	O
R	K	C	H	H	H	O	L	K	E	A	B	S	N	D
Z	L	D	S	E	N	P	A	K	R	I	P	P	M	Y
E	Z	V	G	S	R	W	M	K	G	P	P	R	I	X

CANAL
CANYON
CROSS
DUCHESS
FIR
GUIGNOL
ISLAND
JURY
LARCENY
MARNIER
MASTER
MOTHER
NATIONAL
NEPHEW
NIECE
PIANO
PRIX
SLAM
SONS
STAND
THEFT
TOTAL
TOURS
UNCLE

154

EASY

```
T H G I L C S S E L N I A P G
F G R F A P U S H O V E R I R
W B L S O S U R E B E T C B A
M Y U N C O M P L I C A T E D
E A N S O E L R I A L N B E U
L L O C W T J P R M L B C D A
B P T B I C H E R A I R S E L
O S R R S S F I R O O L I X E
R D O H I R A U N F O D M A R
P L U I E V T B N G G F P L A
O I B E M A I U L E T W L E C
N H L S N Q U A A N J O E R I
D C E K L X U T L T M Z I F N
S M O O T H S A I L I N G T C
B U R E K A C F O E C E I P H
```

BASIC
CALM
CAREFREE
CASUAL
CHILD'S PLAY
CINCH
FOOLPROOF
GENTLE
GRADUAL
LIGHT
NATURAL
NO PROBLEM
NO TROUBLE
NOTHING TO IT
PAINLESS
PIECE OF CAKE
PUSHOVER
RELAXED
SIMPLE
SMOOTH SAILING
SURE BET
TRIVIAL
UNCOMPLICATED
UNFORCED

CAPITAL CITIES OF ASIA

155

```
K X L N U D N A M H T A K Z A
E I P Y O N G Y A N G O H K R
K H D K P Y N K E R E G A N U
H L M R S L U B A K V H A A P
S E N A I T N E I V D N B R M
I D R L L A X I W Z A L A H U
B W E O H I O H I T U Z N E L
C E B S P N N S S O G N G T A
D N U E A A L A E K N T K T L
I D N H I A G S M M I A O O A
P H N O M P E N H K J I K K U
J A K A R T A W I Y I P H Y K
T A B A G H S A G S E E H O F
Z A D H G Z N T F Y B I C E K
D U L A A N B A A T A R J L J
```

ASHGABAT
ASTANA
BANGKOK
BEIJING
BISHKEK
DHAKA
DUSHANBE
HANOI
ISLAMABAD
JAKARTA
KABUL
KATHMANDU
KUALA LUMPUR
MANILA
NEW DELHI
PHNOM PENH
PYONGYANG
SEOUL
SINGAPORE
TAIPEI
TEHRAN
TOKYO
ULAANBAATAR
VIENTIANE

RIVERS OF BRITAIN

156

E	W	N	S	F	W	C	Z	S	G	X	E	V	M	C
O	C	T	I	E	F	E	G	Z	E	A	Y	V	D	Z
Q	Y	Y	N	X	W	A	A	T	I	V	W	F	Y	B
R	U	Y	B	A	L	A	T	R	N	O	E	Q	K	W
J	T	P	C	W	T	F	E	U	F	N	N	R	E	E
T	X	R	Q	K	G	I	G	M	E	W	U	L	N	N
E	A	A	R	R	E	L	B	B	I	R	L	S	B	S
U	S	C	D	D	J	J	M	T	X	A	A	X	D	U
Q	I	E	E	N	R	O	H	D	N	I	F	R	H	M
O	H	N	F	Q	X	A	Y	D	A	P	E	X	X	T
C	E	K	R	R	M	S	R	A	M	A	T	R	R	W
B	T	Y	A	L	A	P	T	K	Z	K	Q	A	A	A
T	E	I	F	I	Z	H	O	E	M	E	D	W	A	Y
U	E	F	A	Z	D	A	W	L	O	S	S	I	E	Z
C	S	O	E	P	D	L	Y	Q	T	E	C	T	R	Q

AIRE
AVON
COQUET
DART
EDEN
FINDHORN
LOSSIE
LUNE
MEDWAY
RIBBLE
SEVERN
TAFF
TAMAR
TEES
TEIFI
TOWY
TYNE
WEAR
WELLAND
WENSUM
WHARFE
WITHAM
WYE
YARE

TAXATION

157

S S K T E K C A R B K R W R C
D T L C H A N C E L L O R S I
R N I Y E I F X F E O Q H E N
O B E F S H C D U F X K U G O
C Y I F E I C T N G O P B A R
E P F O S N N E D R G R H W T
R T A E A A E G T Z Q U M R C
Z A R D F F V B L S V W E S E
W T U A I W S H T E B V N J L
Y Q A L N A H A L A E P P A E
G T I R L S T P E N A L T Y U
G N U A I E F C U R A U D I T
G R R D T F J E N O I S A V E
R Y V A D E F E R R E D B P U
E F X Z H G G I F T S C Z H I

APPEAL
AUDIT
BENEFITS
BRACKET
CHANCELLOR
CHECK
DEFERRED
DUTY
ELECTRONIC
EVASION
EXCISE
FILING
FORMS
GIFTS
PENALTY
RECORDS
REFUND
REVENUE
SALARY
SINGLE
STATE TAX
TARIFF
TRANSFER
WAGES

LOOK

158

U	S	G	L	I	M	P	S	E	Y	E	U	P	N	Y
N	F	L	K	F	A	W	L	R	M	X	W	J	R	I
E	T	A	I	X	K	A	V	M	E	A	F	C	Y	L
P	V	N	J	N	E	G	O	Z	R	M	S	P	O	T
A	H	C	X	A	O	P	A	G	C	I	Z	M	A	S
G	S	E	L	C	U	G	Q	N	L	N	J	K	K	G
M	O	E	N	S	T	K	O	O	K	E	E	I	O	N
E	E	T	A	X	I	F	R	E	D	I	S	N	O	C
R	S	X	S	E	J	E	S	N	N	A	E	P	B	P
E	S	U	F	Y	G	P	R	D	I	J	C	C	S	E
X	C	Y	R	I	Y	E	R	A	T	S	H	S	E	E
P	Y	G	S	E	C	A	X	U	P	E	C	Z	R	P
T	J	T	J	S	P	X	Z	Y	C	Q	O	F	V	X
P	E	U	I	A	O	A	O	K	I	Z	S	Z	E	A
R	M	D	G	D	M	N	H	I	D	E	Z	R	D	J

CHECK
CONSIDER
DISCERN
ESPY
EXAMINE
EYE UP
FIXATE
GAPE
GAWP
GAZE
GLANCE
GLIMPSE
LEER
MAKE OUT
OBSERVE
OGLE
PEEP
PERUSE
REGISTER
SCAN
SPOT
SPY ON
STARE
TAKE IN

BODIES OF WATER

159

A	Z	A	T	A	S	M	A	N	S	E	A	N	B	H
E	V	E	I	R	E	E	K	A	L	D	E	O	D	A
S	O	S	H	A	S	S	E	E	R	D	S	R	Q	K
O	Z	L	Y	L	E	S	K	I	Y	A	S	U	L	A
R	A	A	A	Q	G	S	A	C	E	V	S	H	A	R
O	F	R	E	N	A	T	S	S	A	P	A	E	K	R
K	O	A	I	S	I	E	H	E	A	L	B	K	E	E
C	A	R	U	C	N	T	S	L	R	Q	B	A	B	G
A	E	S	D	E	R	A	K	N	F	O	P	L	A	A
B	S	X	J	O	R	B	I	Y	A	B	L	E	I	K
W	M	K	N	A	A	H	J	B	O	I	P	F	K	S
B	P	W	K	Y	Z	F	A	D	A	D	P	C	A	L
A	E	S	H	S	I	R	I	X	Y	R	S	S	L	B
M	O	L	U	C	C	A	S	E	A	H	A	V	A	F
M	Q	V	S	S	U	R	O	P	S	O	B	X	H	C

ADRIATIC
ARABIAN SEA
ARAL SEA
BASS SEA
BERING SEA
BLACK SEA
BOSPORUS
CASPIAN SEA
CORAL SEA
FLORES SEA
IRISH SEA
KARA SEA
KIEL BAY
KORO SEA
LAKE BAIKAL
LAKE ERIE
LAKE HURON
MOLUCCA SEA
NORTH SEA
PALK BAY
RED SEA
SEA OF AZOV
SKAGERRAK
TASMAN SEA

GO

W A R D H T I W A T S S Q E N

S C E Y G M P N B A Z I X C I

E S A E L E R G S E O L I D G

H P E M A R C S C R F M E Z E

Q G H R L V N X O T Q P O L B

D S Y W G E X K N E A S L V O

J R A A M O J H D R E C V P E

U L I B W T R R T T C A S S I

K L A V U A O P O V N T I D H

A R E O E F O U P I A C V L N

K O T V E D T G S R V I X J B

W E G K A D J H T C D Z R Y I

G E A E X R A Y A W A T L E M

X M H R I Q T L E A V E E I T

T E Q B L T I X E D M J J E J

ABSCOND

ADVANCE

BEGIN

DEPART

DRIVE

EMBARK

EXIT

GET OUT

GO AWAY

HEAD

LEAVE

MAKE FOR

MELT AWAY

MOVE

PROGRESS

RELEASE

RETREAT

SCRAM

SET OUT

START

TRAVEL

VANISH

WALK

WITHDRAW

WINNING

161

M	Y	B	S	S	A	P	R	F	G	B	V	S	W	E
C	Y	E	Q	E	T	D	R	A	W	A	S	S	M	S
Y	A	Z	K	D	Y	R	Y	E	Z	F	M	D	E	J
E	T	I	U	A	C	E	I	P	U	F	D	E	D	T
V	T	R	T	L	N	E	I	U	X	Q	K	N	A	A
S	H	P	K	O	A	O	J	C	M	E	N	O	L	U
Y	E	S	M	C	D	F	T	L	Y	P	I	O	S	K
T	F	D	P	C	N	Q	K	Y	A	A	H	O	C	D
T	R	D	G	A	E	I	F	H	A	U	G	I	A	L
R	O	N	M	E	C	H	A	B	P	L	R	E	U	E
R	N	Z	A	X	S	A	M	T	D	T	E	E	G	I
J	T	Q	T	A	A	M	T	J	T	Q	C	R	L	H
J	I	N	C	M	K	G	Q	A	U	A	A	D	T	S
D	A	E	H	A	J	O	H	E	T	T	E	S	O	R
B	T	V	Q	P	C	U	X	X	S	O	P	Z	P	M

ACCOLADE
AHEAD
ASCENDANCY
AT THE FRONT
ATTAIN
AWARD
CASH
CONQUER
CUP
EDGE
GAME
HAT-TRICK
LAURELS
MATCH
MEDALS
MONEY
PASS
PRIZE
RELAY
ROSETTE
SHIELD
STAR
TOP
TRIUMPH

TURKEY

162

Z	O	S	G	Y	I	Q	K	P	I	Z	M	I	R	R
S	G	I	O	I	F	O	W	R	K	A	N	A	D	A
A	M	R	H	U	K	M	I	Z	U	P	T	Z	G	Y
N	T	D	L	G	N	K	Y	T	U	T	R	J	E	A
R	K	T	G	Z	A	D	N	I	K	H	A	Z	E	B
Y	U	X	H	R	P	E	F	E	L	G	E	T	O	K
M	Y	Q	G	Y	V	U	D	N	N	M	X	C	A	U
S	O	H	A	E	P	Y	O	H	A	K	A	L	N	M
C	H	S	L	U	O	T	I	V	E	C	E	Z	I	A
Z	L	S	A	T	N	P	Z	B	G	B	P	F	T	P
S	A	T	N	M	I	O	A	A	E	L	W	C	K	C
H	T	W	K	E	S	B	N	X	A	U	W	O	A	G
H	A	T	A	Y	S	U	L	I	D	X	N	Z	B	T
G	C	L	R	B	Y	K	N	C	B	Y	C	T	I	E
I	S	T	A	N	B	U	L	P	A	S	E	R	R	K

ADANA
AEGEAN
ANIT KABIR
ANKARA
ATATURK
BAYAR
CATALHOYUK
ECEVIT
HATAY
INONU
ISTANBUL
IZMIR
KEBABS
KONYA
LEVENT
MEZE
MUTLU
PAMUK
RAKI
SAMSUN
SINOP
SMYRNA
TROY
YILMAZ

TROUBLES

163

T	E	I	U	Q	S	I	D	H	H	O	L	E	O	L
N	B	G	O	N	D	N	E	D	A	E	D	N	F	I
U	M	E	R	M	S	L	C	D	H	Y	F	A	L	L
P	F	W	C	U	G	E	I	I	R	H	B	B	P	A
M	A	G	T	N	O	L	T	E	M	M	J	L	B	E
J	S	H	A	Q	E	C	S	D	K	P	I	M	O	D
B	I	T	S	M	H	I	S	S	C	R	A	P	E	W
O	A	Y	M	I	M	T	N	Y	T	W	C	S	N	A
N	D	A	F	E	M	S	J	E	W	X	O	C	S	R
W	E	T	S	N	K	L	S	L	V	G	Y	R	Z	E
H	S	S	A	C	I	P	D	S	O	N	C	P	R	B
H	G	E	O	S	U	K	O	X	U	M	O	L	F	Y
W	P	A	E	A	H	O	R	E	N	R	O	C	V	C
B	W	O	N	E	W	R	E	B	U	F	F	X	N	H
M	W	I	J	S	O	R	L	N	X	G	F	C	J	I

BANE
BLOW
CORNER
DEAD END
DILEMMA
DISQUIET
FALL
HITCH
HOLE
IMPASSE
INCONVENIENCE
MESS
MISERY
MISHAP
RAW DEAL
REBUFF
SCOURGE
SCRAPE
SNAG
STEW
TANGLE
UPSET
WOES
WORRY

DOUBLE "F"

164

E	N	U	F	F	M	N	C	E	F	F	A	C	E	S
D	O	F	F	W	S	S	O	U	E	R	I	Z	V	F
R	O	O	C	A	P	F	A	R	U	U	A	E	I	F
N	G	E	L	F	F	A	R	H	F	E	H	C	S	A
E	R	B	F	F	F	V	I	F	N	F	G	L	U	D
F	I	C	U	U	Y	F	F	U	L	F	A	C	F	L
F	F	R	U	G	R	T	F	F	J	U	H	S	F	O
E	F	S	F	F	I	T	N	O	P	A	L	O	E	F
C	O	H	Y	F	F	F	A	F	F	H	W	F	Z	F
T	N	F	F	F	B	L	F	F	N	C	Y	F	F	A
S	F	L	F	A	E	R	I	F	F	F	F	I	L	C
A	C	I	I	T	F	N	F	N	C	A	H	C	C	S
P	U	O	J	S	C	L	F	F	K	W	I	E	F	W
Q	W	M	F	H	A	F	U	E	X	S	B	R	T	F
R	E	B	U	F	F	F	D	G	E	F	F	L	U	X

AFFAIR
CHAFFINCH
CHAUFFEUR
CLIFF
CUFFLINKS
DUFF
EFFACE
EFFECT
EFFLUX
EFFUSIVE
FLUFFY
GRIFFON
GUFFAW
JIFFY
OFFICER
PONTIFF
QUIFF
RAFFLE
REBUFF
SAFFRON
SCAFFOLD
SCOFF
STAFF
WHIFF

NINE-LETTER WORDS

165

P	K	I	D	A	E	H	S	S	O	R	C	K	C	T
G	S	B	X	P	B	G	E	O	M	E	T	R	I	C
N	Q	Z	A	D	E	M	R	O	F	R	E	P	T	W
I	C	P	G	D	O	C	T	R	I	N	A	L	A	L
H	E	I	S	N	H	T	X	L	W	Z	M	A	M	Q
S	L	R	N	E	I	N	D	O	L	E	N	C	E	L
U	B	D	S	O	E	R	E	N	D	E	R	I	N	G
B	A	T	E	K	Y	M	O	E	B	E	I	R	I	N
M	R	T	C	H	O	R	T	L	I	N	G	E	C	I
A	U	P	S	H	C	C	B	M	P	G	H	H	F	R
R	C	R	L	D	A	T	U	M	F	X	T	P	B	E
I	N	S	T	R	A	T	A	G	E	M	E	S	O	T
N	I	R	T	T	S	I	N	M	U	L	O	C	B	S
E	N	E	V	O	W	P	Y	U	N	E	U	T	L	A
S	R	C	C	A	V	E	R	N	O	U	S	N	Q	M

AMBUSHING
CAVERNOUS
CHORTLING
CINEMATIC
COLUMNIST
COSTUMIER
CROSSHEAD
DOCTRINAL
EMBRYONIC
EXPLORING
GEOMETRIC
HOMEOWNER
INCURABLE
INDOLENCE
MASTERING
ORCHESTRA
PERFORMED
RENDERING
RETRACTED
RIGHTEOUS
SPHERICAL
STRATAGEM
SUBMARINE
UNMATCHED

IRONING

166

N	H	M	T	E	R	U	T	A	R	E	P	M	E	T
H	Y	T	S	Y	N	T	H	E	T	I	C	S	O	I
C	I	L	O	I	T	A	S	M	O	N	O	M	W	W
R	W	R	O	L	T	I	A	T	H	Z	C	A	X	C
O	K	U	O	N	C	T	C	S	E	O	B	E	C	O
C	I	C	L	N	E	P	M	I	T	A	L	S	H	L
S	L	H	U	R	I	O	M	T	R	F	M	C	O	L
N	E	N	I	L	O	N	O	A	O	T	O	I	R	A
F	L	A	T	T	E	N	G	E	D	N	C	U	E	R
S	L	P	H	L	Y	U	E	B	T	E	P	E	C	I
G	T	I	S	A	H	X	C	R	O	C	T	A	L	I
Q	N	A	R	Q	H	I	O	U	J	A	W	A	B	E
G	T	P	E	M	M	L	E	X	F	G	R	O	E	R
J	S	P	P	L	S	T	A	N	D	F	W	D	O	H
C	E	B	S	V	P	O	A	I	M	Y	S	T	X	L

CHORE
COLLAR
CONTROL
COTTON
CUFFS
DAMP CLOTH
ELECTRICITY
FLATTEN
FLEX
HEATED
IRONING BOARD
LINEN
MATERIAL
NYLON
PLEATS
SCORCH
SEAMS
SMOOTHING
SPRAY
STAND
STEAM
SYNTHETICS
TEMPERATURE
WOOL

JUICY FRUITS

167

R	V	S	B	N	N	E	R	D	K	G	U	A	V	A
P	P	M	Y	E	N	I	R	A	T	C	E	N	Z	B
Y	O	H	N	R	Y	Y	W	L	E	O	Y	D	D	P
R	R	M	Z	O	R	R	O	I	N	P	M	O	T	H
R	Y	R	E	R	L	E	R	M	K	O	E	A	C	I
E	J	T	E	G	G	E	B	E	C	A	M	A	T	Y
B	A	H	O	B	R	K	M	N	B	B	E	E	E	O
L	C	Y	R	C	W	A	G	R	A	P	E	P	L	M
I	P	Q	A	X	I	A	N	O	V	R	S	P	N	A
B	W	T	N	P	N	R	R	A	V	Y	C	A	Z	N
Q	K	L	G	F	A	V	P	T	T	W	F	M	R	G
U	L	F	E	P	M	P	M	A	S	E	N	O	D	O
G	T	D	P	A	S	S	I	O	N	F	R	U	I	T
L	B	L	A	C	K	C	U	R	R	A	N	T	F	O
I	E	J	O	D	T	S	W	X	O	L	S	S	X	A

APPLE
APRICOT
BILBERRY
BLACK CURRANT
CHERRY
CRANBERRY
GRAPE
GUAVA
KIWI
LEMON
LIME
MANGO
MELON
NECTARINE
ORANGE
PAPAYA
PASSION FRUIT
PEACH
PEAR
POMEGRANATE
RASPBERRY
STRAWBERRY
TOMATO
UGLI

TALK

168

D	C	X	Z	M	S	S	E	F	N	O	C	Y	M	D
M	X	T	E	P	R	O	T	E	S	T	Z	T	L	M
Z	X	A	A	N	M	P	O	H	O	H	N	A	F	K
E	I	U	S	E	O	R	U	T	C	E	R	Q	G	R
T	P	K	B	G	P	R	Q	O	S	E	P	L	P	E
A	N	O	D	Y	G	E	D	E	H	Q	E	Z	D	P
R	A	A	N	J	T	N	R	M	A	V	G	P	N	S
P	J	T	R	U	M	P	E	T	K	Y	Q	A	S	I
E	R	L	D	T	E	B	N	I	A	L	P	X	E	H
T	X	T	A	R	N	D	R	E	B	B	A	J	A	W
I	M	L	M	W	A	B	N	S	J	L	X	G	G	L
C	K	L	P	O	W	W	O	W	H	W	N	G	W	L
E	Y	C	H	M	V	K	L	K	D	E	B	A	T	E
R	E	T	T	A	H	C	E	H	G	M	F	U	M	T
R	E	T	N	A	B	A	B	B	L	E	Z	G	J	I

BABBLE
BANTER
CHATTER
CONFESS
DEBATE
DRAWL
DRONE
EXPLAIN
HERALD
JABBER
JAW
POWWOW
PRATE
PROTEST
QUOTE
RANT
RECITE
REPEAT
REPRESENT
SPEECH
TALK
TELL
TRUMPET
WHISPER

TEA

169

B	S	D	M	W	L	I	N	D	O	N	E	S	I	A
E	C	Y	A	A	H	A	P	U	T	A	L	E	Y	S
U	Z	H	B	R	P	O	F	E	H	V	K	Q	E	P
M	V	R	U	A	J	C	E	Y	L	O	N	I	R	I
G	E	F	J	N	E	E	M	N	U	H	C	U	G	D
H	O	E	W	W	A	N	E	E	R	G	S	N	L	E
S	R	A	O	O	D	N	U	L	Q	S	E	J	R	R
E	N	I	M	S	A	J	C	Z	I	S	E	P	A	L
A	I	D	N	I	S	E	Y	A	N	N	D	A	E	E
N	C	G	F	G	S	M	N	I	M	E	G	O	H	G
A	H	A	O	R	A	N	G	E	P	E	K	O	E	G
W	I	N	P	K	M	L	L	M	Z	J	R	D	K	Z
I	N	J	I	J	U	A	H	C	T	A	M	O	C	M
A	A	B	A	D	U	L	L	A	Y	Q	W	T	O	J
T	B	Y	Q	S	A	R	U	P	A	N	T	A	R	N

ASSAM
BADULLA
CAMEROON
CEYLON
CHINA
CHUN MEE
DARJEELING
DOOARS
EARL GREY
GINSENG
GREEN
HAPUTALE
HERBAL
HUNAN
INDIA
INDONESIA
JAPAN
JASMINE
MATCHA UJI
ORANGE PEKOE
RATNAPURA
RUSSIAN
SPIDER LEG
TAIWAN

BEER

170

S	T	R	E	N	G	T	H	V	G	W	I	R	C	Z
H	S	O	E	R	U	T	A	R	E	P	M	E	T	D
A	A	W	V	A	O	I	N	W	O	T	S	E	E	O
N	X	J	E	S	L	N	C	R	G	F	G	B	L	E
D	E	L	K	E	B	A	T	R	O	P	X	E	T	E
Y	L	O	J	Z	T	E	L	S	A	O	L	C	T	L
D	L	I	M	A	R	N	Q	E	A	J	E	I	O	A
S	W	Y	D	J	B	N	E	W	K	E	S	R	B	T
A	S	Z	R	A	R	E	E	S	M	K	Y	E	R	S
F	M	P	W	V	O	K	L	D	S	Q	U	S	P	E
D	O	O	S	T	U	Y	D	A	L	V	T	O	K	V
N	K	R	R	W	Q	N	C	U	D	O	H	E	J	R
O	E	O	X	A	I	I	K	X	U	L	G	C	N	A
L	D	B	A	R	L	E	Y	T	S	S	O	O	X	H
B	J	U	N	O	I	T	A	T	N	E	M	R	E	F

AROMA
BARLEY
BLOND
BOTTLE
CASKS
EXPORT
FERMENTATION
GOLDEN
HARVEST ALE
HOPS
KEGS
LIQUOR
MILD
OLD ALE
PORTER
REAL ALE
RICE BEER
SHANDY
SMOKED
STOUT
STRENGTH
SWEETNESS
TEMPERATURE
YEAST

AUSTRALIA

171

T	P	L	T	E	I	L	R	O	O	G	L	A	K	P
C	A	N	B	E	R	R	A	W	A	O	G	C	K	O
F	I	S	Q	U	E	E	N	S	L	A	N	D	C	R
E	R	O	M	S	I	L	O	M	A	C	K	A	Y	T
A	F	Y	K	A	Z	O	I	U	D	J	A	D	G	A
E	D	V	A	M	N	C	Y	R	X	H	Y	T	N	R
E	F	N	K	B	G	I	G	R	T	N	A	M	I	T
L	N	U	A	G	K	X	A	A	A	A	B	S	L	H
E	U	R	D	R	B	R	R	Y	D	A	Y	N	R	U
O	U	R	U	L	U	R	A	E	S	D	N	O	A	R
N	B	P	X	O	A	K	L	H	N	B	A	R	D	G
O	D	B	E	K	B	A	G	E	S	C	T	T	U	I
R	C	N	U	R	I	L	Y	Y	S	M	O	H	E	M
A	V	W	T	D	T	N	E	O	U	T	B	A	C	K
K	Z	H	E	W	S	H	T	M	I	Z	P	M	C	V

ADELAIDE
BOTANY BAY
CANBERRA
DARLING
DUBBO
KAKADU
KALGOORLIE
KARRATHA
KURANDA
LEONORA
LISMORE
MACKAY
MELBOURNE
MURRAY
NOOSA
NORTHAM
OUTBACK
PERTH
PORT ARTHUR
QUEENSLAND
SHARK BAY
SYDNEY
TASMANIA
ULURU

172

NORSE DEITIES

```
Z J I A E G I R G I B M D C R
S T W I J L X D J O N R A V Y
Y L E Z L Z O F T V O G A N T
H S H A R I A S A J I S T G I
G U O Y E A V Q N D T B K O I
V N C E N I Z I U C C V C K D
O E V R Z A Y A N U F Y G K J
C A S F V O R Z K J W W I U B
E R P U I D H T W E O G L G R
A A U H N B S Z K H E R P C I
R T R A X N U H W R N S U Z N
T S S O P K A B S A E B L N I
O O Q C H G Q E T E L O H E K
N I D O K T M O O I P A T E O
S X M D P I W U W E W O A E L
```

AEGIR
BRAGI
FREYA
GERSEMI
HARIASA
HEL
LOKI
MANI
NJORD
NJORUN
ODIN
OSTARA
RAN
SANDRAUDIGA
SNOTRA
SOL
SUNNA
TAPIO
THOR
TIW
TYR
UKKO
VILI
WOTAN

CEREMONIES

173

```
R S C L U S T R U M G F X F I
C G L O V A C F V N E I C R Q
N N N A N S U A I H M E U U U
I I O G I U G L A A B S D Y N
G N I B M T I P R F T T R O O
N E T N G E P R F A C A I N I
I P A C V U I U M T S T P A T
R O R N H A I R N R C B O H A
A E U C G R E A E U L O T C C
E Y G E K T E V D A D Y L A I
W D U R P G I N R L O Z A M F
S N A I A N I E Q B S F T R I
N U N P N G N I D D E W C I R
L A I A H U F K P N H H H T U
G M Q X F J M S I T P A B Z P
```

AMRIT
ANNIVERSARY
BAPTISM
CHANOYU
CHUPPAH
DOSEH
FIESTA
FUNERAL
INAUGURATION
INDUCTION
LUSTRUM
MARRIAGE
MATSURI
MAUNDY
NIPTER
NUPTIALS
OPENING
PAGEANT
POTLATCH
PURIFICATION
SWEARING-IN
TANGI
UNVEILING
WEDDING

CATS IN THE WILD

K I T R J R A U G A J D O G R
Z E O C O U G A R B J R N H I
P D L D E T O O F K C A L B F
A E E S L E Z P N T N P Q L F
N L C A L Y H H O E R O Y H A
T B O X F A N A I T P E Z L K
H R T P T T V X L A Y L G B V
E A M A A A U R M K L M B I H
R M T C C X C P E A B A O O T
S E Y E C D A N C S H R B M D
M A H O E S N A E W F G C K O
B R B M C H R A J D B A A P K
O N B A S A C A S T L Y T U D
S B T A C S A L L A P O S M O
Z F I S H I N G C A T P G A K

BAY CAT
BLACK-FOOTED
BOBCAT
CARACAL
CHEETAH
COUGAR
FISHING CAT
GOLDEN CAT
JAGUAR
KAFFIR
KODKOD
LEOPARD
LION
LYNX
MARBLED
MARGAY
OCELOT
PALLAS CAT
PAMPAS CAT
PANTHER
PUMA
SAND CAT
SERVAL
TIGER

PICKLED

175

S	S	R	E	B	M	U	C	U	C	C	Z	A	I	K
E	J	I	E	N	U	M	N	Q	A	E	H	H	Y	C
I	R	E	G	N	I	G	H	B	F	B	C	R	E	T
V	T	V	D	P	K	J	B	S	O	M	E	Y	F	U
O	S	T	U	N	L	A	W	H	I	R	W	A	L	L
H	G	U	M	O	G	C	T	K	Q	L	K	K	N	U
C	L	N	X	E	A	Y	U	U	P	S	E	R	I	S
N	G	I	A	R	D	I	N	I	E	R	A	R	C	J
A	N	Z	R	M	S	L	G	O	N	I	O	N	S	T
S	G	O	E	R	C	S	T	I	R	D	Z	J	L	L
U	T	G	E	I	F	A	O	L	I	V	E	S	R	O
S	G	P	L	E	M	I	S	T	O	L	L	A	H	S
S	A	R	E	O	V	O	R	P	E	A	C	H	E	S
C	A	T	T	W	X	U	O	K	E	T	C	H	U	P
G	T	P	I	C	C	A	L	I	L	L	I	A	D	F

ANCHOVIES
BEANS
BEET
CABBAGE
CAPERS
CARROTS
CUCUMBERS
CURTIDO
EGGS
GARLIC
GIARDINIERA
GINGER
KETCHUP
KIMCHI
MANGO
OLIVES
ONIONS
PEACHES
PICCALILLI
PIGS' FEET
RELISH
SHALLOTS
TOMATOES
WALNUTS

SHADES OF RED

176

T	J	R	W	G	Q	A	C	N	V	T	O	B	N	C
Y	L	L	O	F	L	T	W	E	C	B	L	O	O	D
C	R	S	I	Q	H	N	N	F	P	E	O	N	G	O
H	E	M	N	B	C	E	E	L	B	B	G	F	E	F
E	D	R	D	K	T	G	S	A	T	O	A	E	N	T
S	W	K	I	I	A	A	C	M	X	U	N	N	I	X
T	O	H	A	S	B	M	A	E	F	I	S	R	M	K
T	O	N	N	R	E	M	R	U	G	M	E	C	R	U
U	D	H	I	T	A	O	L	N	O	M	C	K	A	D
N	M	C	Z	R	T	V	E	M	O	N	C	L	C	N
T	K	V	O	V	O	E	T	R	E	R	B	E	Y	S
S	U	O	F	U	R	Y	H	O	W	U	Y	D	I	A
E	N	G	S	I	B	C	S	S	D	B	D	B	I	O
H	U	A	F	G	M	E	M	O	E	U	C	K	U	W
C	R	E	T	S	B	O	L	R	R	A	A	U	C	R

AUBURN
BLOOD
BRICK
CARMINE
CERISE
CHESTNUT
CHROME
CONGO
FIRE ENGINE
FLAME
FOLLY
FULVOUS
INDIAN
LOBSTER
MAGENTA
MAROON
REDWOOD
ROSY
RUBY
RUDDY
RUFOUS
SCARLET
TUSCAN
VENETIAN

VOLCANIC

177

A	B	Q	L	D	W	L	E	R	U	S	S	I	F	B
H	M	S	U	M	M	I	T	I	U	A	E	D	C	D
L	A	C	O	N	D	U	I	T	V	B	S	V	K	P
T	N	D	N	E	L	C	H	A	K	S	A	E	N	U
N	T	U	Y	G	C	A	L	A	L	I	G	N	A	M
A	L	U	M	G	C	I	M	C	X	A	N	T	L	I
M	E	S	Z	T	O	C	V	G	O	E	H	C	F	C
R	G	R	I	G	D	L	R	E	A	N	B	A	P	E
O	C	V	U	C	V	E	O	U	R	M	E	L	R	M
D	E	M	Q	P	I	K	C	N	S	C	A	D	A	C
J	C	V	R	S	T	R	B	S	A	T	V	E	F	G
M	B	L	E	O	A	I	T	V	E	C	T	R	M	O
D	L	H	Z	T	C	Q	O	S	A	S	L	A	J	C
D	S	S	E	W	E	K	M	N	M	S	C	U	L	O
A	K	R	P	J	R	C	S	N	Q	C	P	I	V	I

ACTIVE
ASHES
CALDERA
CONDUIT
CONE
CRATER
CREVICE
CRUST
DORMANT
ERUPTION
FISSURE
FLANK
GASES
LAHAR
LAVA
MAGMA
MANTLE
PLATES
PUMICE
ROCKS
STEAM
SUMMIT
VENT
VULCANOLOGY

178

CASINO

Z	P	T	O	B	D	Z	I	R	K	J	N	E	S	T
X	C	L	C	E	Y	R	E	Q	T	N	K	D	H	F
Q	E	I	A	E	O	K	O	H	F	A	D	G	P	Q
O	T	L	N	Y	N	T	F	U	T	O	C	V	O	J
Y	E	F	L	A	E	A	S	S	G	C	A	B	K	S
R	L	O	B	Q	K	R	E	P	R	E	R	O	E	L
A	E	U	N	S	E	A	S	O	I	O	D	H	R	O
S	E	G	O	I	E	C	N	P	H	N	S	I	T	S
C	H	F	J	C	S	C	I	Y	W	S	N	T	I	S
V	W	R	H	N	J	A	M	D	P	L	K	I	D	E
G	N	I	T	T	E	B	C	V	B	L	C	M	N	S
K	P	Z	T	X	J	F	O	Y	N	O	E	I	A	G
S	K	J	A	C	K	P	O	T	O	R	D	L	B	Y
O	R	E	Z	Y	C	V	A	Q	I	E	G	W	M	Z
B	K	J	F	O	L	W	J	V	R	L	G	U	V	J

BACCARAT
BANDIT
BANKER
BETTING
CARDS
CASINO
CHIPS
DEALER
DECK
DICE
JACKPOT
LIMIT
LOSSES
NOIR
ODDS
PLAYERS
POKER
ROLL
ROUGE
SHOE
SPINNING
STAKE
WHEEL
ZERO

VARIETIES OF CARROT

179

K	O	R	L	A	N	B	J	D	S	I	Q	C	R	Y
F	I	C	A	M	B	E	R	L	E	Y	C	E	O	U
R	Q	B	E	R	U	B	E	R	T	A	N	B	V	G
M	U	L	D	G	O	J	K	O	M	I	R	P	E	J
Z	U	W	I	Z	S	V	H	P	L	G	O	A	R	E
N	O	K	U	Y	M	A	E	S	T	R	O	R	T	D
O	M	P	O	V	H	S	B	X	E	M	R	A	P	I
T	X	A	B	M	T	E	C	E	C	F	O	B	W	A
S	O	R	R	R	R	I	I	I	O	P	M	E	T	L
G	C	A	A	J	T	B	R	O	L	A	V	L	B	E
N	A	N	O	D	O	N	A	Z	A	K	P	L	G	D
I	M	O	K	R	G	N	I	K	N	M	U	T	U	A
K	D	R	I	Y	P	U	I	U	Z	I	N	G	O	T
W	E	A	L	U	M	W	U	Z	C	C	R	O	L	S
Z	N	T	E	K	C	U	T	N	A	N	E	R	K	J

ADELAIDE
AUTUMN KING
BERJO
BERTAN
CAMBERLEY
CAMDEN
CAMPESTRA
EVORA
IDEAL
INGOT
KAZAN
KINGSTON
MAESTRO
MOKUM
NAIROBI
NANTUCKET
PARABELL
PARANO
PARMEX
PRIMO
TEMPO
TREVOR
VALOR
YUKON

TUNNELS

180

A	R	O	T	F	A	O	A	N	U	R	A	H	A	N
A	O	G	I	E	T	N	J	Y	O	R	Z	M	O	R
O	K	I	R	U	N	U	I	D	I	L	G	A	V	E
S	K	H	K	A	L	A	Y	E	M	M	P	R	M	U
B	O	A	O	S	I	A	K	F	R	T	T	M	E	A
O	K	J	S	E	N	L	D	A	A	E	F	A	I	T
S	A	E	E	I	P	Q	I	U	Y	Z	V	R	P	S
R	N	O	N	K	A	I	T	C	R	A	A	A	L	D
U	N	P	F	A	N	D	E	R	S	F	M	Y	A	A
C	A	M	A	N	S	P	P	Y	H	S	V	A	B	C
K	H	K	D	L	X	A	E	Q	U	X	A	I	U	V
H	A	K	K	O	D	A	N	J	F	O	P	L	T	H
U	A	P	H	S	T	R	E	N	G	E	N	G	S	U
D	G	R	E	B	L	R	A	H	H	P	I	A	C	G
U	E	V	H	K	F	T	A	W	I	F	L	V	H	K

ARLBERG
ARMI
BOSRUCK
ENASAN
FREJUS
FRUDAL
HAKKODA
HANNA
HARUNA
HIGO
KAKUTO
MARMARAY

NAKAYAMA
PFANDER
PLABUTSCH
ROKKO
SCILIAR
SEIKAN
SIMPLON
STRENGEN
TAUERN
VAGLIA
VEREINA
WARD

FAMOUS PICTURES

181

A M R O Y J S U S S I C R A N
I A N D R O M E D A V X L L L
P E O E E T H E P O L L I N G
M R I L H N S S I K E H T M K
Y C T O D U T C M B F Z N D F
L S A T V H A Y A W L I A R A
O E T V A R O L F D U N E S M
E H N G U O L B Y Y Q O I C E
C T E S U N I T E K S L N I D
C N M X U E I S C N A B R I U
E J A Q Q V R E A N A D D E S
H G L L I S O N O L J L N F A
O I C T Q O B M I N O O N D A
M G A B K R D S B C L M E I N
O N L F G G J G Z A A L E C G

ALONE
ANDROMEDA
DANAE
DUNES
ECCE HOMO
FLORA
GIN LANE
GROSVENOR HUNT
GUERNICA
ICARUS
LA BELLA
LAMENTATION
LEDA
MEDUSA
MONA LISA
NARCISSUS
NATIVITY
OLYMPIA
RAILWAY
SALOME
THE KISS
THE POLLING
THE SCREAM
TOLEDO

FICTIONAL PLACES

182

Y	E	E	H	C	I	W	D	I	M	V	O	I	V	N
T	U	P	I	L	L	I	L	N	P	C	W	Q	Z	O
E	M	L	A	F	M	B	U	W	O	L	K	S	Q	T
R	P	M	D	S	H	T	R	A	R	L	C	D	X	P
E	E	A	D	O	Q	K	W	D	I	Z	A	T	A	Y
W	F	A	D	C	G	C	N	I	Y	P	E	V	N	R
F	L	O	K	E	N	P	A	F	N	K	O	N	A	K
E	G	C	T	S	A	W	A	M	I	P	R	T	D	J
G	O	E	I	C	I	F	O	T	E	N	E	W	U	A
D	N	A	L	Y	O	T	E	T	C	L	M	A	B	Q
I	D	N	R	U	V	Z	N	Q	G	H	O	W	K	X
R	O	I	O	K	H	S	U	A	H	U	H	T	B	S
B	R	A	H	N	C	I	O	S	L	O	B	X	Q	M
M	P	V	A	P	R	W	W	Q	T	T	Z	Y	Z	L
A	Y	Z	N	M	V	X	S	H	I	L	A	L	A	V

ALALI
AMBRIDGE
ATLANTIS
AVALON
BUGTOWN
CAMELOT
DIMSDALE
DOGPATCH
FALME
GONDOR
HOTH
KITEZH
KLOW
KRYPTON
LILLIPUT
MIDWICH
OCEANIA
QUIRM
ROHAN
TOYLAND
TWIN PEAKS
UTOPIA
XANADU
ZENDA

INDIAN RESTAURANT

183

E	Q	Z	Q	R	A	I	T	A	A	N	A	H	S	C
V	B	F	Q	H	M	A	D	R	A	S	S	A	H	H
I	T	A	P	A	H	C	E	D	A	O	G	M	A	I
H	E	J	O	P	H	E	I	Z	J	P	P	M	M	C
D	E	D	H	J	J	C	A	N	A	I	Q	A	E	K
A	X	A	Y	O	N	I	A	N	L	R	K	S	E	E
A	L	R	O	E	P	H	I	A	H	O	O	S	K	N
L	O	L	Z	O	G	R	U	D	I	O	R	A	E	C
S	A	L	D	O	B	R	W	N	K	D	M	L	B	H
O	C	I	R	G	I	Z	X	A	A	N	A	A	A	A
U	X	W	H	C	R	Z	S	S	F	A	L	S	B	T
P	Z	X	E	T	Y	N	J	A	M	T	O	L	R	T
S	A	G	B	H	A	J	I	P	I	M	Q	F	M	A
I	U	C	C	H	N	P	A	R	A	T	H	A	V	I
V	E	R	D	L	I	D	Y	S	A	M	B	E	R	P

ALOO JEERA
BALTI
BIRYANI
CHAPATI
CHICKEN CHATT
DAAL SOUP
DHANSAK
DOPIAZA
KORMA
MADRAS
MASSALA
PARATHA
PASANDA
PATHIA
PHALL
PILAU RICE
RAITA
ROGHAN JOSH
SAG BHAJI
SAG PANIR
SAMBER
SAMOSA
SHAMEE KEBAB
TANDOORI

SNAKES

184

P	R	T	Z	E	C	E	N	Y	A	R	A	R	A	E
M	U	S	E	A	S	N	A	K	E	E	T	V	C	E
Q	V	Y	N	Z	M	A	K	R	S	I	L	N	R	I
W	U	T	U	Z	D	V	I	D	O	A	A	U	A	H
H	I	I	C	D	R	A	C	E	R	L	M	T	R	S
L	F	A	E	M	S	S	K	R	E	G	B	U	B	U
A	O	R	Z	U	D	E	A	D	X	A	A	R	O	M
N	X	K	J	D	L	T	R	U	H	D	G	U	C	A
C	S	N	A	S	S	E	A	P	N	S	R	I	G	M
E	N	R	R	N	F	H	B	O	V	H	H	R	O	N
H	A	N	A	A	G	C	C	A	L	L	I	R	A	B
E	K	K	R	K	I	A	D	S	C	M	A	M	B	A
A	E	F	A	E	N	M	I	L	K	S	N	A	K	E
D	R	N	C	A	B	I	R	D	S	N	A	K	E	Q
D	Q	M	A	M	N	P	U	L	X	L	G	C	V	D

ADDER

ANACONDA

BIRDSNAKE

BOIGA

CANTIL

CASCABEL

COBRA

FER-DE-LANCE

FOX SNAKE

JARARACA

KRAIT

LANCEHEAD

LORA

MACHETE SAVANE

MAMBA

MAMUSHI

MILK SNAKE

MUD SNAKE

RACER

RAT SNAKE

SEA SNAKE

URUTU

WUTU

YARARA

DOGS' NAMES

185

X	M	Q	J	M	X	B	Q	G	I	E	P	G	I	Q
R	G	T	G	A	Y	B	Y	D	D	U	B	R	P	S
T	D	L	M	L	O	S	I	X	D	K	I	R	F	S
R	L	H	Y	V	L	E	H	C	A	V	E	S	R	K
R	A	E	T	A	H	Q	C	J	Z	C	A	A	E	D
I	B	E	D	O	E	J	Z	D	I	N	E	M	K	Y
L	E	Y	B	R	B	K	Y	O	D	Q	M	M	C	W
E	M	H	K	D	E	Y	U	Y	A	X	I	Y	U	J
Y	I	N	W	B	I	S	H	Q	I	N	A	E	T	E
H	C	O	O	E	L	P	U	O	I	R	I	N	K	I
W	K	C	H	A	R	R	Y	K	R	H	N	A	M	I
Q	E	D	Z	U	A	K	K	E	P	B	J	O	Z	T
S	Y	U	M	S	H	I	I	O	M	I	S	T	Y	A
O	U	K	D	Z	C	S	S	E	C	N	I	R	P	B
N	Q	E	D	D	E	I	T	A	K	M	J	Y	K	C

BEAR
BUDDY
CHARLIE
DUKE
HARRY
HEIDI
JAKE
KATIE
LADY
MAX
MICKEY
MISTY
MITZI
MURPHY
NIKKI
PRECIOUS
PRINCESS
RILEY
SAMMY
SANDY
SIERRA
SOPHIE
TOBY
TUCKER

186

SLOT MACHINES

O	C	U	Q	O	A	F	K	G	B	T	X	X	Z	X
T	K	E	W	W	P	Q	M	Y	G	U	X	E	G	X
I	C	B	E	L	L	S	A	A	H	C	X	N	T	G
D	N	H	U	Q	U	P	Y	P	D	C	O	I	N	S
N	I	M	E	N	T	G	P	L	F	K	S	L	O	T
A	S	D	O	R	A	R	C	A	D	E	X	Y	H	R
B	B	B	O	M	R	K	D	Y	Y	D	O	A	B	V
D	E	H	B	R	W	I	F	E	T	O	B	P	A	S
E	S	L	L	J	A	O	E	R	F	U	U	N	R	N
M	E	G	M	C	Y	N	A	S	O	B	Q	T	S	E
R	R	L	I	F	X	T	G	A	P	L	O	O	G	K
A	E	A	E	O	S	W	J	E	V	E	L	D	P	O
E	E	N	H	V	L	I	G	H	T	S	U	U	N	T
N	L	G	X	X	E	K	G	E	W	N	E	K	P	W
O	S	O	V	K	F	R	S	T	I	U	R	F	P	C

ARCADE

BARS

BELLS

BONUS

CHERRIES

COINS

DOUBLE

FRUITS

GAMBLE

LEVER

LIGHTS

NUDGE

ONE-ARMED BANDIT

ORANGE

PAYLINE

PAYOUT

PLAYER

PLUMS

REELS

ROLL-UP

SHORT PAY

SLOT

START

TOKENS

"V" WORDS

187

V	E	M	C	G	G	K	S	P	L	M	V	A	S	V
E	G	A	Y	O	V	E	U	X	E	X	A	T	E	R
S	V	L	M	I	T	D	N	V	W	F	C	S	L	V
T	C	U	D	A	I	V	E	N	O	E	C	I	C	B
A	V	E	R	E	I	R	V	I	V	L	I	V	R	N
E	O	B	U	X	M	Y	N	A	E	B	N	E	V	O
S	I	G	E	I	V	D	R	L	G	A	E	V	G	T
V	A	N	L	E	V	A	P	L	S	R	V	R	V	N
V	Y	I	N	G	G	E	C	I	N	E	V	E	P	E
E	O	E	Y	E	V	Y	V	V	F	N	S	V	J	M
N	A	V	N	E	U	E	T	V	S	L	E	Z	T	T
V	A	I	N	G	L	O	R	I	O	U	S	T	E	S
J	V	T	E	A	D	V	H	G	N	V	R	D	Z	E
T	I	O	P	V	E	U	D	V	E	A	E	N	A	V
V	S	V	F	V	I	S	A	G	E	R	V	Z	V	V

VACCINE
VAGUE
VAINGLORIOUS
VANITY
VENICE
VENUS
VERGER
VERMILION
VERSES
VERVE
VESTMENT
VIADUCT
VIBRATE
VIDEOS
VILLAIN
VINEGAR
VISAGE
VISTA
VIXEN
VOTIVE
VOWEL
VOYAGE
VULNERABLE
VYING

TICKETS

188

A	L	O	B	M	O	T	Y	R	E	L	L	A	G	C
W	W	F	E	R	R	Y	L	Y	I	Y	D	A	M	S
D	R	O	C	E	H	G	I	O	E	A	T	W	U	Q
E	A	P	I	T	B	C	B	N	R	Y	F	C	E	K
C	I	R	N	U	K	J	R	O	S	A	R	N	S	S
K	L	C	E	R	C	U	A	T	O	I	F	T	U	B
C	W	O	M	N	O	C	R	J	C	G	A	F	M	F
H	A	A	A	J	O	A	Y	I	C	T	D	R	L	I
A	Y	I	S	K	I	N	M	W	E	L	M	K	O	E
I	P	U	R	N	R	E	E	L	R	R	I	B	T	Z
R	B	L	D	L	A	O	Y	W	M	H	S	C	T	C
A	L	Z	A	A	I	H	O	V	A	A	S	Z	E	L
A	I	M	N	N	O	N	L	M	T	Y	I	S	R	C
G	P	L	C	M	E	D	E	D	C	I	O	D	Y	K
M	T	R	E	C	N	O	C	J	H	T	N	D	O	D

ADMISSION
AIRLINE
BUS JOURNEY
CINEMA
CIRCUS
CLOAKROOM
CONCERT
DANCE
DECK CHAIR
FERRY
FUNFAIR
GALLERY
LIBRARY
LOTTERY
MUSEUM
ONE-WAY
PLANE
RAFFLE
RAILWAY
RETURN
SOCCER MATCH
STATELY HOME
TOMBOLA
TRAIN

SKI RESORTS

189

S	O	V	A	D	G	J	L	G	H	C	S	I	O	A
P	C	K	R	O	O	Q	T	F	U	L	W	O	K	L
L	O	O	L	T	S	A	A	L	B	A	C	H	S	P
S	G	W	U	D	A	W	O	R	E	T	T	I	O	E
F	R	C	D	R	U	P	H	D	B	S	R	D	L	N
R	P	A	L	E	M	C	R	Q	S	U	L	N	L	D
I	U	G	V	A	R	A	T	M	A	E	U	O	Z	O
P	U	O	H	A	V	M	Y	R	F	D	B	T	T	R
Z	R	C	S	A	V	I	O	E	Q	F	F	N	I	F
A	F	E	O	O	K	O	E	U	U	D	N	A	R	B
H	T	K	X	R	L	S	R	R	N	R	Q	T	O	G
S	M	L	A	D	T	D	L	I	E	T	F	S	M	O
N	R	S	A	T	X	I	E	G	A	K	A	D	T	E
X	W	U	I	L	F	Q	N	N	I	Z	F	I	S	F
X	O	H	Z	U	S	P	R	A	G	G	S	G	N	L

ALPENDORF

ALTA

AVORIAZ

BRAND

CHAMPOLUC

CLAVIERE

CORTINA

COURMAYEUR

DAVOS

GOSAU

IGLS

ISCHGL

ITTER

OTIS

POWDER MOUNTAIN

RAURIS

SAALBACH

SEEFELD

SOLDEN

SOLL

ST ANTON

ST MORITZ

VARS

ZURS

190

EAT UP

T	S	H	V	I	N	L	C	G	O	E	E	H	O	L
S	C	Z	X	I	C	Z	E	M	U	S	N	O	C	N
P	H	P	K	E	G	N	I	B	C	L	B	H	H	G
Y	S	C	Q	M	T	X	W	R	U	G	P	L	P	C
H	U	E	T	I	B	N	N	W	O	D	F	L	O	W
T	C	H	O	M	P	E	U	F	F	U	T	S	G	K
K	P	N	L	L	P	T	Y	G	R	T	F	L	C	S
G	B	P	U	C	Q	S	R	I	B	W	E	V	O	W
T	N	E	E	M	K	A	E	U	I	E	E	F	E	B
S	E	A	F	C	Z	T	U	F	G	O	D	H	S	E
E	F	I	W	E	K	A	T	R	A	P	C	J	N	E
G	Q	A	B	Y	S	A	O	U	V	I	O	I	A	X
I	Y	I	R	B	G	G	T	F	F	C	D	L	C	X
D	P	N	F	E	L	R	S	I	X	K	N	G	K	G
A	X	Y	S	A	C	E	L	B	B	I	N	E	V	U

BINGE

BITE

BOLT

CHEW

CHOMP

CONSUME

DIGEST

DINE

FARE

FEED

GNAW

GORGE

GRAZE

GULP

MUNCH

NIBBLE

PARTAKE

PECK AT

PICK

SNACK

STUFF

TASTE

TUCK IN

WOLF DOWN

FREE

191

L R E S A E L E R M C Y N G I
P E G N C L J D I O V E D N V
D L U N H A M P E R E D E I U
E I N V B P T K B X F N H K N
I N O C H A R G E I I F C C P
P Q P Z L H V Y R N T F A A A
U U O K H Z A E A Z P O T L I
C I N Y D W V L L E M T E O D
C S J T A E I J M R E E D O N
O H B E I B Q P I V X L D S K
N W V L E E T I L A E R A P S
U I E R K Y R O L O O S E G I
G R A T I S S T L S P Q K X L
F L D L I B E R A T E D V O E
M V V N A U V A C A N T J X M

ABSOLVE
DETACHED
DEVOID
EMPTY
EXEMPT
GIVEAWAY
GRATIS
LACKING
LET OFF
LIBERAL
LIBERATED
LOOSE
NO CHARGE
NOT FIXED
OPEN
RELEASE
RELIEVE
RELINQUISH
SPARE
UNHAMPERED
UNOCCUPIED
UNPAID
UNTIE
VACANT

WEAPONS

192

E	L	F	I	R	N	A	Q	K	T	T	O	E	L	Q
S	D	Q	I	S	I	O	P	N	E	D	N	O	L	G
Q	C	T	B	R	S	V	O	H	E	I	Y	F	F	D
T	A	B	G	A	R	M	C	P	M	S	P	E	A	R
O	N	U	U	P	Z	U	R	D	R	P	O	G	H	O
M	N	L	X	I	B	O	N	L	A	A	R	R	O	W
A	O	L	U	E	T	A	O	L	E	G	H	T	N	S
H	N	E	R	R	L	I	U	K	O	G	G	D	N	D
A	B	T	E	A	R	G	A	S	A	T	D	E	L	A
W	A	R	E	D	N	I	W	E	D	I	S	U	R	O
K	L	H	N	I	U	U	R	H	A	A	E	I	C	R
E	L	F	B	R	E	V	L	O	V	E	R	K	P	B
F	B	A	Y	O	N	E	T	K	D	J	P	R	S	Z
E	C	N	A	L	M	O	Q	S	T	B	A	X	V	B
A	H	Y	T	H	N	B	E	T	I	M	A	N	Y	D

AIRGUN
ARROW
BAYONET
BAZOOKA
BROADSWORD
BULLET
CANNONBALL
CUDGEL
DAGGER
DYNAMITE
HARPOON
H-BOMB
LANCE
LANDMINE
PISTOL
RAPIER
REVOLVER
RIFLE
SIDEWINDER
SPEAR
TEAR GAS
TOMAHAWK
TORPEDO
TREBUCHET

WORDS ASSOCIATED WITH CHINA

193

F	S	O	U	C	H	O	N	G	D	M	C	N	U	S
R	U	T	S	X	Q	C	C	H	A	I	F	P	F	I
B	H	I	O	T	C	P	E	K	O	E	M	M	G	V
O	V	L	O	N	G	A	N	R	N	P	A	S	N	M
K	K	F	F	Y	G	I	W	G	O	H	G	N	U	G
C	U	U	O	A	S	R	S	P	J	O	N	I	K	M
H	M	J	X	B	N	H	J	O	D	O	O	G	R	O
O	Q	N	N	G	U	T	N	N	T	Y	A	A	V	R
Y	U	G	I	I	P	G	A	N	J	I	H	W	F	E
W	A	G	N	E	G	P	O	N	T	C	E	L	R	V
A	T	Z	Z	E	M	W	C	G	K	A	O	L	I	N
S	A	P	K	A	S	W	R	E	K	C	I	I	T	R
W	N	L	S	G	W	N	O	A	P	N	Z	C	Q	U
Q	I	E	J	O	T	N	I	H	S	F	I	Y	H	M
S	T	A	Z	N	A	D	S	G	C	R	L	G	Y	I

BOK CHOY

CHAR

CHOW MEIN

DIM SUM

FAN-TAN

FENG SHUI

GINKGO

GINSENG

GUNG-HO

KAOLIN

KUMQUAT

KUNG FU

LONGAN

MAH-JONGG

PEKOE

SAMPAN

SHINTO

SILK

SOUCHONG

T'AI CHI

TOFU

TONG

WONTON

ZEN

ALICE IN WONDERLAND

194

Y	T	T	E	U	Q	O	R	C	F	K	T	D	L	K
T	J	I	D	H	R	O	S	E	S	Y	O	N	V	M
R	M	U	G	A	L	I	C	E	M	R	T	O	C	F
A	F	U	M	E	Q	R	C	D	M	T	M	M	C	W
P	S	A	D	T	R	W	E	O	M	A	A	T	O	A
A	M	D	S	E	Y	L	U	P	D	H	W	E	K	L
E	O	R	E	H	L	S	I	H	P	H	S	A	A	R
T	C	I	L	M	E	D	A	L	I	E	V	N	L	U
U	K	N	D	H	U	T	E	T	Y	H	P	O	N	S
P	T	K	D	K	T	S	E	E	Y	U	R	H	N	G
D	U	M	I	E	N	K	H	J	W	Y	D	P	A	D
O	R	E	R	A	I	E	W	R	E	T	R	Y	Y	N
D	T	H	A	N	I	D	O	C	O	H	E	R	R	U
O	L	F	G	T	Z	M	N	W	N	O	A	G	A	C
J	E	I	S	S	E	H	C	U	D	P	M	Q	M	A

ALICE	MAD HATTER
COOK	MARY ANN
CROQUET	MOCK TURTLE
DINAH	MUSHROOM
DODO	PEPPER
DORMOUSE	RIDDLES
DREAM	ROSES
DRINK ME	TEA PARTY
DUCHESS	TIGER-LILY
EAT ME	TWEEDLEDUM
GRYPHON	WALRUS
LORY	WHITE KING

HIPPIES

195

X	J	G	X	D	S	R	E	T	S	O	P	O	L	C
R	A	E	L	A	B	Y	S	S	T	E	Y	O	H	D
G	E	P	I	X	V	H	N	D	J	Y	V	I	D	E
N	Y	W	E	O	F	J	E	Q	L	E	L	E	E	X
I	P	E	O	A	H	E	C	D	I	L	P	K	T	A
C	B	R	L	P	C	A	N	N	O	L	A	A	T	L
R	G	W	A	S	R	E	I	U	G	H	T	F	I	E
E	O	B	Z	Y	I	E	T	N	M	V	C	T	N	R
I	H	F	S	R	E	A	W	P	W	M	H	A	K	I
P	C	E	F	D	C	R	P	O	E	S	O	N	D	A
E	Y	D	E	I	T	D	D	L	L	L	U	C	N	H
B	Z	K	A	R	M	A	L	P	K	F	L	F	A	G
P	S	V	A	P	R	O	T	E	S	T	I	V	H	N
B	S	P	Z	U	W	O	O	D	S	T	O	C	K	O
Y	O	F	R	E	A	K	O	U	T	M	E	A	M	L

CHILL OUT
COMMUNE
FLOWER POWER
FREAK OUT
FRIENDLY
GROOVY
HAND-KNITTED
INCENSE
KAFTAN
KARMA
LONG HAIR
LOVE-IN
MELLOW
OP ART
PAISLEY
PATCHOULI
PEACE
PIERCING
POSTERS
PRAYER
PROTEST
RELAXED
TIE-DYE
WOODSTOCK

WINTER

196

W	Y	N	I	E	M	G	K	I	Y	Y	K	F	K	Z
S	T	I	I	S	L	E	E	T	H	S	C	A	R	F
K	S	P	S	N	O	W	S	T	O	R	M	H	D	M
R	U	P	H	W	P	O	S	N	E	W	Y	E	A	R
E	G	Y	A	C	R	H	S	K	I	I	N	G	Y	S
E	B	O	N	F	I	R	E	N	I	G	H	T	C	O
D	K	A	D	V	U	Q	T	X	C	G	C	H	D	H
M	K	A	E	L	B	R	F	I	I	S	I	S	F	E
N	D	R	B	K	Y	R	H	R	C	L	D	E	Z	T
B	L	A	N	K	E	T	S	T	L	H	D	L	Q	J
J	E	Z	E	E	N	S	V	Y	E	G	L	A	O	O
R	L	S	Z	A	P	H	I	G	R	U	J	G	A	C
B	Q	I	J	K	A	E	N	J	R	O	R	N	M	S
P	N	C	D	T	S	L	A	O	C	C	G	B	Y	D
G	T	K	S	G	O	L	G	N	I	T	A	E	H	C

BLANKETS
BLEAK
BONFIRE NIGHT
CHILLY
COALS
COLDS
COUGH
FREEZING
FROSTY
GALES
GUSTY
HATS
HEATING
ICICLE
LOGS
NEW YEAR
NIPPY
SCARF
SHIVER
SKIING
SLEET
SNEEZE
SNOWSTORM
WINTRY

TRIBES

197

T	A	A	D	B	H	I	R	M	W	A	Z	T	E	C
P	D	Z	M	A	J	X	I	M	R	O	U	M	I	J
A	C	S	I	O	X	A	D	B	O	Y	S	D	H	C
N	O	D	Q	E	M	U	D	Y	M	H	M	A	Y	A
A	A	K	Q	I	L	N	O	K	A	F	A	A	T	Q
R	Z	S	J	Y	M	O	O	E	H	F	K	W	P	A
E	M	N	Y	R	C	I	N	F	A	N	R	E	K	C
K	O	L	M	E	C	N	C	I	Y	N	V	P	W	E
Z	H	H	T	C	E	F	Z	C	M	A	B	P	D	N
M	M	L	A	Y	Z	O	Q	H	O	E	G	I	O	E
Z	O	F	E	P	E	X	X	N	I	S	S	H	M	S
T	A	H	U	E	A	W	O	R	C	V	U	C	A	T
B	C	P	R	D	D	R	E	Q	P	O	H	K	T	N
T	N	C	L	U	U	K	A	R	A	O	T	A	E	J
Q	I	M	O	H	I	C	A	N	L	H	Y	O	W	E

ARAPAHOE
ATOARA
AZTEC
CHEYENNE
CHIPPEWA
CREE
CROW
ERIE
FOX
HAIDA
HURON
INCA
MAYA
MIAMI
MICCOSUKEE
MOHAWK
MOHICAN
OLMEC
OMAHA
PANARE
SEMINOLE
SENECA
TOLTEC
YAGHAN

RODENTS

198

L	H	X	G	L	L	D	Y	Y	P	G	W	I	S	L
L	I	F	U	H	U	I	W	V	Y	W	T	Y	A	B
E	A	C	L	P	M	T	B	E	A	U	L	U	D	C
R	M	O	O	O	A	D	L	R	O	C	E	N	A	A
R	P	A	B	Y	R	E	H	G	E	S	V	N	H	G
I	V	R	R	R	P	G	A	A	U	G	E	H	O	N
U	P	T	A	M	E	U	T	O	M	R	R	H	O	I
Q	I	S	M	I	O	J	M	I	A	S	E	E	V	M
S	K	E	G	N	R	T	A	T	B	G	T	X	T	M
E	A	W	B	O	S	I	J	I	D	B	K	E	E	E
S	N	E	S	E	P	M	E	E	R	K	A	T	R	L
V	U	R	V	D	A	H	H	D	D	T	H	R	R	A
S	O	R	D	O	R	V	E	L	O	X	U	Q	E	Q
H	A	A	V	D	P	K	E	R	Q	G	B	N	F	S
H	C	T	A	R	N	W	O	R	B	E	Q	C	I	N

AGOUTI
BEAVER
BROWN RAT
CANE RAT
CAVY
COYPU
DEGU
FERRET
GERBIL
GOPHER
HAMSTER
HARVEST MOUSE
HEDGEHOG
JERBOA
LEMMING
LEVERET
MARMOT
MEERKAT
NUTRIA
PIKA
PRAIRIE DOG
RABBIT
SEWER RAT
SQUIRREL

GREEK MYTHOLOGY

199

L	P	B	P	A	X	B	R	B	I	X	U	A	C	I
O	G	E	P	A	H	E	U	R	Y	A	L	E	Z	L
R	L	L	M	A	I	R	P	T	N	V	R	G	Q	I
I	Z	L	D	O	Q	E	S	E	I	V	A	G	N	Z
O	V	E	O	A	A	C	H	E	R	O	N	G	U	X
N	S	R	D	P	P	T	X	T	D	Q	R	L	S	S
V	G	O	S	O	A	H	C	C	E	A	A	U	P	Y
F	P	P	E	I	E	F	N	H	C	L	P	D	S	J
N	P	H	Y	R	C	V	O	E	A	I	P	U	Y	D
H	L	O	P	T	A	H	G	E	D	R	T	S	C	N
L	D	N	E	H	H	T	O	E	L	T	O	O	H	Q
P	O	U	J	A	C	O	O	R	F	C	C	N	E	N
A	R	Q	Y	L	K	V	N	D	I	N	A	E	C	O
G	I	Q	I	I	F	W	O	R	D	S	J	R	C	U
W	S	O	Q	A	S	E	C	A	R	G	K	O	O	C

ACHERON

ARGUS

ATHENA

BELLEROPHON

CHAOS

CHARON

CLIO

DAPHNE

DORIS

ERATO

EURYALE

GRACES

HADES

ICHOR

LETHE

OCEANID

OEDIPUS

ORACLE OF APOLLO

ORION

PRIAM

PSYCHE

PYTHON

STYX

THALIA

200

LIQUIDS

```
P D C J W D N E F V C S A J U
X U O K L I M E M E W E V K V
Y H N O R E E B C U S L C W N
C Q D C L G W I O T F T Z F S
P G E K H B U R L X A R O X A
A M N E G J E A O R E R E C I
I R S R H E C X G E N J G P K
N Q A O T X O O N A I V H A R
T V T S O L V O E T L A X R E
Y H I E R W I I P B O A Q A D
B C O N B A U Q N M S W J F I
R A N E E T I P U E A S K F C
I E E X R E S N U O G H H I A
N L L P P R O Y Z Y R A S N W
E B I H S A W H T U O M R Y Q
```

BEER
BLEACH
BLOOD
BRINE
BROTH
CIDER
COLOGNE
CONDENSATION
GASOLINE
GRAVY
JUICE
KEROSENE
LIQUOR
MILK
MOUTHWASH
NECTAR
PAINT
PARAFFIN
PERFUME
PUNCH
SHAMPOO
STOCK
VINEGAR
WATER

NOBEL PEACE PRIZE WINNERS

201

R	E	G	N	I	S	S	I	K	E	K	U	E	S	T
P	E	R	E	X	A	W	O	M	N	R	D	A	A	J
L	O	E	L	C	P	Z	U	I	O	L	K	D	N	D
N	N	Z	R	F	N	H	B	T	O	H	A	C	G	E
I	N	A	N	N	A	A	A	J	A	S	K	D	J	R
G	E	T	K	I	R	L	K	R	I	A	V	H	E	E
E	X	Z	U	E	B	S	O	A	R	T	S	X	L	Z
B	A	F	A	T	R	V	A	M	A	Y	M	B	B	T
G	A	Q	O	A	U	C	A	A	A	A	A	H	M	I
K	X	R	M	L	E	N	W	B	S	R	D	O	I	E
K	I	M	A	C	F	N	I	O	I	T	D	U	R	W
L	A	E	I	F	C	M	A	A	T	H	A	I	T	H
H	O	L	A	M	A	O	A	O	H	I	D	A	E	C
P	B	F	F	Z	F	T	F	U	A	P	E	R	E	S
Y	O	I	E	D	A	R	A	B	L	E	B	A	D	I

ADDAMS
AHTISAARI
ANNAN
ARAFAT
BEGIN
CECIL
EBADI
ELBARADEI
HAMMARSKJOLD
HUME
KARMAN
KISSINGER
MAATHAI
OBAMA
PERES
RABIN
ROTBLAT
SADAT
SAKHAROV
SATYARTHI
SCHWEITZER
TRIMBLE
TUTU
XIAOBO

202

TEDDY BEAR

O	P	Z	C	E	L	R	T	S	F	H	C	S	N	N
Y	A	J	D	L	I	M	W	T	S	L	H	W	U	I
T	D	X	U	B	E	A	M	U	T	P	U	B	P	U
O	D	V	B	A	P	Z	L	C	S	Y	Y	F	S	R
O	I	O	A	V	V	P	G	R	Q	R	L	Z	F	B
S	N	A	T	O	C	U	T	E	U	Z	D	Z	M	Y
S	G	M	K	L	D	N	U	G	E	P	N	E	I	L
N	T	B	U	T	T	O	N	F	A	E	E	U	C	D
D	O	E	G	E	H	G	P	R	K	S	I	R	H	D
E	N	E	I	W	B	U	R	E	E	V	R	J	T	U
S	T	U	F	F	I	N	G	O	R	T	F	Q	O	C
E	C	D	T	W	F	X	X	G	W	T	Y	W	M	E
B	E	A	D	Y	E	Y	E	S	I	L	O	I	K	J
P	B	A	R	N	A	B	Y	H	G	N	E	H	N	E
N	C	H	A	F	C	M	Y	S	K	X	G	R	L	C

BARNABY
BEADY EYES
BRUIN
BUTTON
CUDDLY
CUTE
FLUFFY
FRIENDLY
GROWLER
GUND
HUGGING
LOVABLE
MICHTOM
PADDINGTON
PAWS
PLUSH
RIBBON
RUPERT
SCARF
SOOTY
SQUEAKER
STEIFF
STUFFING
TY INC

CHANCES

203

N	I	O	C	A	F	O	S	S	O	T	B	V	Z	K
Y	N	I	T	S	E	D	B	B	C	U	Y	B	L	W
X	A	P	Y	T	J	R	R	O	G	A	M	B	L	E
D	E	W	H	C	M	V	E	O	Z	D	I	A	A	C
G	N	I	N	E	P	O	A	N	E	H	S	D	F	N
O	U	H	S	P	K	J	K	V	L	G	T	L	D	A
D	T	U	Q	S	Y	S	E	K	T	Q	A	U	N	T
S	R	N	Q	O	O	L	I	E	I	Z	K	C	I	S
E	O	C	Y	R	O	R	E	R	Q	S	E	K	W	M
N	F	H	B	P	M	E	C	K	A	R	M	A	V	U
D	K	A	M	C	M	D	Q	A	U	N	M	E	J	C
B	L	E	S	S	I	N	G	D	E	L	U	L	T	R
T	N	E	D	I	C	C	A	E	E	M	F	R	E	I
T	S	E	R	E	N	D	I	P	I	T	O	U	S	C
U	R	O	L	L	O	F	T	H	E	D	I	C	E	N

ACCIDENT
BAD LUCK
BLESSING
BOON
BREAK
BY MISTAKE
CIRCUMSTANCE
COME ACROSS
DESTINY
DEVELOPMENT
FLUKE
FORTUNE
GAMBLE
GODSEND
HUNCH
KARMA
KISMET
OPENING
PROSPECT
ROLL OF THE DICE
RUN A RISK
SERENDIPITOUS
TOSS OF A COIN
WINDFALL

STARTING "OUT"

204

O	T	O	O	U	T	L	O	U	T	C	R	O	P	E
U	I	O	U	T	G	R	E	W	D	E	T	U	O	N
T	W	O	U	T	D	E	T	A	D	T	U	O	T	I
O	T	B	N	W	L	T	D	I	O	L	E	I	O	H
O	U	T	C	O	M	E	R	U	A	C	F	O	U	S
O	O	T	U	O	D	T	T	I	R	T	L	A	T	T
S	U	B	L	O	U	L	X	U	U	I	O	O	N	U
T	S	T	M	O	A	S	O	O	A	U	U	E	S	O
B	U	T	D	N	O	S	F	S	T	T	K	S	U	E
I	U	P	D	O	T	K	T	E	T	O	E	T	A	G
O	N	I	T	U	O	U	U	W	P	U	L	C	V	A
J	S	Z	O	U	O	R	O	S	G	A	O	F	P	T
H	W	M	E	W	O	Z	T	T	S	D	O	T	U	U
O	U	T	C	R	Y	U	U	T	S	A	C	T	U	O
O	U	T	Y	D	O	O	Y	K	D	R	N	T	U	O

OUTAGE
OUTCAST
OUTCOME
OUTCROP
OUTCRY
OUTDATED
OUTDOOR
OUTFIT
OUTFOX
OUTGREW
OUTGUESS
OUTLANDISH
OUTLAST
OUTLET
OUTLOOK
OUTMODED
OUTPUT
OUTRIDER
OUTSAIL
OUTSHINE
OUTSOLD
OUTSOURCE
OUTSPOKEN
OUTWIT

AIRPORTS OF THE WORLD

205

E	L	L	U	A	G	E	D	S	E	L	R	A	H	C
B	A	O	A	Y	O	H	S	T	A	N	S	T	E	D
C	C	N	G	D	L	M	C	N	V	B	Z	N	S	V
F	O	T	O	A	E	U	R	I	E	O	U	C	Q	O
R	S	P	P	L	N	N	I	E	R	I	A	B	U	D
S	Q	E	E	U	E	I	A	G	T	U	V	M	E	S
Y	X	B	B	N	M	C	Y	H	N	A	Z	I	E	K
D	O	M	E	A	H	H	R	Z	F	A	N	C	N	Y
N	Q	E	I	N	S	A	R	A	P	T	H	I	A	H
E	G	M	J	A	O	D	G	W	B	K	F	C	L	A
Y	I	A	I	T	H	E	D	E	N	V	E	R	I	R
D	M	K	N	I	Y	N	H	A	N	N	I	J	A	B
N	P	M	G	R	V	O	S	C	T	R	W	O	H	O
O	O	D	N	A	L	R	O	E	N	P	S	P	Z	R
E	Q	S	A	N	F	R	A	N	C	I	S	C	O	Q

BARCELONA
BEIJING
CHANGI
CHARLES DE GAULLE
COPENHAGEN
DENVER
DUBAI
GIMPO
HANEDA
INCHEON
JINNAH
KAMEMBE
LINATE
LOGAN
MIAMI
MUNICH
NARITA
ORLANDO
QUEEN ALIA
SAN FRANCISCO
SKY HARBOR
STANSTED
SYDNEY
ZURICH

AIM

206

N	L	U	P	U	R	P	O	S	E	U	M	N	Q	I
T	Y	E	L	I	K	G	G	A	H	N	N	I	S	A
N	N	N	V	U	P	N	Z	N	S	O	H	A	Z	D
I	O	I	Z	E	I	D	C	B	I	A	W	R	O	I
O	I	M	S	R	L	T	Q	T	W	K	N	T	T	R
P	T	R	A	T	B	K	N	J	H	H	F	R	S	E
C	I	E	E	Y	R	E	J	Y	Q	I	O	U	J	C
V	B	T	A	A	T	I	C	M	R	F	Z	P	A	T
W	M	E	E	N	S	N	V	D	F	X	J	T	E	N
E	A	D	I	G	E	O	X	E	L	X	T	M	L	G
Q	S	G	M	D	R	R	N	S	U	E	L	T	A	N
W	Q	R	N	A	L	A	I	L	M	A	I	W	O	U
X	M	E	U	D	R	G	T	P	U	L	W	E	G	H
R	T	D	O	O	H	K	T	Z	S	Y	C	I	U	P
B	K	P	T	T	C	O	M	M	K	A	A	V	E	Y

AMBITION
ASPIRE
ATTEMPT
BEARING
COURSE
DETERMINE
DIRECT
DRIFT
EFFORT
GOAL
HOPE
INTENTION
LEVEL
MARK
POINT
PURPOSE
REASON
SIGHT
STRIVE
TARGET
TENDENCY
TRAIN
VIEW
WISH

AUTHORITY

207

T	O	J	A	S	C	E	N	D	A	N	C	Y	X	G
N	X	L	Y	T	U	D	C	P	V	T	Y	Y	J	C
A	C	P	S	S	P	P	G	N	K	B	N	A	I	M
R	E	D	E	E	E	F	P	F	A	O	I	T	W	A
R	C	O	P	R	R	A	Z	O	I	W	A	H	T	S
A	N	M	L	E	M	E	V	S	R	R	O	I	M	T
W	E	I	O	T	I	I	S	E	C	T	E	L	P	E
N	U	N	R	N	T	I	S	O	R	O	J	W	L	R
O	L	I	T	I	M	K	T	S	T	I	R	E	O	A
I	F	O	N	M	U	U	X	A	I	U	P	D	C	P
T	N	N	O	O	A	O	D	Y	X	O	M	M	E	S
C	I	C	C	U	I	D	L	I	C	E	N	S	E	R
N	G	I	E	R	Z	S	U	P	R	E	M	A	C	Y
A	G	O	V	E	R	N	M	E	N	T	R	U	L	E
S	O	V	E	R	E	I	G	N	T	Y	K	E	L	N

ALLOWANCE
ASCENDANCY
AUTOCRATIC
COMMISSION
CONTROL
DOMINION
EMPIRE
GOVERNMENT
INFLUENCE
INTEREST
LICENSE
MASTER
ORDER
PERMISSION
PERMIT
POWER
REIGN
RULE
SANCTION
SOVEREIGNTY
SUPPORT
SUPREMACY
SWAY
WARRANT

IN THE SHED

208

```
S I C Y H R R E M M A H V D E
E A Z J J W C V O B S P A D E
N V R V U A N X K I S V G T D
A C E V D S X Y T T L I V K S
C H D I A W J D O A N C W G A
O A D Q S O I P B G Y S A H C
O R A K E B R I T B T B D N K
B C L A B E C O I R C L A F S
M O F E W Y O R I I E R A H K
A A R O C L D N T T E S O P R
B L L L Y F G S X P R V T N O
A F E L O U A C P Y E O H L F
U X K O E L S O E L K L W F E
X U D A P T H R R N K P A E J
T N E M E C F O G A B P Q Y L
```

BAG OF CEMENT
BAMBOO CANES
BICYCLE
BIRD FOOD
BOW SAW
CHARCOAL
CHOPPER
DIBBER
EDGING TOOL
FLOWERPOTS
FORK
HAMMER
LADDER
MALLET
OILCAN
PLASTIC BAGS
RAKE
SACKS
SHOVEL
SIEVE
SPADE
STRING
TRESTLE
TROWEL

AIRLINES OF THE WORLD

209

A	L	E	Y	U	B	A	S	N	A	H	T	F	U	L
I	E	O	G	J	E	A	B	W	U	N	I	T	E	D
B	C	A	E	R	L	I	N	G	U	S	Y	J	L	H
I	X	P	U	A	A	B	T	E	T	I	H	A	D	K
M	E	Z	N	K	V	I	R	B	P	W	V	A	J	O
A	E	Z	S	Q	I	I	R	I	A	N	N	I	F	R
N	G	U	L	F	A	I	R	E	K	U	Z	R	A	E
R	E	E	A	S	T	E	R	N	B	N	T	I	I	A
I	D	B	S	D	T	E	J	U	E	I	N	N	L	N
A	F	I	Y	G	E	S	P	I	V	N	F	D	A	A
A	W	Y	I	L	I	L	A	Q	A	R	U	I	T	I
S	B	R	W	A	F	N	T	T	W	U	Y	A	I	R
N	A	H	T	G	H	X	I	A	N	E	E	V	L	L
V	A	N	I	H	C	R	I	A	N	A	Y	R	A	K
R	O	Y	A	L	B	R	U	N	E	I	Q	K	C	U

AER LINGUS
AIR CHINA
AIR INDIA
AIR NAMIBIA
ALITALIA
BELAVIA
BRITANNIA
DELTA
EASTERN
ETIHAD
EUJET
EXCEL

FINNAIR
FLYBE
GULF AIR
IBERIA
KOREAN AIR
LUFTHANSA
QANTAS
ROYAL BRUNEI
RYANAIR
SWISSAIR
UNITED
VARIG

SIXTIES' MUSICIANS

210

R	Q	G	R	E	K	C	O	C	E	O	J	E	J	D
U	Q	X	Q	S	R	H	E	S	A	N	T	A	N	A
X	Z	R	L	E	J	R	V	Q	S	E	S	P	U	Y
M	C	U	H	I	K	I	O	E	D	R	L	G	I	S
A	U	C	S	L	P	S	M	P	E	A	A	O	K	F
G	K	R	T	L	G	F	E	F	H	D	M	N	E	N
Y	C	U	A	O	F	A	H	L	S	S	I	G	C	O
E	A	Q	T	H	M	R	T	D	T	K	N	K	H	O
I	L	D	U	N	L	L	N	C	Y	A	A	W	I	L
N	B	C	S	M	G	O	M	O	N	K	E	E	S	K
A	A	Z	Q	I	M	W	C	D	E	H	E	B	J	L
L	L	M	U	S	R	E	C	O	T	L	I	O	U	I
E	L	T	O	N	J	O	H	N	R	Z	V	L	H	O
M	I	L	L	I	E	F	D	L	P	P	U	I	L	P
N	C	N	A	V	O	N	O	D	B	Y	R	D	S	V

ANIMALS
BEATLES
BYRDS
CHER
CHRIS FARLOWE
CILLA BLACK
DONOVAN
DORIS DAY
ELTON JOHN
ELVIS
HOLLIES
JOE COCKER
KIKI DEE
KINKS
LULU
MELANIE
MILLIE
MONKEES
OSMONDS
PROCOL HARUM
SANTANA
STATUS QUO
THE MOVE
THE WHO

"W" WORDS

211

```
W A I F G H W Q S W Z T L A W
W E L D D A W W B R E V A E W
W I F D S E O M W E I A R T L
V Z G R R L A W U T T W R G W
D W A W L W E A T H E R W Y H
W W U A A W P S W A I T E R I
A W W W Z M J H E F G C V H S
I R W Y L G N I L L I W C O P
N M E H C W E N S L P I H W E
W Y M V A N J G M L H Y U W R
R A W H I R L T R W E L S H I
I W H T E A F O O S L T N T N
G E B G I F W N W W O W F M G
H W A R B L E R W A S S A I L
T W N R E V Y W N O T N A W W
```

WADDLE
WAGER
WAINWRIGHT
WAITER
WAIVER
WALLOWS
WALTZ
WANTON
WARBLER
WARSAW
WASHINGTON
WASSAIL
WEARY
WEATHER
WEAVER
WELSH
WHARF
WHICH
WHIRL
WHISPERING
WIGWAM
WILLINGLY
WORMS
WYVERN

212

AT THE BEACH

H	D	M	S	C	O	U	O	A	A	X	G	C	R	Y
P	S	K	X	T	I	P	X	S	F	Y	A	O	L	A
E	O	U	T	T	E	N	H	S	Y	T	X	R	I	R
S	G	H	R	B	E	E	C	B	L	O	B	C	F	P
T	I	A	B	F	L	L	T	I	N	A	H	L	E	S
N	D	L	D	L	E	E	A	S	P	Q	D	N	G	C
E	E	R	S	X	T	R	C	H	D	E	B	N	U	S
M	L	E	N	P	A	H	E	U	C	E	B	R	A	B
E	V	I	O	O	S	R	C	T	S	A	P	O	R	S
S	J	P	R	O	M	E	N	A	D	E	S	C	D	P
U	I	F	K	L	C	W	V	U	Y	U	T	K	Z	A
M	P	O	E	S	G	J	N	A	N	O	L	S	P	D
A	W	Z	L	B	V	E	G	T	W	N	R	R	L	E
I	D	T	L	R	S	F	A	E	B	I	K	I	N	I
T	E	L	N	I	W	N	L	J	A	R	S	A	T	E

AMUSEMENTS
BARBECUE
BIKINI
CHALET
DUNES
INLET
LIFEGUARD
PEBBLE
PICNIC
PIER
POOLS
PROMENADE
ROCKS
SANDALS
SHELLS
SNORKEL
SPADE
SPRAY
SUNBED
SUNTAN
SURFER
TOWEL
WAVES
YACHT

JESUS

213

S	T	H	C	O	G	Q	G	Q	N	P	O	P	S	O
S	R	L	A	Y	A	R	T	E	B	J	O	H	N	P
Y	I	T	D	J	S	J	T	E	S	Q	H	P	D	A
J	A	M	E	S	U	S	T	E	J	R	T	C	L	L
I	L	J	I	D	I	H	R	A	E	O	E	Z	O	K
P	A	M	A	R	L	M	Y	R	R	H	R	G	G	L
S	O	S	H	E	O	U	B	R	U	Z	A	T	S	T
N	W	C	H	N	E	Y	C	E	S	M	Z	B	E	E
B	V	E	H	D	Q	E	E	S	A	P	A	Z	L	M
T	M	W	O	A	L	L	D	T	L	O	N	U	P	P
M	A	R	Y	B	I	W	K	P	E	J	K	E	I	L
A	E	H	A	L	Z	S	H	U	M	E	A	P	C	E
H	U	T	A	Q	L	P	S	P	V	L	F	S	S	G
J	S	G	T	B	G	D	N	E	P	E	M	I	I	N
D	X	O	R	O	M	A	N	S	M	V	U	R	D	A

ANGEL
ARREST
BETHLEHEM
BETRAYAL
CHRIST
DISCIPLES
GALILEE
GOLD
HEROD
JAMES
JERUSALEM
JOHN
JUDAS
LUKE
MARY
MESSIAH
MYRRH
NAZARETH
ROMANS
SERMON
SIMON
STABLE
TEMPLE
TRIAL

TROPICAL FISH

214

X	L	Y	C	R	A	Y	P	Q	Q	V	P	R	Z	B
O	A	T	O	I	N	A	D	K	G	B	V	J	P	P
F	M	A	R	B	R	A	B	Y	S	O	R	U	X	R
G	S	L	Y	Z	N	N	U	E	K	C	F	Q	L	E
N	S	P	A	R	A	D	I	S	E	F	I	S	H	D
I	I	U	G	D	I	R	W	U	E	R	N	E	B	Z
Y	M	O	L	O	H	O	O	R	Q	V	T	H	K	E
L	V	A	C	C	R	F	A	B	D	E	E	D	V	B
F	J	E	R	D	N	C	R	R	S	I	L	R	C	R
I	L	O	T	U	S	I	K	O	E	A	S	R	U	A
P	I	A	O	O	O	E	C	I	N	D	R	C	A	M
B	I	C	H	I	R	G	I	O	V	T	P	Q	U	H
L	C	A	T	F	I	S	H	L	T	W	O	A	F	S
P	Y	P	P	U	G	S	Q	W	U	O	Y	S	C	E
C	H	E	R	R	Y	B	A	R	B	J	D	R	A	U

BICHIR
CATFISH
CHERRY BARB
CORY
DANIO
DISCUS
FLYING FOX
FRONTOSA
GOURAMI
GUPPY
HARLEQUIN
JULIE
OSCAR
OTOCINCLUS
PARADISE FISH
PLATY
PLECO
PUFFER
RASBORA
RED PACU
RED ZEBRA
ROSY BARB
SEVERUM
SWORDTAIL

MUSICALS

E	Z	N	R	G	E	T	B	T	A	Y	L	L	X	M
C	K	X	D	I	U	I	C	B	I	L	M	N	A	A
Y	Y	A	L	O	A	S	A	R	E	T	W	C	L	M
S	S	E	H	C	P	H	B	P	Y	O	A	L	M	F
G	E	S	X	T	K	T	S	O	T	B	E	N	A	G
A	Y	O	F	E	G	D	G	E	A	R	A	M	I	V
S	L	P	G	I	O	H	H	R	E	I	E	B	U	C
A	Z	G	S	G	Q	T	E	D	C	G	G	Y	Y	A
T	A	I	R	Y	N	T	N	A	T	A	H	P	O	T
S	Q	G	H	O	Q	I	T	X	O	D	P	X	O	I
I	S	I	T	G	C	S	H	H	M	O	F	A	L	V
S	S	H	O	W	B	O	A	T	M	O	N	T	I	E
R	E	G	O	O	R	C	S	B	Y	N	S	C	V	Q
M	A	R	I	A	N	N	E	E	I	N	P	U	E	D
R	R	E	S	K	U	Y	V	E	Y	Q	A	N	R	Y

215

ANNIE

ANYTHING GOES

BRIGADOON

CABARET

CATS

CHESS

CINDERELLA

CRY BABY

EVITA

FAME

GIGI

GODSPELL

GYPSY

HAIR

MARIANNE

OLIVER!

ON THE TOWN

SCROOGE

SHOUT!

SHOW BOAT

SISTAS

TITANIC

TOMMY

TOP HAT

JANE AUSTEN

F S H M N O T I D N A S Y T R
W R A A Y M R E L T O N A E E
D C Y R L W N G I R U P L E G
E H R T E L I R O G Z M C R N
L A U R V K Q N E T A B S T A
A W B E E N I O C H F E R S H
F T H B F L R Y N H N K M Y T
O O G Y E G P E W N E R N A R
R N I D E Y L S A F E S O G O
D E H A Q L S I E G C K T S N
Z E K L A O R C E T N Q S E B
S E M A J A E N H X A T E S R
X M I K M I C A X O M Y W N A
Y M G U B Y M R S N O R R I S
Y A P V P H O F A H R L M M W

ABBEY SCHOOL
ALLENHAM
CHAWTON
DELAFORD
ELINOR
EMMA
EVELYN
FRANCIS
GAY STREET
GEORGE
HIGHBURY
JAMES
LADY BERTRAM
MARIANNE
MR ELTON
MR WESTON
MR YATES
MRS CLAY
MRS NORRIS
NORTHANGER
REGENCY
ROMANCE
SANDITON
WINCHESTER

BONES OF THE BODY

217

```
L S O U B N U K K C A R K J T
A B A M U I H C S I R N O C R
P I P C A B P A C E E N K Q A
R R S W R X W F C S K U L L P
A W U U A U I L E U I M S N E
C P L V L Q M L E M B E P J Z
M H A Q O N B T L R U R H C O
P A T E L L A E E A L R E V I
V L N C Z N A L U B I F N Q D
U A O V U R C H E E K B O N E
T N I L I I I D M L A Q I E K
W G J B V L X S H I N S D H M
Y E L A I P P Z F N J L R V Z
G S L C T T R I Q U E T R A L
S C E G Z D Y D I O H P A C S
```

ANKLE
ANVIL
CARPAL
CHEEKBONE
CLAVICLE
FEMUR
FIBULA
ISCHIUM
KNEECAP
LUNATE
MAXILLA
PATELLA
PHALANGES
RIBS
SACRUM
SCAPHOID
SHINS
SKULL
SPHENOID
TALUS
TIBIA
TRAPEZOID
TRIQUETRAL
ULNA

TRUCKS AND VANS

218

J	D	Z	V	R	D	O	C	A	T	H	K	H	L	J
C	Z	A	D	Z	B	D	I	H	I	I	V	T	O	M
U	X	X	I	C	H	U	L	U	H	B	E	R	R	V
L	R	D	D	H	Z	C	F	Z	N	E	F	O	T	D
H	L	I	E	H	A	A	D	U	O	R	K	W	A	I
E	D	E	B	N	N	T	G	S	E	L	J	N	P	S
N	R	V	M	U	N	O	S	I	O	I	M	E	R	P
Q	O	I	D	M	H	I	G	U	N	N	Y	K	E	A
Q	F	T	I	S	A	H	S	R	I	G	R	E	H	T
O	D	A	U	M	T	C	J	F	H	O	J	C	S	C
T	E	R	J	L	A	L	S	Z	R	V	O	C	F	H
A	B	A	I	N	V	U	M	M	E	M	D	G	O	O
J	B	N	I	Y	D	D	A	C	B	M	Q	D	D	A
P	E	A	K	Q	C	E	C	O	A	I	L	X	E	D
R	E	S	P	A	C	E	K	O	C	E	V	I	N	G

BEDFORD
BERLINGO
CADDY
COMBO
DAIHATSU
DENNIS
DISPATCH
DUCATO
ESPACE
FODEN
FREIGHTLINER
ISUZU
IVECO
JEEP
KENWORTH
LUTON
MACK
PATROL
RHINO
SCAMMELL
SCANIA
SHERPA
SHOGUN
VITARA

PETS

219

Y	D	A	S	E	P	C	D	T	P	Q	R	P	R	X
E	N	Q	P	G	F	H	O	O	O	S	G	C	A	A
K	C	O	G	E	J	C	K	W	H	R	H	N	T	A
N	B	W	R	O	R	J	K	O	L	X	R	O	T	Y
O	T	R	Q	T	O	I	R	T	W	T	T	A	C	S
M	E	O	R	E	T	S	M	A	H	T	O	M	P	P
T	S	G	R	T	E	A	E	W	Y	G	M	E	T	I
G	N	L	E	T	R	M	H	I	R	R	S	U	T	D
H	D	N	C	M	O	P	C	C	N	D	A	U	O	E
Y	B	R	O	D	R	I	B	E	V	O	L	N	F	R
A	P	S	A	H	M	D	S	L	M	M	K	G	A	L
B	E	P	F	Z	T	O	U	E	L	E	A	P	V	C
T	D	R	U	N	I	Y	U	C	Y	X	U	D	S	M
G	O	G	R	P	A	L	P	S	K	F	O	B	Y	F
G	L	I	B	R	E	G	A	M	E	G	H	Q	W	Q

CANARY
CAT
DOG
DONKEY
DUCK
FERRET
FROG
GERBIL
GOAT
GOOSE
HAMSTER
HORSE
KITTEN
LIZARD
LOVE BIRD
MARMOSET
MONKEY
MOUSE
PARROT
PUPPY
PYTHON
RAT
SPIDER
TORTOISE

OPPOSITES

T	O	G	E	T	H	E	R	Q	R	E	T	T	E	B
K	Q	X	X	W	H	G	Y	G	W	P	A	R	E	O
V	Q	E	O	S	P	W	N	Y	F	I	O	G	U	P
V	O	R	I	B	H	I	O	W	L	D	V	K	Q	B
W	S	N	L	I	P	U	W	O	A	J	W	V	S	R
E	I	A	T	E	N	S	A	L	Z	K	T	H	E	T
F	C	E	E	G	S	T	C	H	B	N	I	D	Z	L
K	F	L	E	T	H	C	L	B	A	W	L	N	K	A
H	S	R	A	E	L	T	O	T	E	O	G	P	G	C
I	Q	R	L	A	R	A	S	Q	B	F	L	P	U	I
G	T	Z	N	E	P	I	E	E	J	W	O	X	N	T
H	Z	R	T	Z	D	A	I	J	W	Y	N	R	D	R
E	K	F	Q	I	Y	O	R	R	Q	O	O	S	E	E
S	A	W	X	J	H	M	V	T	A	H	L	V	R	V
T	L	A	T	N	O	Z	I	R	O	H	O	T	B	U

ADORE
LOATHE

AFTER
BEFORE

APART
TOGETHER

BETTER
WORSE

BLACK
WHITE

CLOSE
DISTANT

FINISH
START

HIGHEST
LOWEST

HORIZONTAL
VERTICAL

OLDER
YOUNGER

OVER
UNDER

SLEEPING
WAKING

TENNIS

221

D	N	O	S	P	D	A	Y	B	A	M	F	O	R	D
P	W	K	T	I	E	B	R	E	A	K	X	A	E	I
B	A	N	U	J	J	G	T	R	L	C	B	P	S	T
S	L	E	U	L	N	O	N	L	G	L	H	S	J	L
A	D	D	E	M	E	N	T	I	E	V	A	I	K	N
H	S	Y	T	Q	E	X	S	V	E	G	R	I	P	A
E	C	V	I	T	R	T	V	N	A	M	V	I	C	I
D	X	A	S	O	N	N	L	U	I	I	A	P	I	D
D	F	D	Y	P	B	J	E	Y	A	W	N	G	C	N
V	A	T	T	Q	U	V	W	E	U	A	A	J	F	A
O	D	E	R	B	O	R	X	W	F	R	M	J	O	B
P	C	W	I	L	D	C	A	R	D	G	N	E	G	L
O	D	C	H	K	O	C	I	S	H	O	E	S	B	A
H	I	S	T	N	O	I	T	I	B	I	H	X	E	N
C	A	T	L	U	A	F	O	R	E	H	A	N	D	Z

AGASSI
ALLEY
BAMFORD
CHIP
CHOP
DAVYDENKO
DEMENTIEVA
EXHIBITION
FAULT
FOREHAND
GAME
GRIP
HENMAN
LAWN
LJUBICIC
LOVE
NALBANDIAN
NETS
ROBREDO
SHOES
THIRTY
TIE-BREAK
WILD CARD
WINS

OPERA COMPOSERS

222

H	O	K	F	C	H	H	N	E	T	T	I	R	B	E
V	O	K	A	S	R	O	K	Y	K	S	M	I	R	H
N	X	S	H	L	U	C	H	E	R	U	B	I	N	I
O	X	S	M	A	R	A	J	T	G	L	U	C	K	N
T	U	A	P	E	N	Q	K	P	H	X	T	P	K	D
L	Y	L	N	T	T	D	O	N	U	O	G	Q	N	E
A	L	G	X	Y	B	A	E	J	I	R	M	W	S	M
W	A	T	L	Y	R	M	N	L	U	L	C	A	Q	I
W	I	Q	R	U	F	A	L	A	B	A	G	E	S	T
R	D	U	M	O	Z	A	R	T	R	D	E	T	L	H
E	R	Z	B	G	F	E	B	N	N	A	W	M	O	L
B	E	P	O	I	B	U	A	E	K	M	X	E	A	I
R	V	Q	Q	U	Z	A	M	U	R	S	U	I	I	R
A	Q	O	A	H	U	E	I	Q	O	G	O	L	N	R
B	N	Y	X	J	T	S	T	R	A	U	S	S	G	D

ADAMS
AUBER
BARBER
BERG
BIZET
BRITTEN
CHERUBINI
GLASS
GLINKA
GLUCK
GOUNOD
HANDEL
HINDEMITH
MOZART
PURCELL
RAMEAU
RIMSKY-KORSAKOV
SMETANA
STRAUSS
THOMAS
VERDI
WAGNER
WALTON
WEIR

CANADIAN LAKES

223

Y	F	O	J	O	N	S	A	B	S	A	K	S	H	H
P	H	R	T	O	I	U	F	L	K	P	K	S	A	C
I	K	N	T	F	S	N	E	V	Z	D	T	O	Z	R
B	I	M	T	P	A	E	N	O	S	U	G	R	E	F
M	W	A	X	S	M	T	P	I	O	A	G	C	N	W
O	S	N	T	A	Z	T	F	H	R	K	A	M	N	R
L	Z	O	U	O	Z	I	W	R	Q	C	B	U	R	E
S	O	U	L	P	F	L	Y	G	N	A	E	F	R	K
O	V	A	E	M	O	L	B	E	T	L	R	A	J	A
N	G	N	M	Z	Q	I	N	A	T	B	D	R	N	B
I	D	E	A	Z	Z	N	N	I	B	E	E	E	S	T
J	N	I	L	T	A	G	N	T	C	I	E	B	U	N
K	O	Q	U	D	P	H	D	Z	V	V	N	O	B	X
C	L	K	A	N	I	M	A	K	E	D	R	E	A	Z
N	A	I	D	N	I	N	R	E	H	T	U	O	S	W

ABERDEEN
ATLIN
BABINE
BAKER
BLACK
CEDAR
CROSS
ENNADAI
FERGUSON
GARRY
HAZEN
JOSEPH
KAMINAK
KASBA
MANOUANE
MINTO
MOLSON
NETTILLING
NUELTIN
OOTSA
POINT
SOUTHERN INDIAN
TROUT
TULEMALU

MUSICAL INSTRUMENTS

W	D	R	U	M	A	O	G	S	G	F	Q	E	W	V
P	U	L	W	F	U	E	L	B	R	O	Y	N	W	O
P	A	A	H	P	L	I	B	E	F	J	N	O	B	D
X	H	A	T	G	I	Y	N	P	W	I	O	G	R	J
S	R	U	U	C	C	C	T	O	I	X	D	G	B	Z
P	B	B	C	O	H	O	C	D	H	A	L	D	E	E
A	Z	I	T	H	E	R	R	O	C	P	N	E	L	U
E	O	B	O	N	I	T	N	N	L	D	U	O	L	E
F	M	R	I	A	D	M	U	I	E	O	K	E	E	T
N	N	O	O	G	W	S	E	L	K	T	U	Z	R	H
F	H	N	R	R	D	T	Q	S	L	F	J	U	Y	A
G	L	G	L	O	C	K	E	N	S	P	I	E	L	I
W	O	Z	X	S	B	C	Q	C	W	I	H	M	Q	L
O	Q	O	G	Z	M	A	C	U	N	C	E	L	L	O
R	E	I	M	A	N	I	T	R	E	C	N	O	C	O

BELL
BUGLE
CELLO
CHIMES
CONCERTINA
CORNET
DRUM
EUPHONIUM
FIDDLE
FRENCH HORN
GLOCKENSPIEL
GONG
HARP
LUTE
LYRE
MOOG
OBOE
ORGAN
PIANO
PICCOLO
SHAWM
TABOR
TUBA
ZITHER

AUCTION

225

T	E	N	R	E	T	N	I	A	C	T	L	L	A	N
A	C	L	H	J	J	N	E	C	V	E	L	N	I	I
E	T	A	M	I	T	S	E	D	F	K	I	T	Q	A
C	W	H	L	S	A	T	A	M	R	C	H	Q	T	L
M	O	Q	A	H	R	Q	W	U	E	I	E	C	C	E
L	F	L	C	M	R	E	N	W	O	T	A	Q	Y	C
O	T	R	L	G	M	E	Y	C	J	R	I	E	U	R
Y	U	B	A	E	A	E	E	U	T	Q	G	C	H	O
P	E	V	I	O	C	J	R	N	B	O	S	I	X	P
E	E	N	M	D	C	T	O	Q	O	O	M	R	H	E
L	X	S	O	E	D	C	I	D	F	I	E	P	L	S
Y	L	R	A	M	D	I	S	B	V	E	T	V	B	H
T	O	A	A	U	I	A	N	M	L	I	I	C	I	K
S	T	J	L	N	W	Z	L	G	J	E	D	I	U	G
K	S	E	A	N	I	H	C	S	Z	Z	X	D	B	A

AUCTIONEER
BIDDING
BUYERS
CHINA
COLLECTIBLE
CONTRACT
ESTIMATE
EXCITEMENT
GAVEL
GOODS
GUIDE
HAMMER
INTERNET
ITEMS
JARS
LOTS
MEDALS
MONEY
OWNER
PORCELAIN
PRICE
PURCHASE
STYLE
TICKET

HISTORICAL DIG

226

T	U	M	U	L	U	S	Y	A	X	T	F	K	S	X
U	G	S	E	V	A	R	G	J	N	E	X	B	T	K
D	A	Q	S	H	L	E	U	P	A	C	Q	X	I	B
G	I	U	S	P	E	G	A	N	O	R	I	F	P	N
I	Y	M	Q	E	N	X	O	Z	E	L	P	E	O	E
A	K	E	A	O	T	N	V	K	F	S	L	T	N	K
F	F	A	V	R	R	I	C	W	U	F	O	U	W	T
R	P	R	N	R	Y	H	S	I	E	O	G	H	K	E
L	I	T	G	Z	U	P	J	A	L	M	C	B	B	S
I	J	H	K	E	V	S	Y	S	A	E	B	J	E	P
S	R	W	N	L	D	A	E	H	W	O	R	R	A	V
S	T	O	N	E	A	G	E	R	N	N	H	I	K	E
O	B	R	M	T	M	H	M	E	L	I	O	V	E	N
F	V	K	B	S	A	M	S	M	I	W	A	Q	R	D
D	E	T	A	V	A	C	X	E	K	O	J	P	C	B

ANCIENT
ARROWHEAD
BEAKER
BONES
EARTHWORK
EXCAVATED
FOSSIL
GRAVES
IRON AGE
KILN
MENHIR
OVEN
PITS
PYRAMID
RELIC
RUNES
SITES
SKULL
SPHINX
STELE
STONE AGE
SURVEY
TOOLS
TUMULUS

SOCCER MATCH

227

I	U	J	L	W	N	E	M	S	E	N	I	L	E	Y
A	H	C	A	E	A	D	F	S	E	V	R	A	C	S
I	A	H	G	D	A	R	R	L	T	S	E	M	A	G
F	F	C	N	X	O	G	D	T	A	A	U	E	S	T
L	Y	T	H	O	M	E	U	Y	F	G	D	M	D	Z
O	Q	I	I	J	D	R	V	E	A	H	S	I	N	L
S	P	P	B	R	N	L	K	V	N	F	F	T	U	Q
I	G	S	L	S	E	H	C	T	S	R	J	F	O	M
N	T	O	T	A	X	G	G	Z	U	U	X	L	R	H
G	C	I	A	R	Y	Y	A	W	A	T	T	A	G	S
Z	L	E	D	L	I	E	B	N	G	E	R	H	I	I
E	B	M	L	G	S	P	R	S	A	A	B	D	R	D
Y	S	K	B	S	T	O	C	S	A	M	E	Z	B	T
I	K	S	Y	Y	M	K	I	U	L	S	U	F	Y	N
K	C	N	N	G	N	I	T	N	A	H	C	D	K	L

AWAY
CHANTING
DRAW
FANS
FLAGS
GAME
GOALS
GROUNDS
HALF-TIME
HOME
LEAGUE
LINESMEN
LOSING
MANAGER
MASCOTS
PITCH
PLAYERS
SCARVES
SIDES
STADIUM
STRIP
TEAMS
TURF
TURNSTILE

BEHIND BARS

I	L	H	S	W	V	X	W	E	D	I	S	N	I	L
F	B	C	J	A	Q	J	P	W	A	R	D	E	N	A
L	E	K	L	L	X	A	Y	C	E	Z	A	U	O	I
K	J	I	O	L	C	T	V	L	O	F	R	A	S	R
R	F	Q	H	S	O	H	O	I	X	N	C	E	I	T
S	E	Z	E	T	Q	R	N	H	L	O	V	U	R	A
R	E	C	R	E	A	T	I	O	N	L	T	I	P	Q
E	J	Q	I	P	N	T	N	F	E	E	A	P	C	H
S	I	Z	F	F	M	F	I	F	C	F	E	I	D	T
I	L	M	V	A	F	N	O	R	O	A	N	Z	N	F
C	X	G	N	N	E	O	O	R	L	R	L	L	A	Q
R	W	G	W	D	N	O	N	A	C	U	G	U	M	A
E	S	L	O	C	K	S	N	X	S	E	Z	E	E	L
X	C	E	L	L	S	E	H	U	A	C	D	B	R	U
E	A	X	T	S	P	P	B	M	T	C	M	V	Z	L

APPEAL

CELLS

CONFINED

CONVICT

CROOK

ENFORCED

ESCAPE

EXERCISE

FELON

FORGER

HITMAN

INSIDE

LOCKS

OFFICER

PAROLE

PENAL

PRISON

RECREATION

REMAND

THIEF

TRIAL

VILLAIN

WALLS

WARDEN

"LINE" ENDS

229

U	U	T	E	Y	A	W	F	L	A	H	P	A	V	D
J	H	P	Z	V	B	K	D	E	Y	P	L	T	T	U
P	I	C	K	E	T	M	A	D	W	S	I	Q	J	J
P	D	O	N	Q	F	I	E	G	E	E	M	W	O	Q
U	V	C	K	A	O	I	L	E	D	H	S	N	O	W
H	D	N	D	T	R	P	R	R	F	T	O	W	I	R
Z	E	R	I	F	G	B	Y	D	P	O	L	R	I	R
D	M	A	G	I	N	O	T	D	M	L	L	A	H	A
L	P	E	Z	X	P	S	P	U	N	C	H	O	Y	I
V	I	Y	G	L	N	V	Q	A	V	A	T	E	X	L
S	O	O	M	I	A	U	U	Z	P	C	L	Y	L	W
G	J	P	L	U	M	B	M	N	L	L	M	A	Q	A
J	A	B	M	O	D	N	B	B	M	E	F	A	T	Y
Q	T	T	A	E	I	B	R	H	E	W	B	U	I	L
B	G	L	S	R	E	Q	Y	K	F	R	Z	P	R	N

BAR
BRANCH
CLEW
CLOTHES
FALL
HAIR
HALFWAY
HOT
LAND
LEAD
LEDGER
LEY
MAGINOT
MAIN
NUMBER
PICKET
PIPE
PLIMSOLL
PLUMB
PUNCH
RAILWAY
SIEGFRIED
SNOW
TAG

WEATHER

230

A	I	Y	V	S	R	T	I	C	I	Q	A	S	G	N
W	L	N	C	Q	C	J	M	N	C	I	C	I	E	W
F	A	I	R	N	L	S	C	O	R	C	H	E	R	E
G	M	A	A	R	L	L	O	P	C	M	I	E	H	R
N	A	R	F	E	E	L	R	E	I	H	L	T	J	U
H	A	K	E	M	Z	E	S	S	F	Z	L	A	R	T
Y	Z	T	E	L	S	T	O	O	Z	N	F	T	C	A
Q	Y	N	D	S	O	O	G	I	X	Z	A	U	Z	R
Z	T	W	U	R	E	G	R	A	E	L	C	R	U	E
V	O	R	M	O	Y	D	I	T	J	L	T	Q	O	P
F	E	Y	T	S	U	G	A	C	U	N	O	F	B	M
A	S	S	L	B	R	M	M	R	F	Z	R	L	Z	E
A	C	G	T	C	I	D	E	R	P	E	O	F	N	T
Y	M	O	O	L	G	O	O	D	S	W	I	N	D	Y
E	N	A	C	I	R	R	U	H	Y	Q	Q	O	R	P

AIR PRESSURE
BLOWY
CALM
CHILL FACTOR
CLEAR
CLIMATE
COOL
DRIZZLE
FAIR
FOGGY
FRESH
GLOOMY
GOOD
GUSTY
HAAR
HURRICANE
INCLEMENT
PREDICT
RAINY
SCORCHER
SLEET
STORM
TEMPERATURE
WINDY

BEEKEEPING

231

D	Z	I	U	Z	K	X	C	T	L	Y	D	N	Z	S
P	Z	R	S	H	O	N	E	Y	V	R	K	E	B	T
B	M	O	C	L	K	Z	G	G	L	A	I	C	O	S
N	X	N	D	X	L	B	B	X	S	I	G	T	Q	E
R	E	P	E	E	K	E	E	B	S	P	Y	A	R	N
G	H	B	R	O	O	D	C	S	U	A	H	R	C	P
S	L	U	B	S	J	A	Q	G	X	B	V	T	J	N
R	J	O	M	U	E	W	P	G	O	G	R	D	E	E
E	L	X	V	M	Z	T	C	E	S	N	I	D	R	Q
W	K	E	A	E	I	Z	I	Q	R	T	R	L	T	P
O	I	P	R	W	S	N	I	M	M	A	Z	G	J	U
L	E	V	I	H	S	C	G	N	G	N	I	Y	L	F
F	W	N	B	O	M	E	M	J	G	Z	M	H	W	W
U	G	T	L	S	N	H	E	O	U	R	F	O	O	D
S	S	J	V	M	O	H	O	B	B	Y	Q	T	N	W

APIARY
BEEKEEPER
BEESWAX
BROOD
BUZZING
CELLS
COMB
EGGS
FLOWERS
FLYING
FOOD
GARDEN

GLOVES
HIVE
HOBBY
HONEY
HUMMING
INSECT
MITES
NECTAR
NESTS
SOCIAL
VEIL
WINGS

232

PUZZLES

S	K	N	I	L	S	U	C	X	G	Z	E	W	D	C
Z	E	V	Z	E	M	I	W	N	L	J	K	M	S	H
M	C	D	M	A	T	I	I	M	O	M	D	U	C	G
A	U	A	O	P	Z	T	E	H	M	Q	B	R	J	H
R	G	N	Y	C	T	I	A	A	Z	E	A	O	A	L
G	C	R	G	I	K	V	Z	I	R	E	Z	N	W	R
A	C	P	F	A	I	E	E	U	S	G	J	K	W	Z
N	S	H	K	N	S	X	G	D	V	I	S	U	A	L
A	W	U	G	S	Y	I	R	Z	E	K	M	O	S	P
R	R	F	V	W	F	O	I	Q	C	A	T	T	G	E
O	U	S	D	E	W	U	E	L	D	D	I	R	I	N
N	S	R	U	R	Q	K	U	P	O	S	E	R	J	C
C	S	M	R	M	U	E	W	T	N	E	W	J	N	I
Q	U	O	T	E	S	A	O	C	R	Y	Z	O	P	L
D	W	Q	G	N	O	I	T	A	N	I	G	A	M	I

ANAGRAM
ANSWER
CLUES
CODES
CRYPTIC
FIGURE
FITTING
GAMES
HANJIE
HAVING FUN
IMAGINATION
JIGSAW
KAKURO
LINKS
MAZES
PENCIL
POSER
QUIZ
QUOTES
REBUS
RIDDLE
SUMS
VISUAL
WORDSEARCH

MISSION

233

E	M	W	Z	O	A	Y	Y	P	T	R	K	P	W	Y
O	G	I	U	U	Y	A	S	J	W	A	Y	H	B	M
J	C	N	D	I	A	R	E	S	O	P	R	U	P	I
W	W	H	I	O	E	J	T	G	A	Y	E	G	S	A
R	O	N	O	L	W	X	W	S	T	B	C	D	E	D
A	W	O	O	R	L	M	E	X	I	U	M	Y	U	T
I	M	O	Q	I	E	A	C	R	B	N	R	E	Y	N
S	O	H	R	Q	T	D	C	W	C	U	I	T	U	G
O	E	Z	E	K	S	A	N	S	J	I	U	M	G	I
N	C	S	L	U	O	S	R	A	W	D	S	K	E	A
D	I	W	W	N	R	J	W	E	R	O	T	E	C	P
E	F	J	G	H	T	A	S	K	P	R	S	S	R	M
T	F	P	O	M	I	W	V	Y	Q	O	E	C	O	A
R	O	N	A	B	E	T	I	U	S	R	U	P	F	C
E	M	P	L	C	R	U	S	A	D	E	Q	J	M	A

AIM
CALLING
CAMPAIGN
CHORE
CRUSADE
DUTY
EMBASSY
ERRAND
EXERCISE
FORCE
GOAL
JOB
MINISTRY
OFFICE
OPERATION
PURPOSE
PURSUIT
QUEST
RAID
RAISON D'ETRE
SORTIE
TARGET
TASK
WORK

"X" WORDS

234

C	X	H	A	I	P	O	L	Y	X	R	V	X	V	N
M	I	A	X	Y	F	S	X	R	E	I	V	A	X	A
C	E	B	E	X	I	I	K	X	D	R	S	S	S	L
S	J	L	O	R	P	A	X	Y	L	A	R	I	A	Y
Y	N	F	Y	H	X	E	N	A	R	T	H	R	A	X
A	W	X	O	X	P	X	S	U	P	O	N	E	X	E
R	M	I	X	X	Y	O	L	X	O	I	C	O	I	N
X	D	F	Y	A	Q	E	N	Y	A	G	R	X	L	I
U	A	M	S	O	L	Y	X	E	D	E	E	X	B	C
X	K	O	T	Y	W	S	X	O	X	N	G	Y	X	U
U	H	N	U	X	A	N	T	H	O	M	A	L	X	S
X	M	J	S	M	I	X	W	N	Q	T	X	E	V	G
F	I	N	X	D	X	Y	L	O	P	H	O	N	E	C
X	Y	L	O	C	O	P	A	B	U	N	F	E	I	U
X	K	G	E	T	Y	H	P	O	R	E	X	K	E	X

XANTHOMA
XAVIER
XEBEC
XENARTHRA
XENICUS
XENON
XENOPHOBIC
XENOPUS
XEROPHYTE
XEROX
XHOSA
XIPHOID
XMAS
X-RAYS
XYLAN
XYLARIA
XYLEM
XYLENE
XYLOCOPA
XYLOPHONE
XYLOPIA
XYLOSMA
XYRIS
XYSTUS

TCHAIKOVSKY

235

O	K	I	N	H	C	I	R	P	O	M	N	F	T	C
A	N	O	S	T	E	T	R	A	U	Q	P	O	H	O
N	N	A	I	S	S	U	R	S	D	I	T	A	K	N
A	A	V	I	Y	X	E	W	K	P	R	M	N	S	C
I	I	G	S	P	L	A	A	A	A	L	F	I	K	E
T	O	M	A	O	N	N	T	E	E	D	D	G	S	R
R	Z	X	H	L	T	H	E	T	E	M	P	E	S	T
A	A	C	A	O	E	R	H	R	V	N	R	N	V	O
Z	Q	K	N	T	I	E	F	O	I	E	M	O	O	V
O	E	I	I	S	S	N	Y	L	N	A	N	E	T	E
M	N	Q	E	T	A	E	O	A	Z	M	J	N	K	R
A	U	D	O	M	V	I	D	E	E	V	F	E	I	T
E	J	R	C	O	V	E	P	C	A	L	G	G	N	U
T	M	G	D	T	S	P	K	J	V	R	S	U	S	R
A	R	E	K	C	A	R	C	T	U	N	J	E	K	E

ANTONINA

CHOLERA

CONCERTO

DESIREE ARTOT

EUGENE ONEGIN

HAMLET

MANFRED

MAZEPPA

MOZARTIANA

NUTCRACKER

OPRICHNIK

OVERTURE

PATHETIQUE

PIANO

QUARTETS

RUSSIAN

SERENADES

SWAN LAKE

THE STORM

THE TEMPEST

VIOLIN

VON MECK

VOTKINSK

VOYEVODE

HIGH AND LOW

236

```
F S L A R I M D A H G I H N M
L O W W A T E R L O W L A N D
H G I H I G H K I C K E D D G
G W H I G H W I R E D N I H I
O N C G H I G H H I A A C H H
L T I H G G N V T L P R I I S
C N Y T N H R W H W U G G G S
L I L I U R O G O H H H L H S
H O O M L L I L C L A O R B A
I P W E S H A W I L B K A A M
G W L D W L O F T L D H E L H
H O I O O L E A H Y O D G L G
W L F C L W R C C G T W W I I
A D E K C E N W O L I O O E H
Y D E M O C W O L J M H L O W
```

HIGH ADMIRAL

HIGH ALTAR

HIGH KICK

HIGH LIFE

HIGH MASS

HIGH TIME

HIGH WIRE

HIGHBALL

HIGH-BLOWN

HIGHFALUTING

HIGHLAND

HIGHWAY

LOW CHURCH

LOW COMEDY

LOW GEAR

LOW LIFE

LOW POINT

LOW TIDE

LOW WATER

LOW-DOWN

LOWLAND

LOW-NECKED

LOW-PAID

LOW-SLUNG

HOBBIES AND PASTIMES

237

Y	Y	G	V	R	D	Q	Z	L	H	E	B	O	I	C
K	M	C	N	F	O	O	T	B	A	L	L	K	C	I
G	O	F	D	I	L	U	O	A	I	R	K	J	M	S
Y	N	F	F	L	T	D	S	S	E	H	C	G	K	U
R	O	I	K	G	U	T	U	K	H	O	D	I	G	M
T	R	S	C	J	O	R	A	E	M	I	I	E	N	R
S	T	H	C	N	F	S	X	T	G	N	K	V	I	W
E	S	I	F	I	A	G	H	R	G	C	X	I	G	P
P	A	N	N	Z	N	D	P	Y	S	E	W	I	N	G
A	O	G	Z	I	A	I	D	M	R	Y	L	E	I	G
T	L	T	D	R	H	V	L	U	C	E	C	B	S	A
Q	U	A	T	H	O	I	O	Z	P	A	K	G	G	I
K	E	S	E	E	Y	N	W	O	O	D	W	O	R	K
R	F	F	X	I	R	G	G	X	Y	U	Y	Y	O	L
S	P	M	A	T	S	Y	R	E	H	C	R	A	Z	C

ARCHERY
ASTRONOMY
BASKETRY
CHESS
COOKERY
DANCING
DARTS
DIVING
FISHING
FOOTBALL
HIKING
JUDO
MUSIC
POTTERY
READING
SEWING
SINGING
SKIING
STAMPS
SURFING
TAPESTRY
TATTING
WOODWORK
YOGA

WATER

238

F	R	U	S	L	Z	H	R	G	E	E	H	U	R	S
N	Y	K	P	Y	O	V	F	L	O	O	D	I	D	H
G	O	I	B	D	Q	O	C	C	S	Z	B	I	H	X
E	O	I	G	D	C	B	P	E	S	S	P	L	E	B
Y	W	A	T	E	R	F	A	L	L	A	F	T	S	P
S	S	C	A	A	C	K	E	C	R	D	R	P	P	T
E	W	N	M	O	R	E	H	A	F	I	O	Q	R	I
R	Q	E	Z	B	F	O	W	C	U	U	H	C	E	D
H	L	N	L	P	D	G	P	Q	T	Q	S	W	V	A
W	S	I	O	L	J	C	S	A	T	I	A	E	I	L
T	C	A	R	A	T	A	C	D	V	L	D	M	R	B
P	I	R	W	N	B	R	O	O	K	E	F	B	R	O
J	V	D	D	A	M	T	Q	A	N	V	Q	O	S	R
T	E	H	L	C	B	E	D	I	L	U	T	E	U	E
U	C	C	Z	I	K	R	H	U	A	S	E	V	A	W

BROOK
CANAL
CATARACT
DILUTE
DITCH
DRAIN
EDDY
EVAPORATION
FLOOD
GEYSER
HOSE
LIQUID
OCEAN
RAPIDS
RIVER
SPOUT
SQUIRT
SURF
SWELL
TIDAL BORE
WASH
WATERFALL
WAVES
WHIRLPOOL

SILENT "G"

239

I	V	E	U	C	D	I	A	P	H	R	A	G	M	G
E	G	T	C	Q	O	M	H	G	U	O	N	E	G	N
P	G	N	O	S	T	I	C	Q	X	F	N	T	A	A
E	P	O	J	L	M	C	G	Y	B	G	H	R	T	W
R	A	Y	I	A	O	P	K	N	A	G	Z	G	N	E
G	H	G	L	L	H	J	Z	P	I	L	K	N	Y	D
N	P	I	O	L	G	N	M	N	I	G	N	A	S	H
E	G	G	E	G	O	A	T	S	S	X	A	R	H	A
N	N	G	F	M	H	R	R	Z	I	G	Z	L	W	R
E	M	I	O	C	O	T	W	E	I	G	H	E	D	N
V	X	N	R	F	N	E	G	U	S	Z	N	D	G	V
E	G	K	E	N	G	U	P	E	R	W	O	I	D	V
Y	N	G	I	D	N	O	C	G	G	W	S	T	N	Q
A	V	V	G	B	E	N	I	G	N	S	J	G	M	G
V	A	O	N	B	M	G	I	D	A	R	A	P	G	M

ASSIGN
BENIGN
CHAMPAGNE
COIGN
COLOGNE
CONDIGN
DIAPHRAGM
ENOUGH
EPERGNE
FOREIGN
FORTNIGHT
GNARLED
GNASH
GNAWED
GNOMON
GNOSTIC
MALIGN
PARADIGM
PHLEGM
REPUGN
SERAGLIO
SIGNING
SYNTAGM
WEIGHED

THINGS THAT CAN BE BROKEN

240

Z	V	H	H	W	G	T	S	K	N	A	R	N	Z	N
Q	L	O	V	R	H	N	Y	O	R	E	K	B	M	J
E	M	I	T	S	W	G	I	C	I	K	O	H	A	U
E	T	I	R	I	P	S	H	R	H	T	O	O	T	N
S	D	H	L	Q	I	E	R	H	Y	M	E	X	C	F
U	R	L	D	V	D	A	L	S	T	I	B	A	H	Q
U	O	T	E	J	B	M	S	L	Y	T	B	E	W	T
H	C	L	Y	D	P	C	T	U	L	Y	T	L	O	F
S	E	Y	N	Y	L	S	C	L	H	L	G	C	O	I
T	R	U	L	E	S	A	A	D	Y	O	R	I	D	Z
N	O	R	S	A	H	F	M	C	Y	T	L	C	E	M
S	K	N	L	T	T	P	P	H	I	R	A	I	H	C
T	Q	I	I	M	Y	L	K	I	K	F	T	E	A	O
X	B	A	A	E	L	M	E	N	I	T	U	O	R	J
I	F	S	E	H	C	R	A	A	F	Q	Y	N	V	T

ALIBI
ARCHES
CAMP
CHINA
FAITH
FALL
HABITS
HOME
ICICLE
JAIL
MATCHWOOD
RANKS
RECORD
RHYME
ROUTINE
RULES
SOUND BARRIER
SPELL
SPIRIT
TELEVISION
TIME
TOOTH
TREATY
WILL

DRINKS

241

O	K	H	X	F	A	L	I	U	Q	E	T	Y	R	J
W	S	M	E	L	B	J	I	R	T	B	D	K	E	S
H	D	I	V	E	N	I	W	E	I	N	Y	A	G	P
I	R	L	O	O	L	D	R	R	A	U	O	D	A	U
S	C	K	O	G	D	A	C	H	L	C	Q	S	L	N
K	H	O	L	U	L	K	S	S	O	W	C	I	J	C
E	M	E	I	C	Z	Y	A	C	I	H	G	U	A	H
Y	O	U	R	N	M	O	X	K	N	F	L	S	Y	D
G	D	O	V	R	T	E	L	A	R	E	G	N	I	G
P	O	R	T	O	Y	R	P	H	P	D	X	J	W	L
M	E	A	D	B	U	P	E	O	U	J	R	T	P	T
U	E	D	E	P	S	E	C	A	N	G	A	M	R	A
T	T	E	S	W	E	Q	Z	Z	U	A	O	T	U	B
B	R	Y	G	K	W	I	B	G	F	C	I	D	E	R
O	D	Q	D	Z	R	U	E	U	Q	I	L	I	Q	T

ARMAGNAC
BEER
CIDER
CLARET
COCOA
COINTREAU
DAIQUIRI
GINGER ALE
JULEP
LAGER
LIQUEUR
MEAD
MILK
OUZO
PORT
PUNCH
RUM
SCHNAPPS
SHANDY
SHERRY
TEQUILA
VODKA
WHISKEY
WINE

CARNIVAL

A P D K A S R O T A T C E P S
W D O P W B A G C Z W O W M Y
A H C L H U Q P N K H A Y Y A
R C I A I L S W P I T C Q T D
D G S C I C I R S S H D P N I
S K U R W H E K E A M C P Y L
A D M O Y T C I R C D E R S O
J A N B D U F I V H N R M A H
K C M A R O T N Q K F A U K M
S S S T B Y R L E V E R D M K
E F E S T I V A L R I Y C P S
S E M U T S O C C A F L A G S
R O G T H Q W E F G Z O B B A
O V S M P Z C V S N W O L C J
H M A R D I G R A S D L I U G

ACROBATS
AWARDS
BANDS
CHARITY
CLOWNS
COSTUMES
DANCERS
DRUMS
FAIR
FESTIVAL
FIESTA
FLAGS
GUILDS
HOLIDAY
HORSES
ICE CREAMS
MARCHING
MARDI GRAS
MUSIC
POLICE
REVELRY
SPECTATORS
TRUCKS
YOUTH CLUBS

LONDON

243

J	Y	O	F	G	N	U	F	Z	M	O	U	S	C	C
U	E	Q	R	M	A	P	J	E	H	F	L	N	H	F
P	N	F	A	O	C	G	A	O	R	L	A	E	C	K
J	K	G	H	N	I	F	S	L	E	O	L	B	I	U
Y	C	J	W	U	B	S	P	B	L	S	S	G	R	O
S	O	A	Y	M	R	D	W	A	E	M	C	I	C	L
O	C	S	R	E	A	O	N	A	R	O	A	B	L	D
U	R	E	A	N	B	R	S	E	Y	K	O	L	E	B
T	H	S	N	T	D	R	B	R	T	M	L	X	L	A
H	Y	U	A	O	X	A	A	L	I	S	C	A	I	I
B	N	B	C	Z	T	H	C	D	E	A	A	D	N	L
A	G	D	U	E	X	A	S	J	M	A	F	E	E	E
N	J	E	L	R	B	L	P	D	Q	F	R	Y	Q	Y
K	I	R	U	D	N	F	E	H	D	Z	H	C	A	J
V	H	L	L	I	H	N	R	O	C	S	Y	Z	H	M

BARBICAN
BIG BEN
BOW BELLS
CABS
CAMDEN
CANARY WHARF
CENOTAPH
CHELSEA
CIRCLE LINE
COCKNEY
CORNHILL
EAST END
EROS
HARRODS
MARBLE ARCH
MAYFAIR
MONUMENT
OLD BAILEY
PALL MALL
PARK LANE
RED BUSES
SOHO
SOUTH BANK
TYBURN

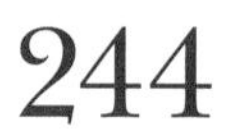

SNOW WHITE

A	I	M	R	X	C	X	A	W	Y	Z	E	E	N	S
F	I	N	I	F	F	O	C	S	S	A	L	G	B	H
L	L	E	P	S	G	U	U	B	P	P	D	E	M	E
P	L	W	S	R	L	O	N	Y	P	M	D	O	C	G
B	G	G	U	G	L	S	D	A	Y	P	P	A	H	A
D	Y	M	F	A	S	E	D	E	M	A	T	Y	N	T
T	P	Y	E	E	L	V	F	T	K	S	J	C	P	T
Y	F	J	R	D	R	X	S	Y	L	C	T	O	W	O
X	J	I	E	E	O	E	Q	M	I	N	I	N	G	C
N	E	E	U	Q	R	Y	A	J	Y	S	K	W	U	R
H	N	D	I	O	R	G	E	V	O	E	Z	I	A	H
A	P	E	F	C	I	K	E	N	G	O	P	C	S	S
O	P	Y	V	C	M	E	D	W	A	R	F	O	L	S
M	V	A	M	E	Q	M	E	O	M	W	H	M	D	T
H	H	Q	Y	J	S	Y	Z	X	A	U	H	B	Y	Z

APPLE
COMB
COTTAGE
DOC
DOPEY
DWARF
FOREST
GLASS COFFIN
GRUMPY
HAPPY
HEIRESS
HUNTSMAN
JEALOUSY
KISS
MAGIC
MINING
MIRROR
NEEDLE
POISON
QUEEN
SEVEN
SNEEZY
SPELL
WICKED

SMALL

245

G	V	E	K	C	S	Q	P	C	I	M	O	T	A	N
D	Q	P	L	E	L	F	I	N	S	J	E	D	Y	A
D	E	O	S	T	C	K	T	D	L	Y	A	Y	K	I
I	F	C	H	U	T	W	N	A	E	M	N	Z	O	T
M	D	K	R	O	N	I	M	C	N	R	I	I	P	U
I	E	E	U	E	R	H	L	G	D	F	A	U	T	P
N	L	T	N	N	A	Y	T	T	E	P	W	P	Y	I
U	D	S	K	N	D	S	P	F	R	N	C	O	F	L
T	N	I	E	H	N	E	E	M	O	H	U	Y	R	L
I	I	Z	N	F	Y	C	R	D	I	N	N	U	A	I
V	W	E	P	D	J	W	F	S	G	R	I	H	W	L
E	D	D	R	N	R	X	D	G	I	C	H	E	D	F
P	I	N	T	S	I	Z	E	D	D	Z	T	S	L	L
P	Z	Z	L	G	B	A	N	T	A	M	E	U	F	D
G	Y	Y	T	N	A	C	S	E	H	K	W	D	N	R

ATOMIC
BANTAM
DECREASED
DIMINUTIVE
DWARF
DWINDLED
ELFIN
LILLIPUTIAN
LITTLE
MEAN
MINOR
PARED
PETTY
PINT-SIZED
POCKET-SIZED
POKY
SCANTY
SHRIMPY
SHRUNKEN
SLENDER
THIN
TINY
UNDERSIZED
YOUNG

CELTIC TRIBES OF BRITAIN

246

M	G	I	G	P	I	T	S	E	R	O	B	O	H	J
C	D	N	N	J	C	E	N	I	M	A	G	N	I	D
G	A	U	A	N	V	R	C	U	N	B	O	S	A	E
A	A	T	M	Q	U	C	D	C	O	V	N	D	P	C
N	S	B	E	N	K	B	A	Y	A	U	B	I	B	E
G	E	V	R	N	O	L	O	N	Z	L	D	U	E	A
A	N	I	S	A	I	N	T	D	T	I	W	R	L	N
N	O	Z	T	T	N	A	I	A	I	I	G	D	G	G
I	D	Q	E	O	E	I	I	I	E	M	A	W	A	L
R	E	S	P	N	C	E	O	C	W	X	L	C	E	I
B	L	R	C	J	U	A	O	V	O	O	A	U	I	I
A	A	C	A	R	V	E	T	I	I	R	V	L	G	E
W	C	H	S	S	C	O	T	T	I	C	B	I	I	I
V	J	I	S	S	M	E	R	T	A	E	E	I	U	K
P	A	R	I	S	I	I	X	F	K	K	V	S	B	V

ANCALITES
ATTACOTI
BELGAE
BIBROCI
BORESTI
CALEDONES
CANTIACI
CARVETII
CASSI
CATENI
CENIMAGNI
DECEANGLI
DOBUNNI
DRUIDS
DUMNONII
EPIDII
GABRANIOVICES
GANGANI
LUGI
NOVANTAE
PARISII
SCOTTI
SMERTAE
TAEXALI

LET'S AGREE

247

C	F	B	W	D	O	B	O	P	D	I	Q	N	Z	H
A	C	C	O	R	D	E	E	T	I	N	U	A	V	G
A	A	N	L	X	T	S	G	N	V	G	J	K	Z	K
M	C	O	L	C	R	A	G	A	P	P	R	O	V	E
H	Q	S	A	O	M	V	L	G	G	S	G	A	Y	U
T	U	I	D	Y	S	Y	E	L	A	N	T	I	N	Y
I	I	N	S	U	I	T	N	N	Y	R	E	D	Q	T
W	E	U	Y	H	A	T	C	O	N	C	E	D	E	H
N	S	S	V	L	Y	T	T	P	M	R	M	K	T	M
O	C	I	O	I	I	N	L	T	S	R	Y	M	F	R
T	E	N	E	O	E	F	I	T	K	F	A	F	M	L
E	G	L	N	S	U	M	A	Q	I	P	I	H	A	T
G	D	P	S	W	R	N	X	T	V	U	U	O	T	F
E	S	A	W	E	D	S	A	I	D	D	W	O	C	T
D	N	O	P	S	E	R	R	O	C	F	S	C	H	S

ACCORD
ACQUIESCE
ALLOW
APPROVE
ASSENT
CONCEDE
CORRESPOND
ENDORSE
ENGAGE
GET ALONG
GET ON WITH
GRANT
HARMONY
MATCH
MEET
PERMIT
RATIFY
SANCTION
SUIT
TALLY
UNDERSTAND
UNISON
UNITE
YIELD

KNITTING

248

E	C	C	L	N	N	Z	N	T	E	K	C	O	P	T
F	W	H	T	N	Z	H	I	O	I	T	M	Y	A	G
L	J	V	A	N	P	O	A	H	I	P	P	O	G	N
L	E	V	E	I	X	B	L	Q	R	S	C	V	A	I
X	O	N	C	I	N	B	P	E	O	T	N	P	V	K
Y	W	O	S	V	O	Y	S	S	S	B	P	E	B	C
R	T	L	P	H	M	S	F	I	C	U	P	B	T	O
K	A	Y	G	S	I	A	A	W	A	T	W	I	S	T
J	N	N	U	N	S	W	O	R	B	T	U	U	D	S
D	K	U	G	Q	K	L	A	F	L	O	H	S	Y	J
X	T	I	N	T	U	R	T	L	E	N	E	C	K	U
S	O	P	G	A	N	Z	R	I	A	H	O	M	N	M
G	P	D	U	Q	X	G	R	E	V	O	L	L	U	P
X	J	U	E	R	B	P	I	E	F	L	K	Y	H	E
L	O	O	W	S	L	I	P	O	N	E	L	F	C	R

BUTTONHOLE
CABLE
CHAIN
CHUNKY
HOBBY
JUMPER
MOHAIR
NYLON
PICOT
PLAIN
POCKET
PRESSING
PULLOVER
PURL
ROWS
SLIP ONE
SPOOL
STOCKING
TANK TOP
TENSION
TURTLENECK
TWIST
WAISTCOAT
WOOL

NOBILITY

249

N	N	I	Y	A	Y	H	C	R	A	N	O	M	L	V
Y	O	E	G	A	R	E	E	P	L	W	N	A	Y	I
D	R	E	A	L	M	S	S	B	A	O	I	R	S	S
S	A	N	C	E	S	T	O	R	S	R	Q	Q	R	C
G	B	D	K	V	J	A	L	S	D	C	U	U	D	O
R	U	T	R	T	X	T	E	J	H	I	E	E	C	U
A	P	A	E	F	Z	E	M	K	R	B	E	S	S	N
N	Q	A	R	K	K	L	N	E	V	U	N	S	O	T
D	Y	X	L	D	U	Y	I	T	Q	Y	L	F	F	V
E	R	N	Q	A	S	D	T	H	M	U	J	E	Z	P
U	T	T	R	W	C	N	Y	R	F	K	E	K	R	A
R	E	I	Z	O	M	E	W	O	I	R	N	R	A	N
W	E	A	T	M	Y	Z	G	N	F	A	B	D	R	F
X	H	M	R	L	D	A	C	E	R	T	Z	H	R	Y
Y	C	D	K	L	E	X	L	Y	R	K	U	N	L	I

ANCESTORS
BARON
CROWN
DUKE
EARL
EQUERRY
GRANDEUR
GUARDS
LAIRD
MARQUESS
MONARCHY
PALACE
PEERAGE
QUEEN
RANK
REALM
ROYAL
RULER
SOLEMNITY
SQUIRE
STATELY
THRONE
TITLE
VISCOUNT

MISERABLE

T	N	E	D	N	O	P	S	E	D	C	T	H	L	C
U	T	F	D	I	U	U	P	A	T	H	E	T	I	C
C	B	A	T	D	O	M	D	V	B	G	S	V	M	R
K	S	D	E	T	C	E	J	E	D	L	P	A	U	A
K	L	F	A	C	C	L	X	O	H	T	U	S	L	D
E	A	D	R	F	P	A	K	O	I	S	N	E	G	I
T	M	E	F	J	I	N	T	H	E	D	U	M	P	S
A	S	N	U	W	Y	C	M	G	J	Y	R	R	A	T
L	I	O	L	R	F	H	L	O	V	C	R	E	C	R
O	D	G	A	X	R	O	Y	U	U	S	U	R	W	E
S	X	E	K	V	O	L	R	K	V	R	G	A	O	S
E	R	B	K	M	E	I	V	L	S	W	N	Y	Q	S
D	T	E	Y	S	P	C	M	B	O	F	J	F	M	E
B	R	O	S	D	E	H	C	T	E	R	W	I	U	D
D	O	W	N	C	A	S	T	S	K	F	N	S	F	L

BLUE

CRUSHED

DEJECTED

DESOLATE

DESPONDENT

DISMAL

DISTRESSED

DOWNCAST

DREARY

FED UP

FORLORN

GLOOMY

GLUM

IN THE DUMPS

JOYLESS

MELANCHOLIC

MOURNFUL

PATHETIC

SAD

SORRY

TEARFUL

UPSET

WOEBEGONE

WRETCHED

ALL POINTS

251

A	E	G	A	T	N	A	V	E	S	L	E	U	I	W
W	O	L	F	O	C	A	L	G	W	C	B	K	B	P
H	E	O	U	S	B	P	F	Q	N	U	O	Z	Y	P
C	R	I	A	V	I	E	C	E	P	R	K	A	I	V
M	Q	A	V	R	S	Y	R	V	W	I	E	V	E	L
D	W	Y	T	S	J	E	Z	E	U	E	X	N	L	K
E	O	H	E	J	F	G	A	V	V	Q	H	R	D	Y
X	J	E	G	E	J	K	J	I	N	F	L	A	S	H
I	L	O	R	N	O	I	T	A	R	U	T	A	S	L
F	L	K	C	E	H	C	U	T	E	R	Y	E	T	C
D	T	B	O	Z	E	Z	R	W	T	L	T	D	S	G
Z	D	A	V	J	I	F	N	R	N	T	P	K	E	R
E	E	Y	B	H	A	P	I	C	I	H	C	M	W	W
G	A	O	Z	G	B	G	N	N	T	S	E	O	A	G
A	D	C	L	E	F	K	G	H	K	S	S	W	L	S

CHECK
CURIE
DEAD
DEW
FESSE
FIXED
FLASH
FOCAL
GOLD
KNIFE
LOW
OBJECTIVE
REFERENCE
SAMPLE
SATURATION
SETTING
TRIG
TRIPLE
TURNING
VANTAGE
VIEW
WEAK
WEST
YIELD

252

DENTISTRY

Q	E	T	G	D	M	M	O	S	R	G	H	T	K	S
D	T	A	R	U	O	Y	D	R	E	R	T	L	T	J
E	A	I	N	L	M	E	Q	O	C	Q	J	U	N	Q
D	L	V	A	P	N	S	C	S	L	E	M	A	N	E
L	P	R	R	T	U	A	K	I	U	P	O	F	E	T
K	S	Q	U	V	V	L	A	C	D	N	U	I	H	O
K	T	R	M	I	Y	M	P	N	T	Y	T	L	P	K
E	E	X	T	R	A	C	T	I	O	N	H	L	C	L
S	T	Y	T	L	M	F	W	W	W	M	Z	I	U	A
Y	K	I	G	M	R	I	O	O	Z	B	P	N	O	R
N	A	A	B	N	A	E	R	V	R	R	J	G	C	O
C	M	E	U	B	T	C	F	D	E	A	M	E	T	B
P	A	R	V	H	R	J	V	T	L	C	B	T	N	G
Y	S	V	E	D	A	B	A	V	W	E	X	F	T	Y
E	A	R	O	O	T	W	F	H	T	E	E	T	T	Y

AMALGAM
BITE
BRACE
CAVITY
CROWN
DENTURES
DRILL
ENAMEL
EXTRACTION
FILLING
GUMS
INCISORS
MOLARS
MOUTH
NURSE
ORAL
PLATE
PULP
ROOT
STUMP
TARTAR
TEETH
ULCER
WATER PICK

WORDS DERIVED FROM GERMAN

253

K	C	Z	H	N	R	Y	L	I	E	S	B	A	Z	Z
R	E	T	S	E	T	S	U	L	R	E	D	N	A	W
D	N	U	H	S	H	C	A	D	R	O	A	S	T	I
P	F	T	G	G	R	P	Y	P	R	L	C	N	R	K
T	I	N	D	E	L	I	C	A	T	E	S	S	E	N
Z	A	T	G	U	C	E	D	S	A	D	Y	O	Z	R
A	G	A	N	E	I	D	E	W	I	O	L	O	T	E
L	L	D	B	R	E	M	B	E	U	Y	V	J	I	N
F	E	E	L	L	I	X	S	O	V	R	E	Z	R	S
R	R	S	D	N	J	E	A	N	F	M	O	T	P	L
G	U	O	A	U	L	E	L	D	O	O	N	A	S	I
C	O	R	M	L	S	C	A	L	E	R	N	S	R	P
P	S	E	H	C	L	S	N	S	K	N	K	R	T	T
L	A	H	T	R	E	D	N	A	E	N	I	E	T	O
L	C	Z	H	I	N	T	E	R	L	A	N	D	L	I

ABSEIL
ANGST
DACHSHUND
DELICATESSEN
DIESEL
ERSATZ
ESTER
HINTERLAND
ICEBERG
LAGER
NEANDERTHAL
NOODLE
PILSNER
PLUNDER
POODLE
ROAST
SCALE
SEMINAR
SNORKEL
SPANNER
SPRITZER
WANDERLUST
YODEL
ZITHER

254

TWICE THE FUN

```
T D U P L E X E E T W Y O X T
T W U A Y R N D N D W S B W A
B W O A J O I E E U U I O K E
N A I I L S K R P O C F C X P
E O D C H I G O I A O A S E E
T O I Y E D Q R T L I U A L R
A D T T E D A R D W O R L P E
C E W R C F I I T I O Z E U N
I R I Z I E V M R Z H F J D O
L A C B L N L A W E U W O M L
P A H B T K F F J T P M Y L C
E P U N O I T C E L F E R L D
R O E L B U O D N R T B A W I
D E T A C I L P E R E U T T W
D E R O R R I M P F D R O W T
```

BIFARIOUS
BIFARIOUS
CLONE
CLONE
DOUBLE
DOUBLE
DUAL
DUAL
DUPLEX
DUPLEX
MIRRORED
MIRRORED

PAIRED
PAIRED
REFLECTION
REFLECTION
REPEAT
REPEAT
REPLICATE
REPLICATE
TWICE
TWICE
TWOFOLD
TWOFOLD

FRANCE

255

L	R	S	E	R	T	R	A	H	C	S	F	E	B	E
N	A	E	N	S	T	R	A	S	B	O	U	R	G	S
S	U	T	R	T	I	M	O	U	Q	R	I	K	S	C
T	X	N	I	E	L	R	H	J	O	E	E	R	U	A
E	Z	A	F	N	L	I	A	S	L	Y	F	S	Q	R
R	D	N	V	N	Q	W	L	P	E	K	Z	G	T	G
C	A	N	G	O	C	U	D	L	I	I	C	L	T	O
T	K	F	O	B	R	R	A	L	E	A	N	E	J	T
N	L	Y	E	R	H	L	Q	R	M	N	D	E	E	N
X	N	A	D	O	I	D	E	E	T	N	I	Z	J	Y
J	L	S	N	S	D	G	M	A	Y	E	E	C	A	P
A	V	E	I	J	L	B	F	O	N	R	R	U	E	I
R	U	E	O	C	E	R	C	A	S	S	I	N	O	H
E	F	A	C	R	O	S	C	O	F	F	O	U	K	R
G	Y	A	T	O	U	L	O	U	S	E	L	Z	Q	Y

BREST
BRIE
CAFE
CAMEMBERT
CHARTRES
COGNAC
ESCARGOT
EUROS
GIRONDE
LATIN QUARTER
LILLE
LOIRE
NANTES
NICE
ORLEANS
PARIS
RHONE
ROSCOFF
ROUEN
SACRE-COEUR
SEINE
SORBONNE
STRASBOURG
TOULOUSE

LISTS

256

N	T	S	I	L	K	C	E	H	C	P	G	Y	D	D
O	O	N	I	T	E	L	L	U	B	I	L	T	Q	K
C	H	A	C	C	O	U	N	T	R	L	N	P	Y	K
I	D	I	L	E	D	G	E	R	A	E	P	D	Q	D
X	K	O	T	M	P	A	I	T	D	O	C	K	E	T
E	D	Y	H	P	A	R	G	O	I	L	B	I	B	X
L	R	I	S	T	A	N	O	E	Z	C	O	V	P	L
R	E	O	C	G	R	R	A	S	N	I	N	R	D	E
L	G	K	L	T	X	S	A	C	P	D	C	A	I	C
W	I	A	O	L	I	E	B	D	Y	E	A	T	A	E
A	S	X	Y	O	E	O	H	K	E	L	C	A	R	N
T	T	R	Y	L	B	Z	N	M	O	K	T	T	Y	S
E	E	R	B	L	O	G	E	A	A	O	S	G	U	U
R	R	A	W	M	F	N	O	R	R	W	J	I	N	S
E	T	Y	Z	S	U	B	A	L	L	Y	S	K	W	I

ACCOUNT
AGENDA
ALMANAC
BIBLIOGRAPHY
BULLETIN
CENSUS
CHECKLIST
DIARY
DICTIONARY
DOCKET
HIT PARADE
INDEX
LEDGER
LEXICON
LOGBOOK
MENU
PROSPECTUS
RECIPE
REGISTER
ROLL
ROTA
SYLLABUS
TABLE
TALLY

EASTER PASSION

257

E	P	C	N	O	I	X	I	F	I	C	U	R	C	O
T	H	O	R	N	S	X	I	J	N	Q	Z	P	N	H
S	H	P	K	X	C	W	Z	V	O	U	Y	H	F	Y
L	E	B	E	M	M	A	U	S	F	H	S	A	D	R
F	Z	V	W	T	M	W	Z	W	Q	S	N	R	O	A
K	S	W	E	J	E	H	T	F	O	G	N	I	K	E
B	C	S	N	I	G	R	C	R	E	V	K	M	N	P
S	A	S	E	A	H	C	C	L	P	I	H	A	I	S
A	L	R	L	B	I	T	S	V	A	N	M	T	T	F
M	V	K	A	Q	I	L	R	V	S	E	N	H	O	N
O	A	S	D	B	K	R	S	G	S	G	O	A	M	A
H	R	T	G	I	B	P	C	H	I	A	M	E	B	O
T	Y	O	A	N	Z	A	T	S	O	R	I	A	X	J
A	H	N	M	L	F	E	S	O	N	V	S	M	W	W
H	I	E	L	X	G	O	Z	J	T	N	E	S	I	R

ANGELS

ARIMATHAEA

BARABBAS

CALVARY

CROSS

CRUCIFIXION

EMMAUS

GETHSEMANE

JOHN

KING OF THE JEWS

MAGDALENE

NAILS

PASSION

PETER

RISEN

SCRIBES

SIMON

SPEAR

STONE

THIEVES

THOMAS

THORNS

TOMB

VINEGAR

GREEK DEITIES

258

M	F	X	S	P	U	V	L	T	K	O	A	A	S	O
W	B	Y	G	U	R	N	K	R	W	I	C	U	H	Q
H	W	N	L	V	E	H	R	H	R	H	B	N	Y	M
Y	K	E	I	C	H	Z	T	E	H	E	Q	N	P	L
P	X	N	B	M	T	F	T	A	R	E	B	O	N	J
E	N	O	H	P	E	S	R	E	P	S	S	E	O	L
R	H	I	S	T	A	T	V	X	U	N	T	T	S	E
I	M	P	S	O	O	A	I	I	H	H	H	C	I	G
O	A	E	U	A	L	U	T	S	O	I	L	E	H	A
N	K	H	B	I	L	E	L	A	N	T	O	S	R	W
S	N	R	B	E	O	L	M	S	H	E	K	G	F	A
R	E	T	I	N	P	T	A	A	A	T	H	E	N	A
S	T	Q	E	E	A	L	L	P	X	H	L	Y	I	T
J	O	M	V	W	T	L	I	C	J	Y	Z	A	R	D
K	F	E	Z	A	O	X	C	A	J	S	G	V	Q	W

AETHER
APOLLO
ASTERIA
ATHENA
ATLAS
EOS
EPIONE
EREBUS
GAIA
HELIOS
HERA
HESTIA
HYPERION
HYPNOS
LELANTOS
MENOETIUS
METIS
NYX
PALLAS
PERSEPHONE
RHEA
TETHYS
THALLO
ZEUS

BRITISH STATESMEN AND POLITICIANS

259

```
D D V R L L I H C R U H C B N
A I N D M O R R I S O N E Q O
F H S I O D I E Y E L V H H R
G A W R K U N D Z S I X W C E
N G A I A F G A S N C I E W M
D U E F L E I L L B W T K Y A
G E F L K S L R A S O H P L C
Q H H R C O O I X S S X B P P
D V A L J Y V N B Z H O U E E
L L O Y D G E O R G E O R M L
C G L H H U R B F D F C M C B
D D H E K N R O R O E L G E A
G Z A O E O W U Q V G P C Y C
H T O W W E H N A T T L E E H
H C G N N B A L D W I N B B F
```

ATTLE E

BALDWIN

BEVIN

BROWN

CABLE

CAMERON

CHURCHILL

CLARKE

CLEGG

COOK

CROSSLAND

DISRAELI

DOUGLAS-HOME

HAGUE

HEATH

HURD

LLOYD GEORGE

MORRISON

OSBORNE

OWEN

PERCEVAL

PYM

RIFKIND

WILSON

EXTINCT CREATURES

260

K	C	U	B	E	U	L	B	U	S	H	W	R	E	N
A	N	E	P	O	L	E	T	N	A	E	U	L	B	A
G	R	U	P	B	Z	M	X	T	G	V	U	X	U	E
G	N	L	J	O	A	T	H	Y	R	I	N	R	N	E
A	D	U	W	M	P	Y	R	A	R	A	O	H	R	L
U	O	O	M	J	L	O	E	I	P	C	D	Z	E	G
Q	L	O	D	A	T	B	S	R	H	X	X	W	G	A
F	T	G	C	O	S	H	A	S	Y	L	H	H	I	E
H	M	I	M	A	E	T	I	B	O	L	I	R	T	S
P	N	A	L	L	P	I	O	P	I	O	E	U	I	T
E	Y	T	K	B	D	F	X	D	P	J	O	M	L	S
H	A	W	A	I	I	M	A	M	O	V	A	O	A	A
A	D	A	K	I	A	L	O	A	A	N	X	I	B	A
F	O	I	H	T	O	L	S	T	N	A	I	G	U	H
M	N	W	A	S	N	I	P	E	R	A	I	L	T	H

AKIALOA
ATLAS BEAR
AUROCHS
BALI TIGER
BLUE ANTELOPE
BLUEBUCK
BUSHWREN
DODO
EZO WOLF
GIANT SLOTH
GYROTOMA
HAAST'S EAGLE
HAWAII MAMO
HUIA
IRISH ELK
MAMMOTH
MASTODON
MOA
PIOPIO
QUAGGA
SNIPE-RAIL
TARPAN
THYLACINE
TRILOBITE

261

"Y" WORDS

```
Y U A Y S D W H Y Y P F S Y Y
B D K X A O L S Y K Y U K O N
Y L C H R R E E J A S O A O R
O Y Y R T Y G S Y M R B Y Y Y
G V A L S O G U Y H Y N G O E
I Y I Y A N M Y I S O I S R P
C B O C E M U D H A G N H K S
Y D C R Y L Y K Y Y U Y S S Y
U U E B D K L Y A L R F Y H U
Y X P L M Y Y E R E T K T I C
S F E P W O Q J D D Y Y L R K
E Y C K I A O D A O A Y W E Y
R K E Y B E Y D R Y H B O T S
P P H I F I S T M Y O E H L U
Y M Y Y T Y Y M N W O Y J F K
```

YAHOO
YAKS
YARDARM
YARG
YARNS
YARROW
YASHMAK
YAWLED
YEAST
YELLED
YEW
YODEL
YOGIC
YOGURT
YOLK
YORKSHIRE
YO-YO
YPRES
YUCCA
YUCKY
YUGOSLAV
YUKON
YUMMY
YUPPIES

CANINE FRIENDS

G	T	G	X	T	J	R	D	D	X	K	R	J	K	K
R	E	M	B	X	E	P	O	A	L	C	E	A	K	S
H	V	B	G	R	I	K	H	E	A	A	Q	L	M	R
A	S	R	C	H	E	W	S	L	P	P	A	L	L	F
W	Q	A	G	B	K	E	I	A	D	H	O	A	O	S
K	C	L	E	W	G	C	D	B	B	Y	S	B	G	Y
U	N	L	C	L	V	H	B	I	A	M	E	L	N	W
N	F	O	G	Y	C	O	I	L	N	D	O	B	I	M
K	M	C	Y	T	D	O	T	S	I	G	M	A	L	S
B	K	E	E	B	O	Y	E	E	S	A	X	R	W	B
F	H	F	Y	R	N	Y	N	Y	I	L	Y	K	O	I
C	C	B	Q	U	G	C	S	J	U	G	W	I	R	T
Z	E	O	X	S	E	T	R	A	I	N	I	N	G	C
E	T	W	A	H	E	E	L	R	B	P	Y	G	E	H
B	U	L	F	T	R	G	S	T	I	U	C	S	I	B

BALL
BARKING
BASKET
BISCUITS
BITCH
BITE
BOWL
BREEDING
BRUSH
CHEWS
COAT
COLLAR

COMB
FETCH
GROWLING
HEEL
LEAD
LEASH
LOYALTY
OBEDIENCE
PACK
TOYS
TRAINING
VET

BOOK TITLES

263

E	T	A	T	S	E	E	R	F	A	N	I	S	M	C
Y	E	R	G	S	E	N	G	A	T	A	B	T	M	B
M	M	R	E	E	Y	K	H	H	R	C	M	O	T	X
O	F	F	S	H	O	R	E	C	K	D	B	O	H	A
K	V	N	H	D	T	B	H	D	J	Y	T	R	E	G
C	A	R	R	I	E	A	E	F	D	L	J	V	T	N
H	M	K	N	L	N	E	F	I	Z	O	F	C	E	A
R	R	R	L	G	N	F	C	D	S	M	E	A	M	F
I	I	S	E	I	B	K	I	B	O	N	D	M	P	E
S	F	L	E	V	W	Z	O	D	I	G	E	Z	E	T
T	E	A	G	A	I	Y	K	G	E	N	E	Q	S	I
I	H	K	L	N	S	H	M	D	R	L	E	H	T	H
N	T	D	J	H	H	A	S	U	R	T	K	Q	T	W
E	E	Q	W	O	B	O	R	N	F	R	E	E	V	Q
N	B	I	C	E	J	A	N	E	E	Y	R	E	U	S

AGNES GREY
ARCHANGEL
BORN FREE
CARRIE
CHRISTINE
DEENIE
DUNE
EMMA
ENIGMA
IN A FREE STATE
INFIDEL
IVANHOE
JANE EYRE
JO'S BOYS
MOBY-DICK
OFFSHORE
ROOTS
SHIVER
THE BELLS
THE FIRM
THE GODFATHER
THE TEMPEST
WALDEN
WHITE FANG

VOLCANOES

264

S	M	X	A	F	P	X	Y	S	E	M	N	A	O	Q
S	A	G	A	J	A	I	B	Q	I	H	I	O	T	K
G	E	E	K	M	G	A	R	C	I	G	U	T	O	C
Y	S	W	K	F	A	T	N	I	H	R	M	A	X	T
L	B	E	H	O	N	J	E	T	H	A	B	K	G	H
T	I	O	I	I	S	X	A	A	E	C	O	A	H	U
Q	M	J	S	K	T	I	N	S	L	I	I	R	X	K
K	L	Y	U	C	H	E	V	S	K	O	Y	K	B	Y
Y	E	N	E	F	T	N	I	R	W	S	E	V	O	E
V	R	O	M	K	F	A	M	S	C	A	T	B	A	E
J	E	Z	A	Z	T	O	A	H	L	K	M	A	K	F
W	B	U	G	I	R	T	Y	X	I	A	Z	Q	A	R
G	U	C	E	U	T	C	O	O	W	K	N	K	K	L
I	S	T	I	A	N	Q	N	V	Y	F	S	D	V	W
U	V	Z	K	I	L	A	U	E	A	E	E	L	E	P

AMBOY
CHIRIP
EREBUS
ETNA
FUJI
GRACIOSA
KILAUEA
KLYUCHEVSKOY
KRAKATOA
MAGEIK
MAYON
OAHU
OYOYE
PAGAN
PELEE
RUIZ
SAJAMA
TAAL
TOON
UMBOI
UZON
VISOKE
WHITE ISLAND
YEGA

INVENTORS

265

G	K	O	M	Q	L	O	L	A	E	D	T	O	K	K
R	W	O	D	L	Q	D	H	G	X	S	S	U	T	I
A	L	S	E	T	K	B	R	N	T	P	R	F	L	V
M	H	B	Y	V	L	E	O	E	V	K	Y	O	N	L
M	N	M	G	N	B	S	P	O	L	N	U	D	M	I
E	V	E	O	N	Y	H	K	A	D	S	O	E	X	X
Q	E	B	E	D	E	R	N	T	C	A	W	O	K	T
H	E	T	U	N	F	G	R	H	K	Z	M	A	H	G
L	U	V	S	N	L	M	I	E	E	Q	W	G	T	A
G	W	O	C	E	S	C	D	Y	P	D	I	S	F	T
D	N	L	Y	F	K	E	N	B	I	R	A	U	O	L
E	B	T	L	O	W	X	N	E	W	T	O	N	R	I
K	N	A	R	Q	K	N	S	N	S	E	L	L	D	N
P	V	I	P	K	S	E	A	Z	M	N	F	R	F	G
D	B	D	Y	U	L	Y	C	R	O	M	P	T	O	N

BELL

BENZ

BIRO

BUNSEN

CROMPTON

DIESEL

DUNLOP

DYSON

FORD

GATLING

GRAMME

GUTENBERG

LANGLEY

MORSE

NEWTON

NOBEL

PERRY

SCHICK

STEPHENSON

TESLA

TULL

VOLTA

WATT

WRIGHT

VALENTINE

H	K	O	R	F	C	S	S	U	R	D	Z	T	R	S
B	S	B	U	H	P	D	R	Y	R	N	J	E	F	X
S	T	I	U	S	R	P	R	E	O	L	R	R	B	F
T	F	S	B	A	S	T	A	I	D	I	H	C	Z	S
R	I	F	C	E	E	M	S	R	M	N	U	E	D	S
A	G	K	H	O	E	S	J	D	A	K	E	S	E	T
E	E	S	P	R	A	E	A	C	S	M	B	S	D	E
H	I	J	T	P	B	H	N	S	G	Y	O	E	E	U
W	S	R	B	E	L	O	V	E	D	R	I	U	A	Q
G	F	L	O	W	E	R	S	S	M	T	G	N	R	U
U	D	E	A	M	B	M	D	S	I	Y	H	H	E	O
E	J	O	O	B	G	J	V	I	J	B	H	I	S	B
S	O	R	E	Y	Y	D	T	K	P	U	K	K	T	G
S	M	S	V	F	B	N	A	P	G	U	J	M	P	W
S	S	E	N	T	E	E	W	S	R	R	C	D	F	P

ADMIRER
BEAU
BELOVED
BOUQUET
CARDS
CUPID
DEAREST
DREAMER
EROS
FLOWERS
GIFTS
GUESS
HEARTS
HUGS
KISSES
PARAMOUR
PASSION
POETRY
ROMEO
ROSES
SECRET
SENDER
SWEETNESS
WISHES

SPACE VEHICLES

267

Z	S	N	R	C	A	P	A	G	E	V	C	I	Z	Y
M	E	N	U	E	H	N	E	L	J	H	H	K	M	M
R	L	G	O	H	M	E	U	U	A	G	R	D	O	A
V	E	T	V	L	S	N	A	L	L	E	G	A	M	R
S	N	L	A	L	I	A	L	L	G	A	B	L	C	I
Q	E	M	E	K	E	E	L	A	T	Q	R	X	J	N
I	D	F	D	B	N	I	Y	Y	O	F	A	K	R	E
O	I	P	N	G	Q	O	R	U	U	R	T	S	S	R
S	S	L	E	A	V	N	R	A	E	T	S	A	U	I
O	C	R	V	L	D	E	J	N	S	W	L	K	R	E
Y	O	Y	I	I	N	J	E	K	S	O	E	I	V	Z
U	V	R	K	L	O	V	Y	N	N	K	T	G	E	D
Z	E	G	I	E	Z	L	O	L	L	O	P	A	Y	D
J	R	G	N	O	O	V	O	S	T	O	K	K	O	W
E	Y	C	G	N	N	Q	O	J	V	J	P	E	R	T

APOLLO

ARIEL

CHALLENGER

DISCOVERY

ENDEAVOUR

GALILEO

LUNA

LUNIK

MAGELLAN

MARINER

ORION

SAKIGAKE

SALYUT

SELENE

SKYLON

SOYUZ

SURVEYOR

TELSTAR

VEGA

VENERA

VIKING

VOSTOK

VOYAGER

ZOND

SHADES OF YELLOW

268

T	O	C	I	R	P	A	O	L	V	U	H	B	M	I
W	J	I	C	X	S	D	L	X	E	M	O	R	H	C
W	M	P	T	N	A	O	Z	Y	S	L	S	O	E	T
G	O	A	F	K	X	M	Y	A	C	M	T	N	N	E
T	E	L	I	X	F	W	F	V	O	S	R	Z	I	R
Z	N	M	G	Z	Q	E	B	Y	R	G	A	E	L	I
Q	I	E	C	N	E	F	Y	Z	N	L	W	N	L	N
X	M	J	M	S	U	N	F	L	O	W	E	R	E	E
D	S	Q	M	I	W	S	O	X	S	H	F	A	B	S
R	A	U	S	Y	P	C	T	K	A	E	E	H	A	B
A	J	Z	U	N	A	R	N	P	A	L	L	F	S	M
T	M	L	N	W	S	U	O	V	L	U	F	P	I	C
S	T	B	S	A	N	D	M	G	G	R	W	N	A	J
U	I	T	E	T	A	Q	E	Q	O	T	C	L	C	N
M	J	L	T	R	H	V	L	N	N	E	D	L	O	G

AMBER
APRICOT
BRONZE
CHROME
CORN
FLAX
FULVOUS
GOLDEN
HANSA
ICTERINE
ISABELLINE
JASMINE
LEMON
MAIZE
MIKADO
MUSTARD
NAPLES
ORPIMENT
SAFFRON
STRAW
SUNFLOWER
SUNGLOW
SUNSET
TAWNY

THINGS THAT ARE MEASURED

269

Z	P	M	L	T	U	E	P	O	W	E	R	V	T	N
T	E	D	P	N	A	C	U	J	W	N	R	X	O	S
U	I	U	Q	E	E	E	S	O	W	E	R	I	W	X
P	Y	M	Q	R	B	L	H	J	M	I	S	B	O	L
P	K	H	E	R	Q	C	G	H	S	N	D	G	R	O
W	U	N	K	U	O	D	H	N	E	S	T	T	K	E
V	E	L	O	C	I	T	Y	T	A	P	A	X	H	C
E	P	C	S	M	B	I	E	K	P	R	T	M	R	R
D	L	F	E	E	B	C	O	L	Y	E	I	I	L	O
N	A	A	S	G	A	D	F	U	O	A	D	D	Y	F
U	C	E	C	F	W	N	P	B	X	D	E	U	N	A
O	S	I	R	S	S	G	L	I	F	E	S	P	A	N
S	V	U	A	C	T	I	V	I	T	Y	L	R	F	K
D	S	V	Q	K	T	W	Z	L	O	R	E	P	G	Z
R	A	D	I	U	S	D	Z	E	J	A	U	H	B	M

ACTIVITY
ANGLE
AREA
BULK
CURRENT
DEPTH
FORCE
HEAT
LIFESPAN
MASS
POWER
PULSE
RADIUS
SCALE
SIZE
SOUND
SPREAD
SURFACE TENSION
TIDES
TIME
TORQUE
VELOCITY
WIDTH
WORK

Solutions

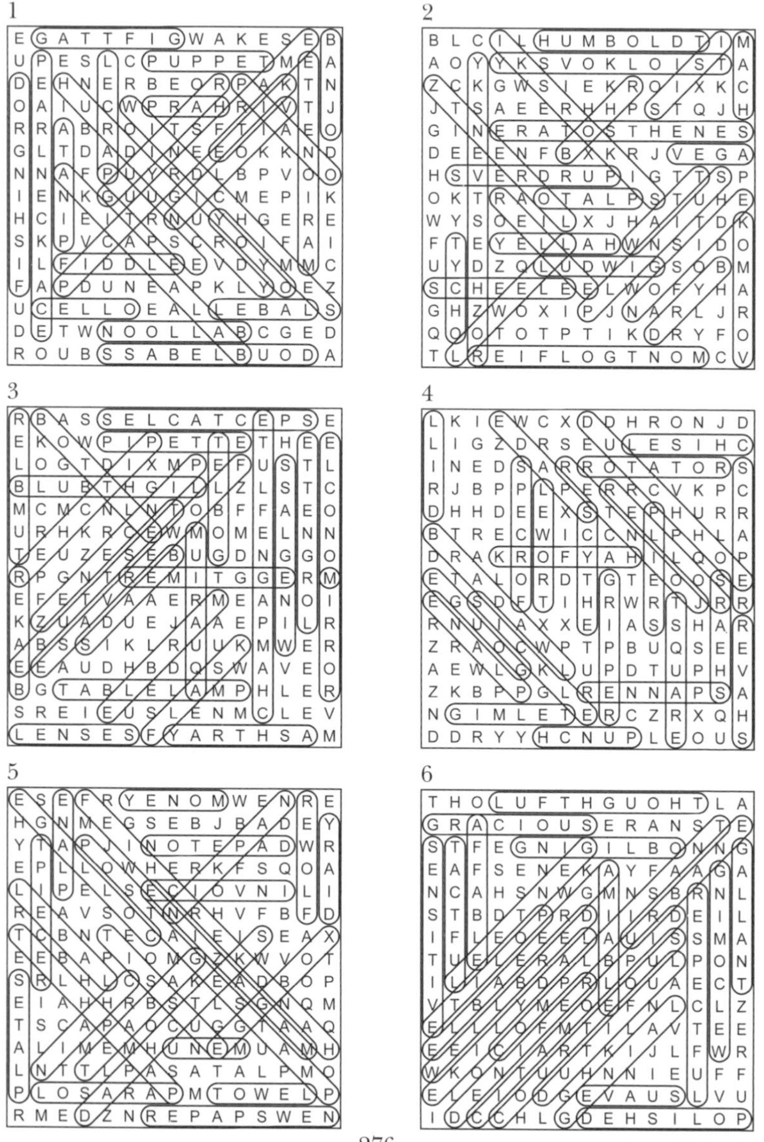

Solutions

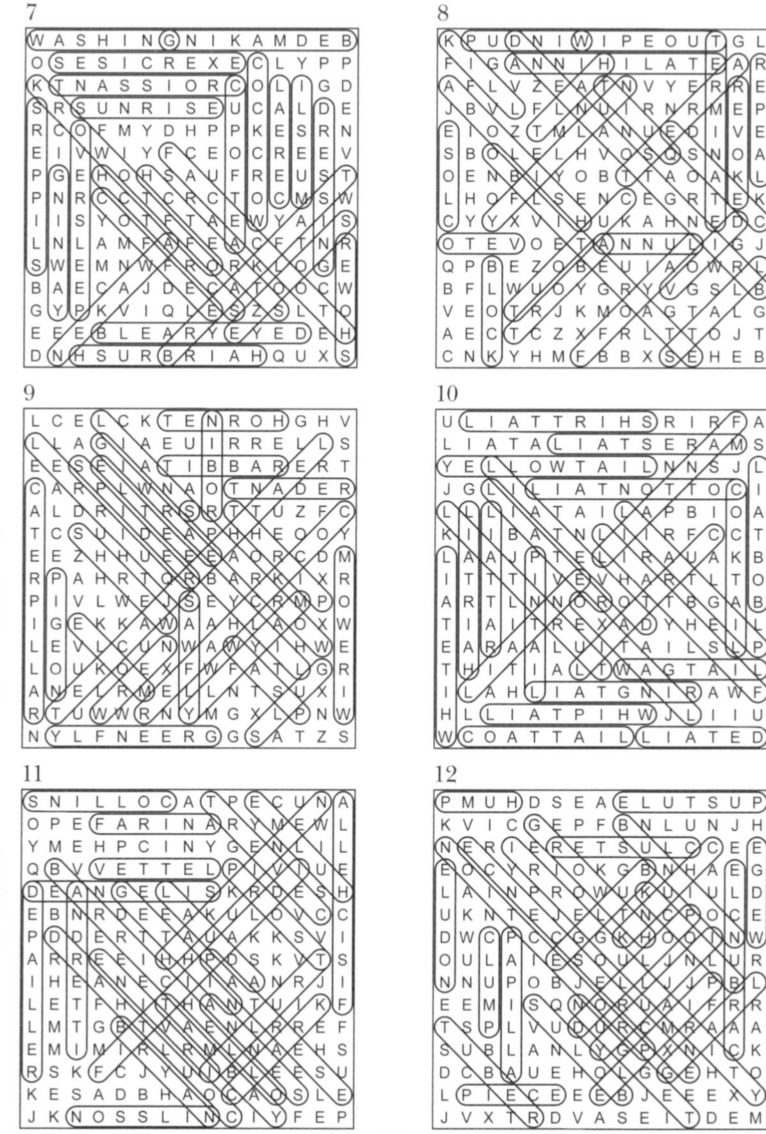

Solutions

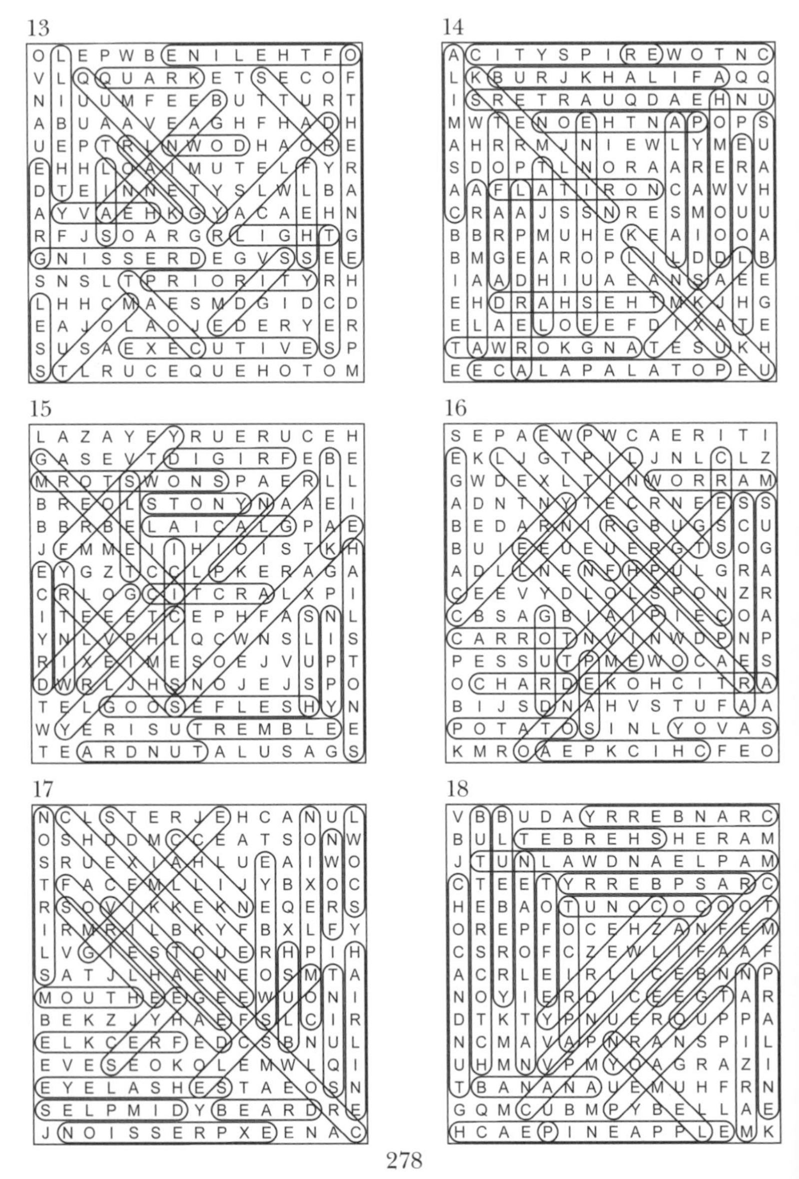
13
O L E P W B E N I L E H T F O
V L Q Q U A R K E T S E C O F
N I U U M F E E B U T T U R T
A B U A A V E A G H F H A D H
U E P T R L N W O D H A O R E
E H H L O A I M U T E L F Y R
D T E I N N E T Y S L W L B A
A Y V A E H K G Y A C A E H N
R F J S O A R G R L I G H T G
G N I S S E R D E G V S S E E
S N S L T P R I O R I T Y R H
L H H C M A E S M D G I D C D
E A J O L A O J E D E R Y E R
S U S A E X E C U T I V E S P
S T L R U C E Q U E H O T O M
14
A C I T Y S P I R E W O T N C
L K B U R J K H A L I F A Q Q
I S R E T R A U Q D A E H N U
M W T E N O E H T N A P O P S
A H R R M J N I E W L Y M E U
S D O P T L N O R A A R E R A
A A F L A T I R O N C A W V H
C R A A J S S N R E S M O U U
B B R P M U H E K E A I O O A
B M G E A R O P L I L D D L B
I A A D H I U A E A N S A E E
E H D R A H S E H T M K J H G
E L A E L O E E F D I X A T E
T A W R O K G N A T E S U K H
E E C A L A P A L A T O P E U
15
L A Z A Y E Y R U E R U C E H
G A S E V T D I G I R F E B E
M R O T S W O N S P A E R L L
B R E O L S T O N Y N A A E I
B B R B E L A I C A L G P A E
J F M M E I I H I O I S T K H
E Y G Z T C C L P K E R A G A
C R L O G C I T C R A L X P I
I T E E E T C E P H F A S N L
Y N L V P H L Q C W N S L I S
R I X E I M E S O E J V U P T
D W R L J H S N O J E J S P O
T E L G O O S E F L E S H Y N
W Y E R I S U T R E M B L E E
T E A R D N U T A L U S A G S
16
S E P A E W P W C A E R I T I
E K L J G T P I L J N L C L Z
G W D E X L T I N W O R R A M
A D N T N Y T E C R N E E S S
B E D A R N I R G B U G S C U
B U I E E U E U E R G T S O G
A D L L N E N F H P U L G R A
C E E V Y D L O L S P O N Z R
C B S A G B I A I P I E C O A
C A R R O T N V I N W D P N P
P E S S U T P M E W O C A E S
O C H A R D E K O H C I T R A
B I J S D N A H V S T U F A A
P O T A T O S I N L Y O V A S
K M R O A E P K C I H C F E O
17
N C L S T E R J E H C A N U L
O S H D D M C C E A T S O N W
S R U E X I A H L U E A I W O
T F A C E M L L I J Y B X O C
R S O V I K K E K N E Q E R S
I R M R I L B K Y F B X L F Y
L V G I E S T O U E R H P I H
S A T J L H A E N E O S M T A
M O U T H E E G E E W U O N I
B E K Z J Y H A E F S L C I R
E L K C E R F E D C S B N U L
E V E S E O K O L E M W L Q I
E Y E L A S H E S T A E O S N
S E L P M I D Y B E A R D R E
J N O I S S E R P X E E N A C
18
V B B U D A Y R R E B N A R C
B U L T E B R E H S H E R A M
J T U N L A W D N A E L P A M
C T E E T Y R R E B P S A R C
H E B A O T U N O C O C O O T
O R E P F O C E H Z A N F E M
C S R O F C Z E W L I F A A F
A C R L E I R L L C E B N N P
N O Y I E R D I C E E G T A R
D T K T Y P N U E R O U P P A
N C M A V A P N R A N S P I L
U H M N V P M Y O A G R A Z I
T B A N A N A U E M U H F R N
G Q M C U B M P Y B E L L A E
H C A E P I N E A P P L E M K

Solutions

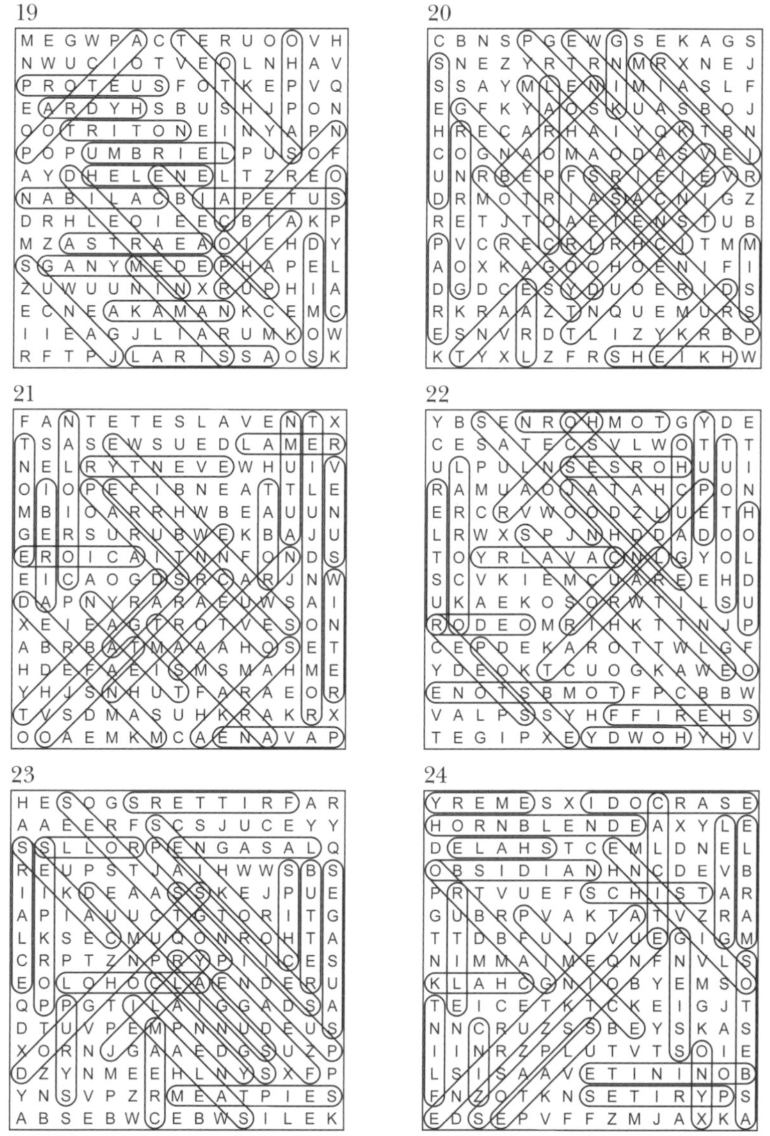

Solutions

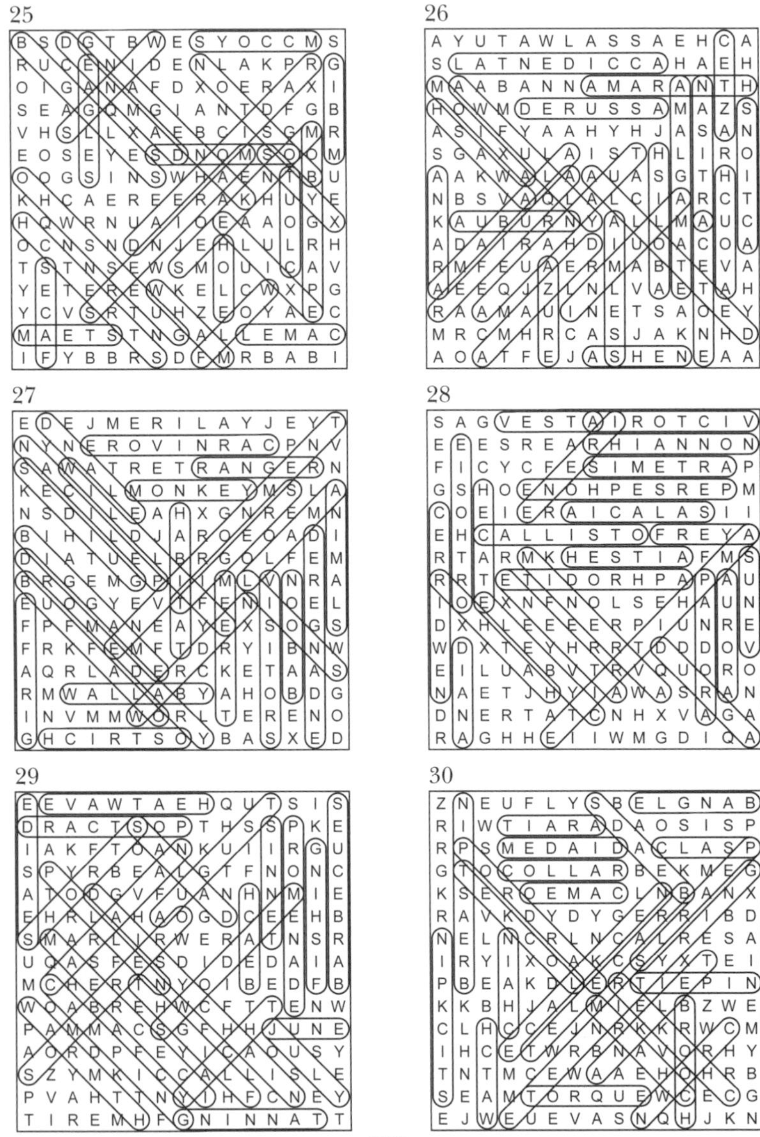

Solutions

31

32

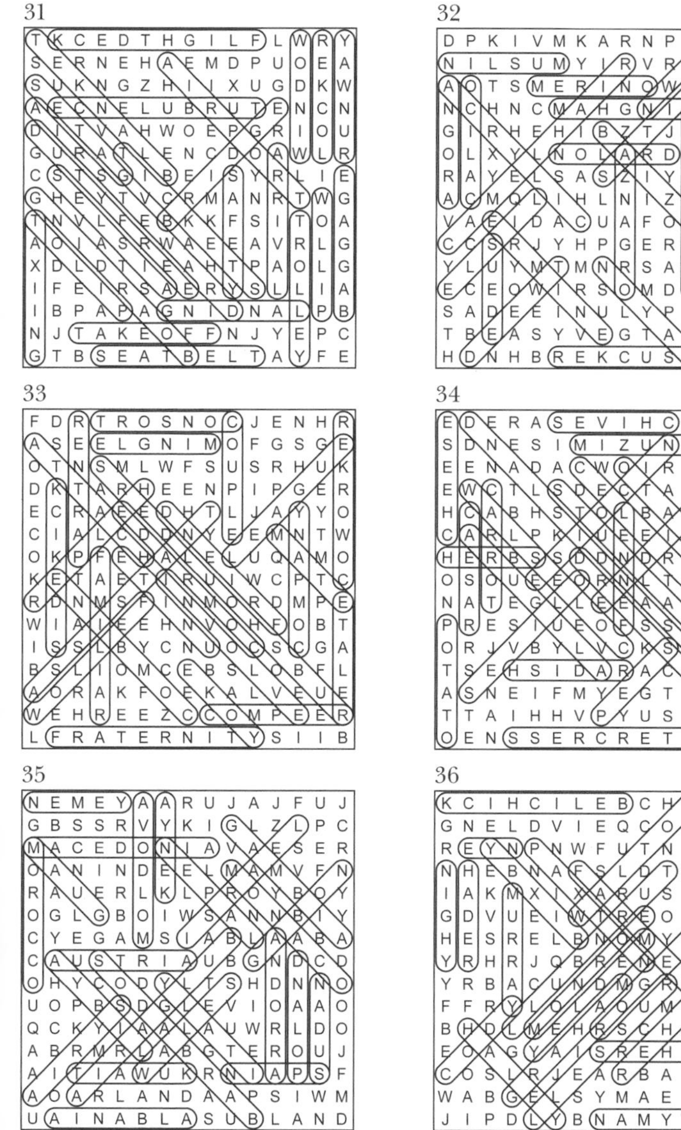

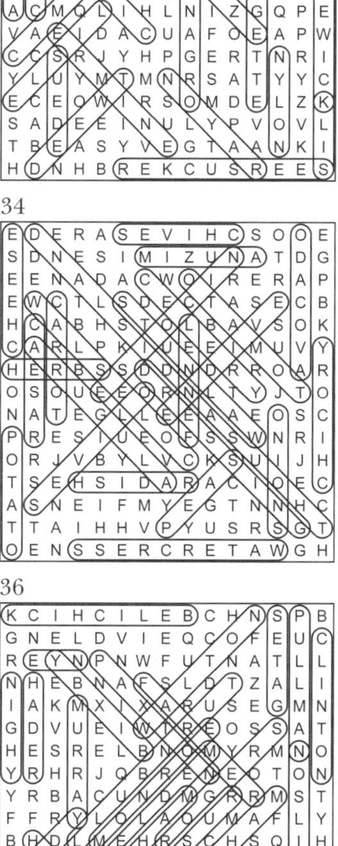

33

34

35

36

Solutions

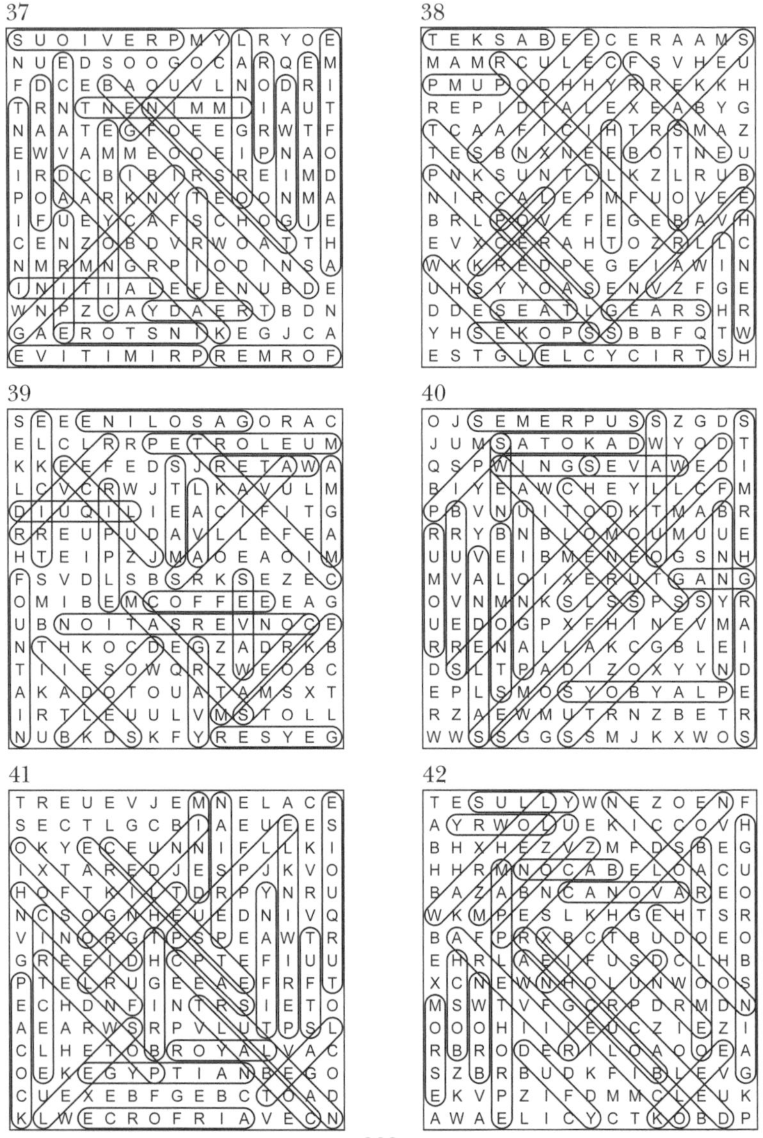

Solutions

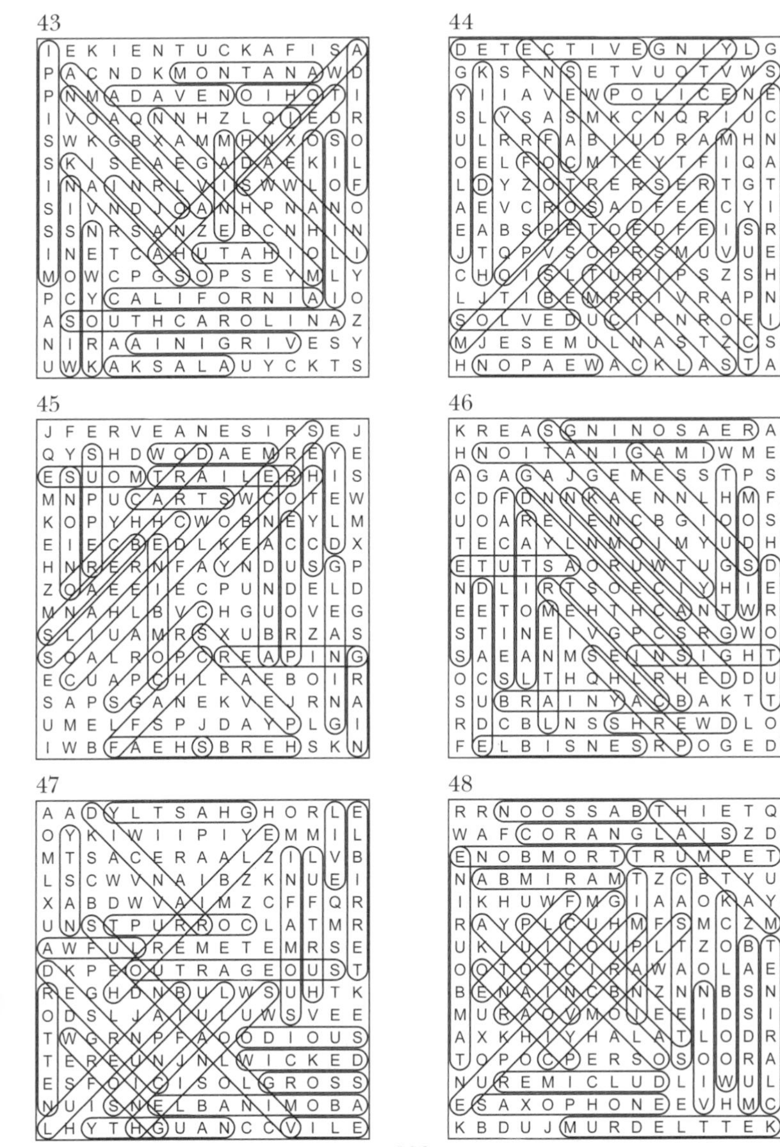

Solutions

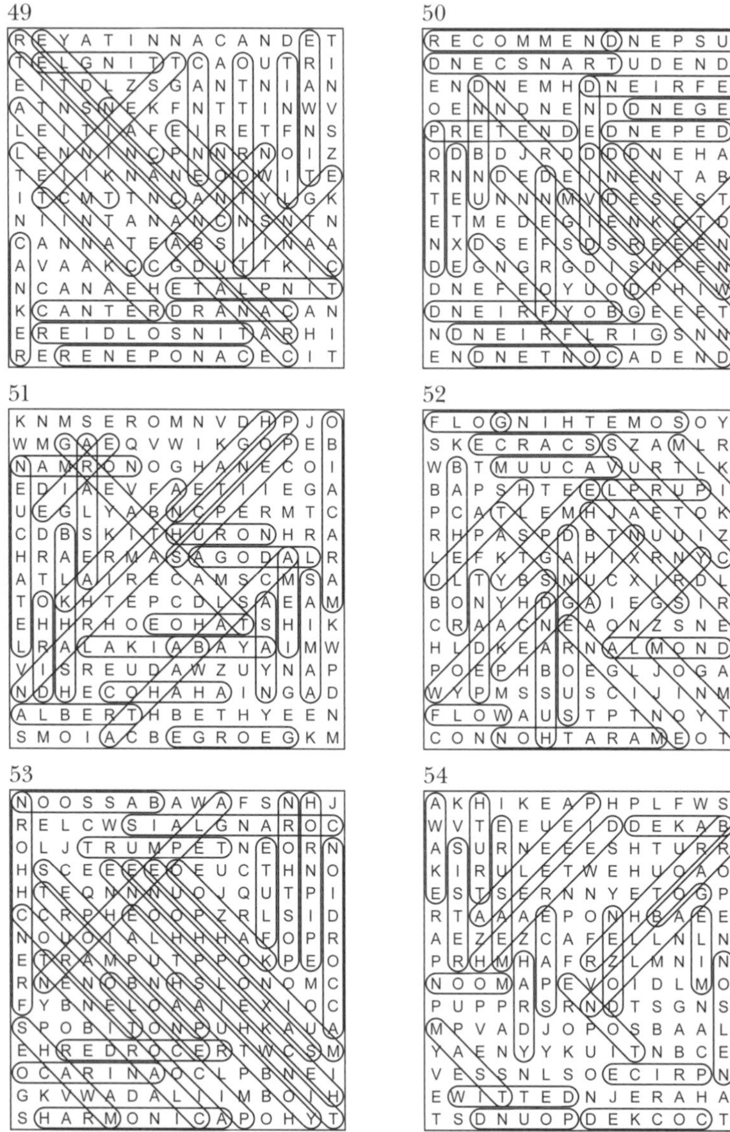

Solutions

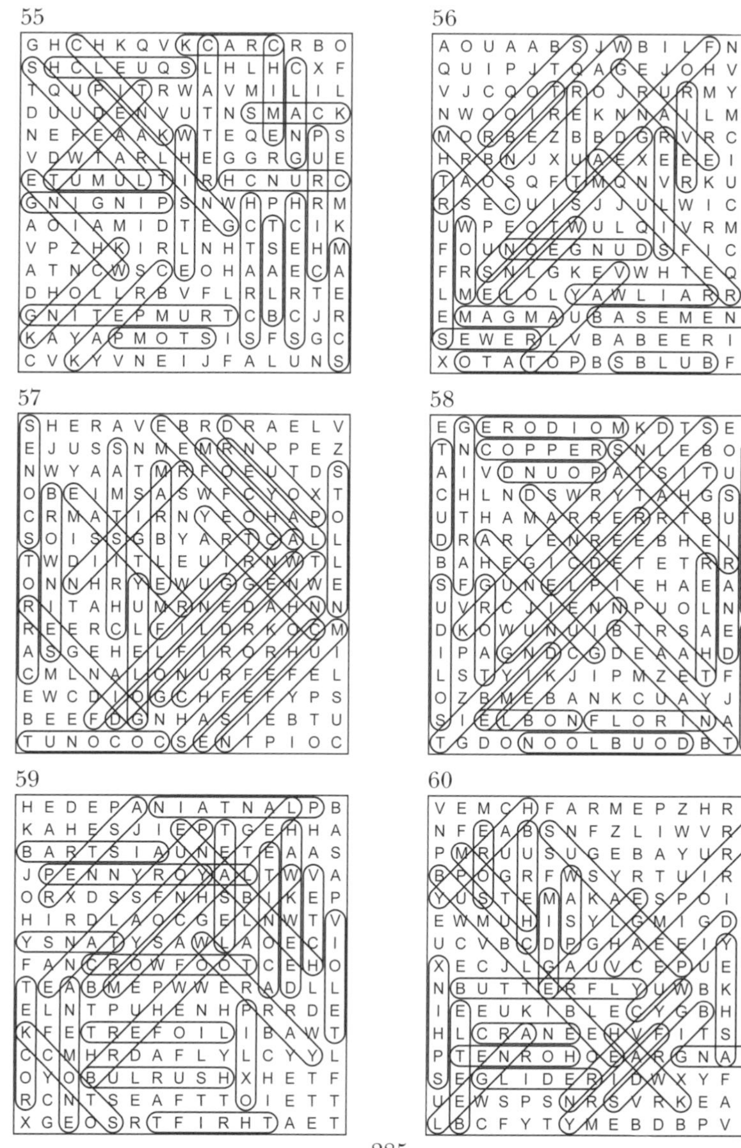

Solutions

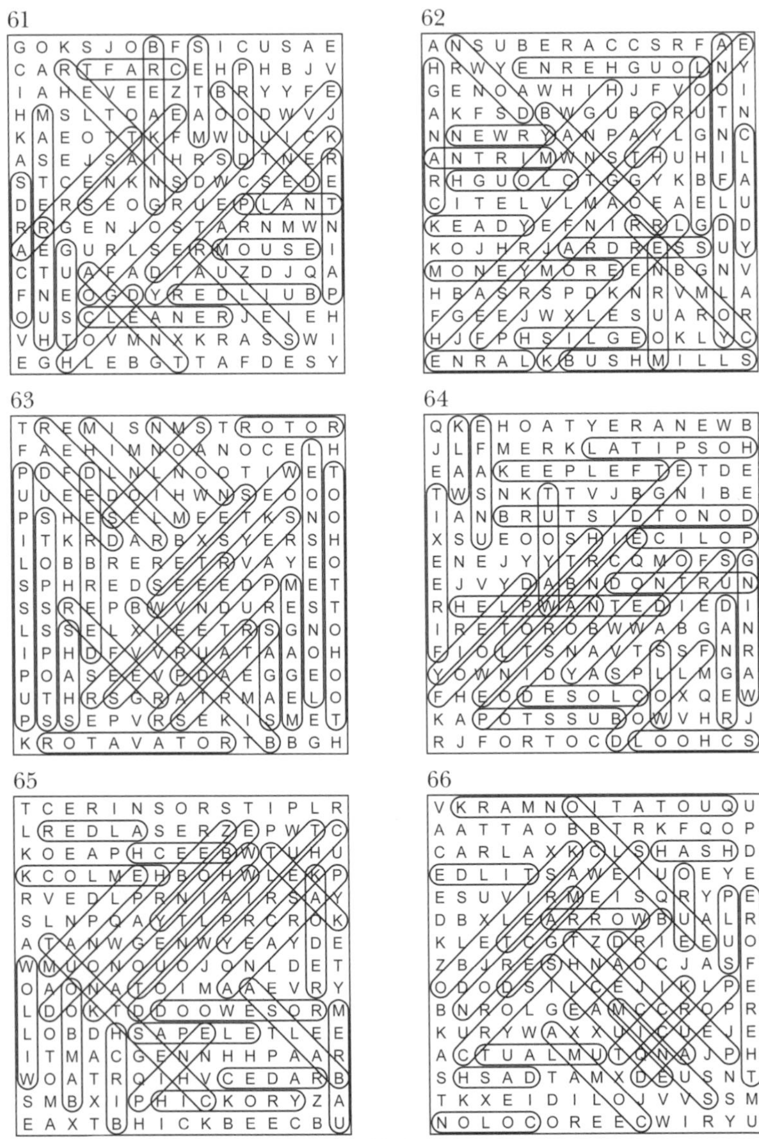

Solutions

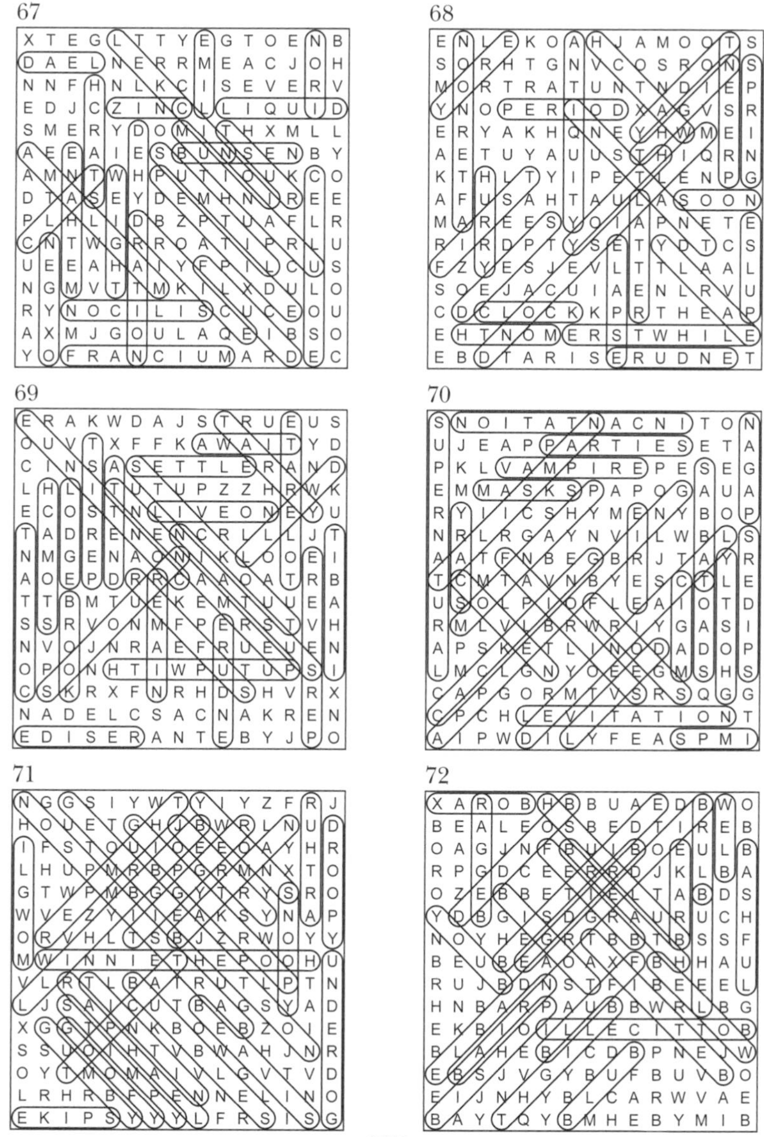

Solutions

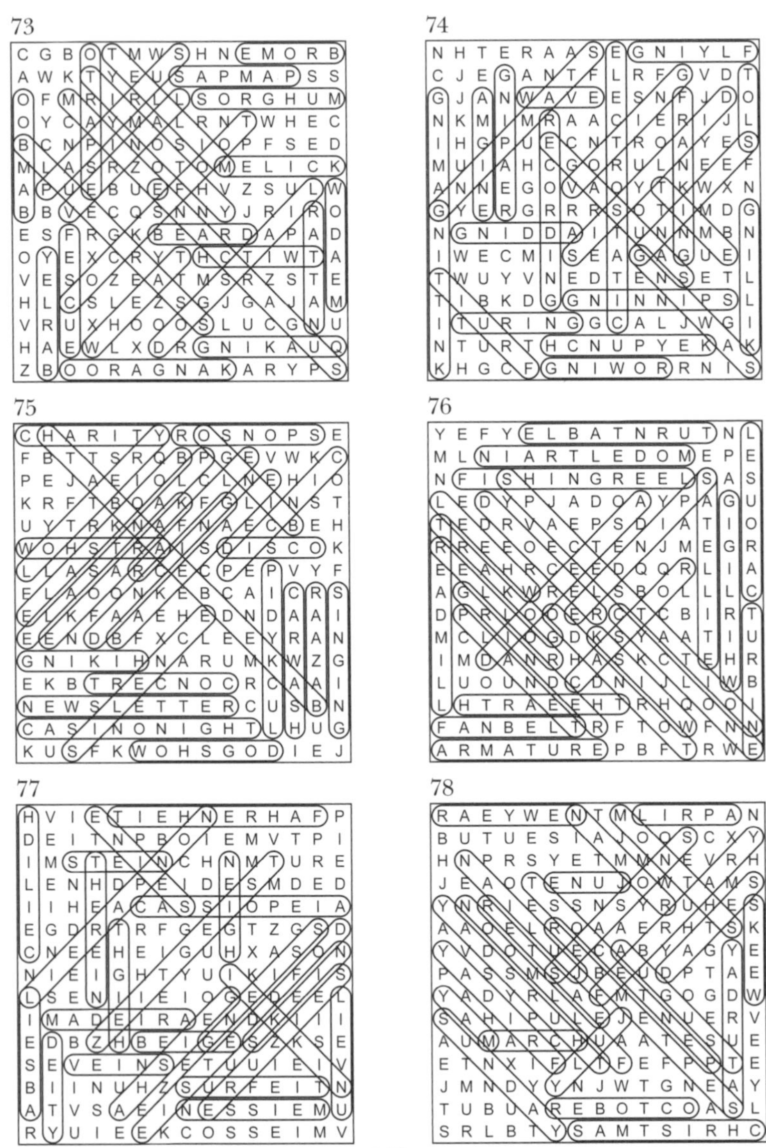

Solutions

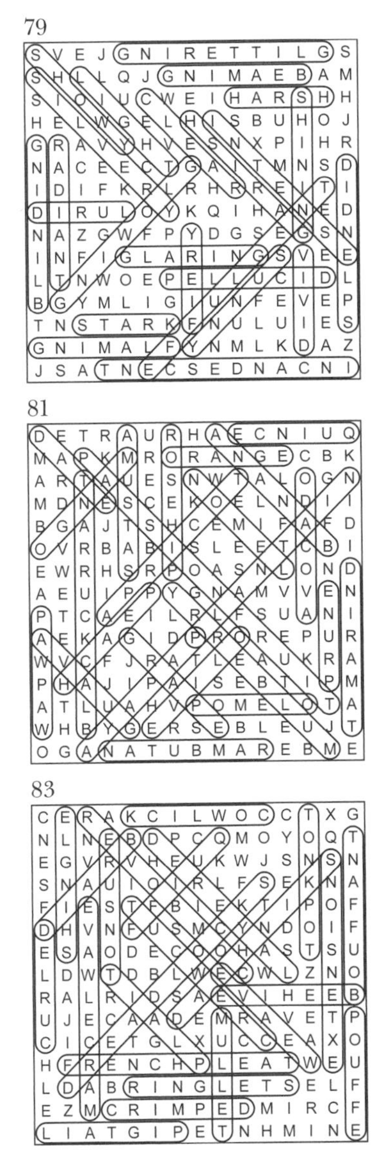

79, 81, 83

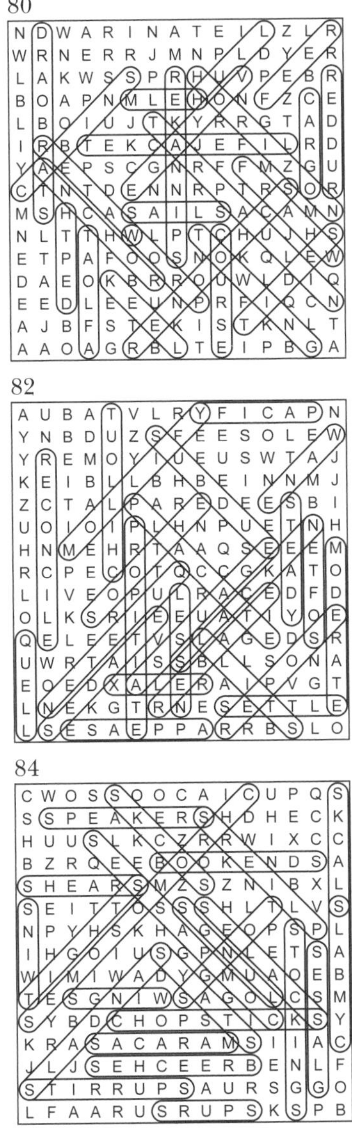

80, 82, 84

Solutions

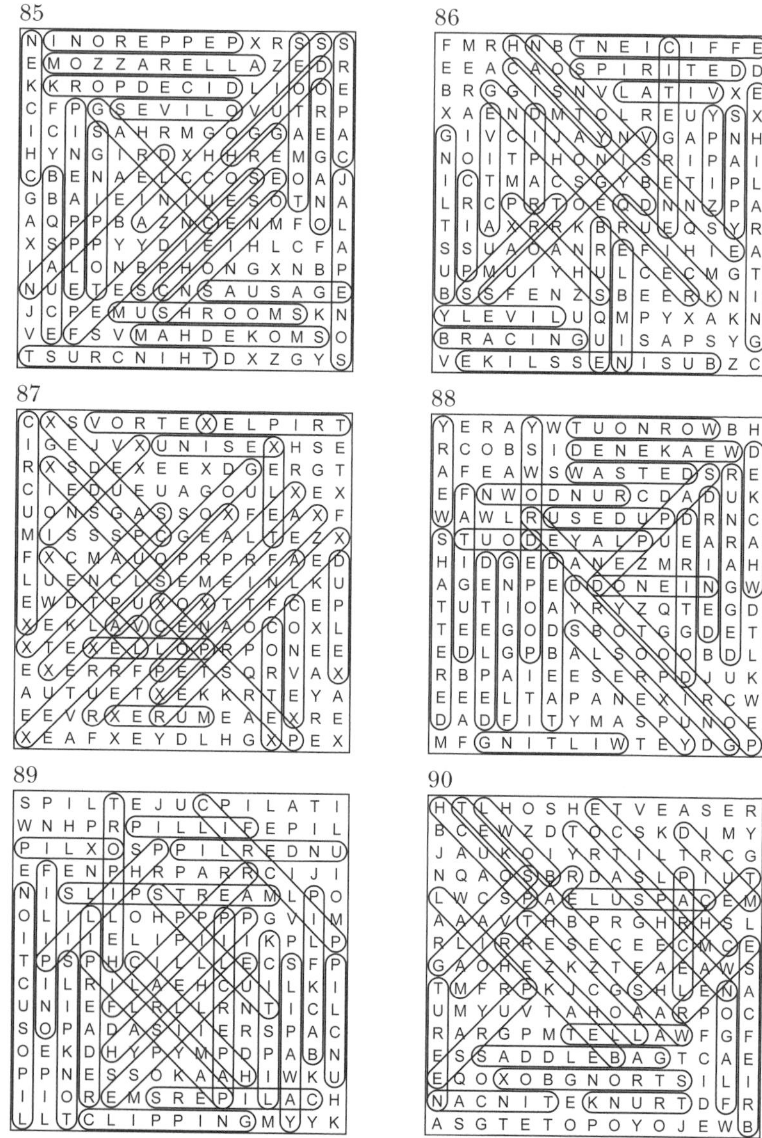

Solutions

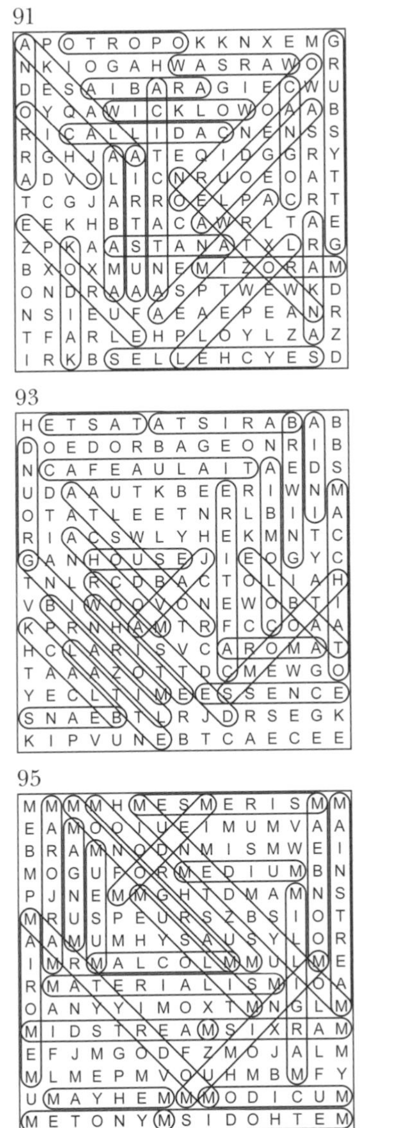

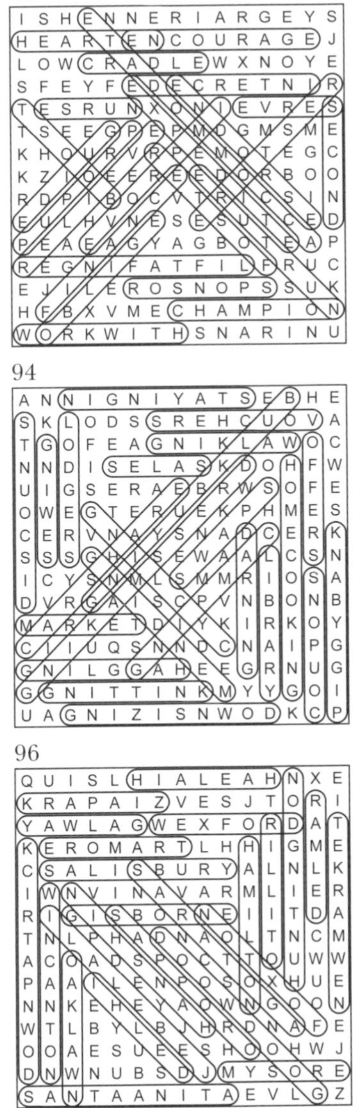

Solutions

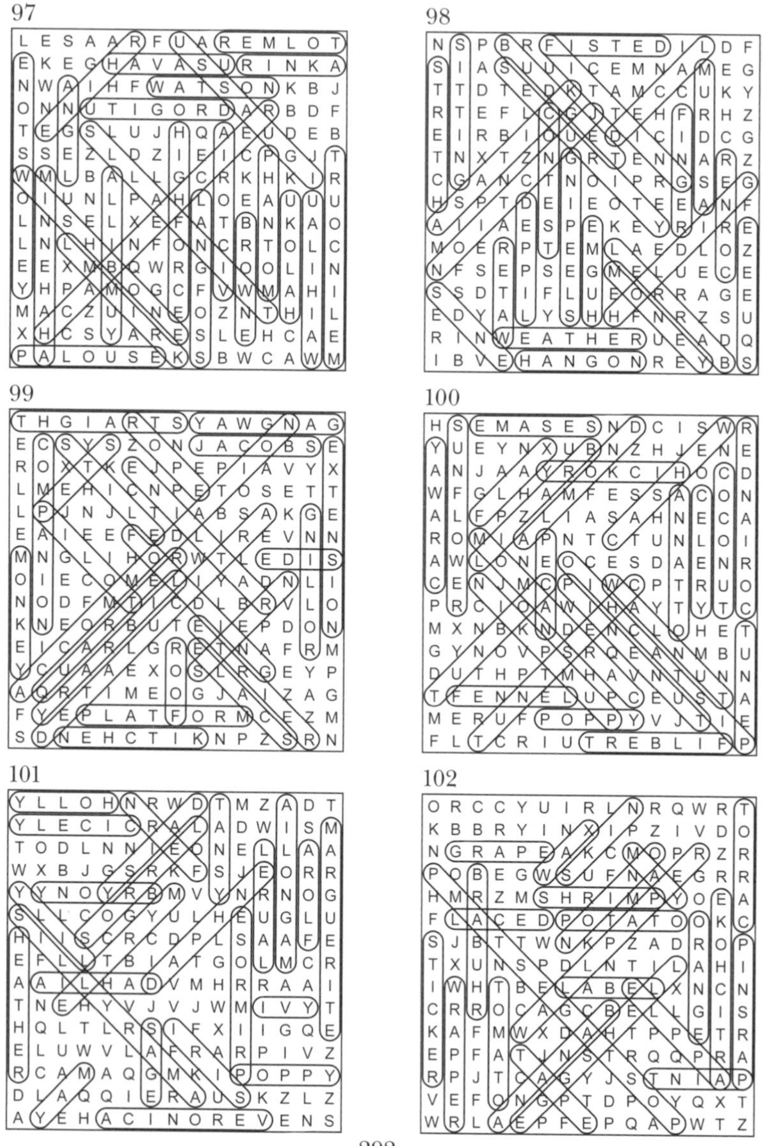

Solutions

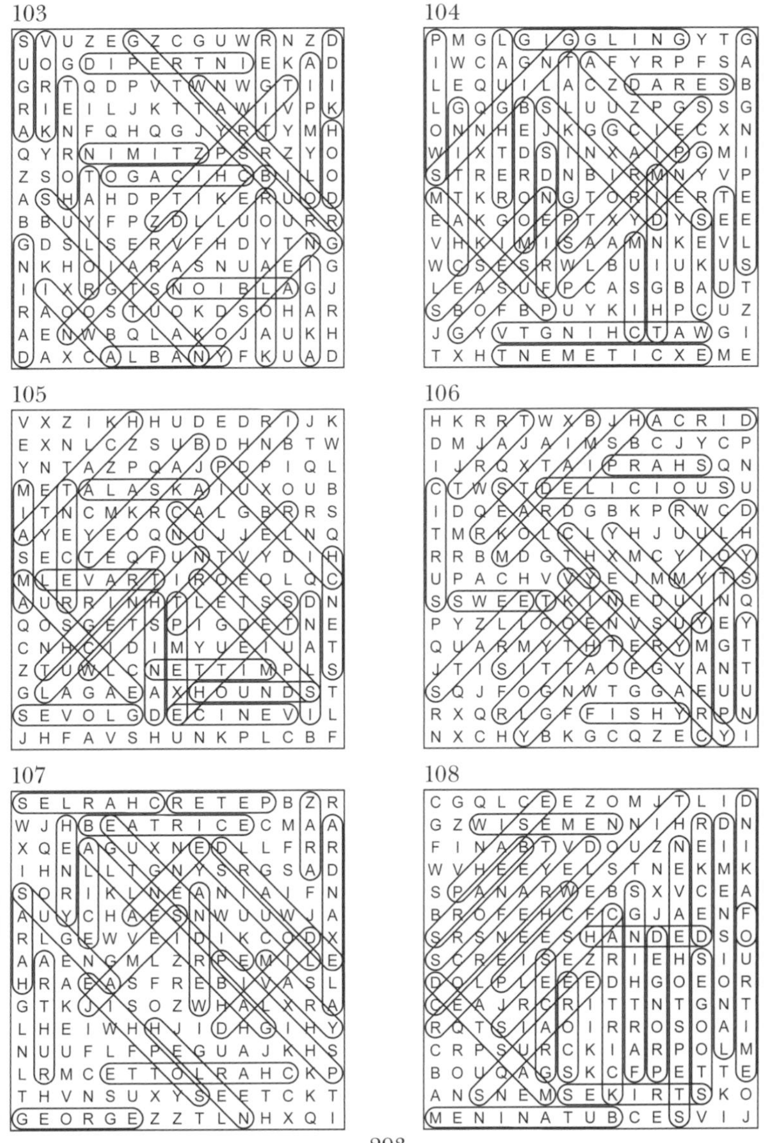

Solutions

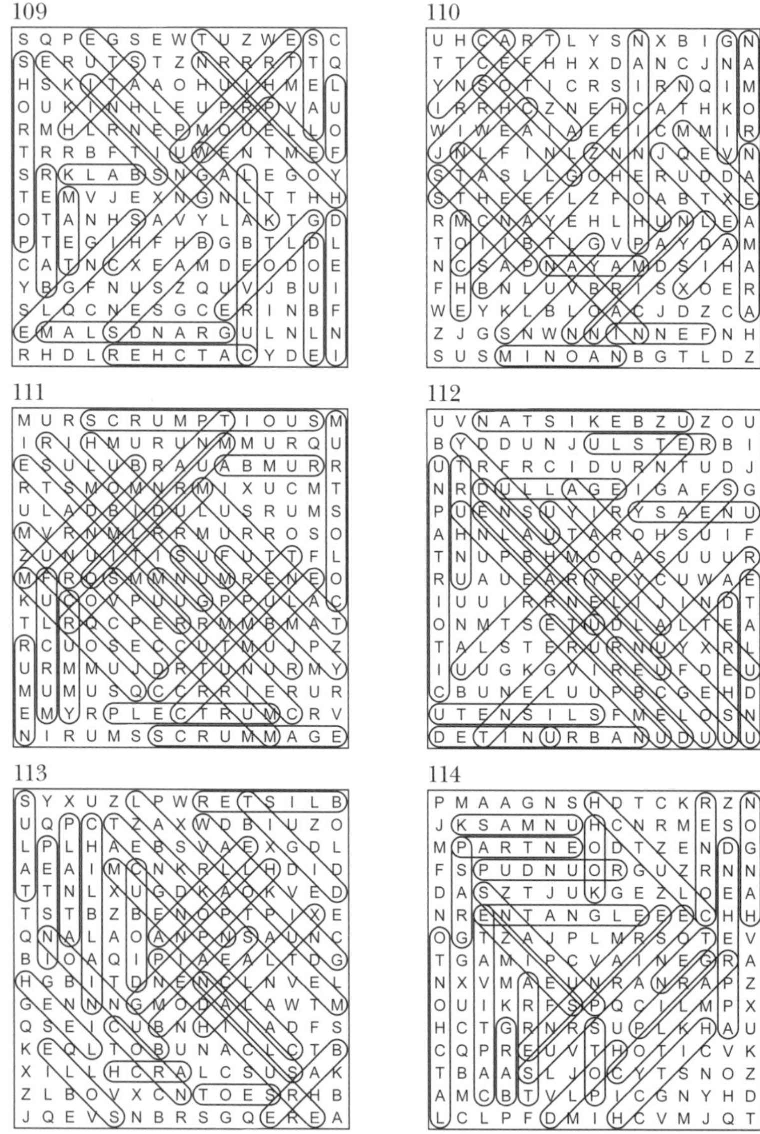

Solutions

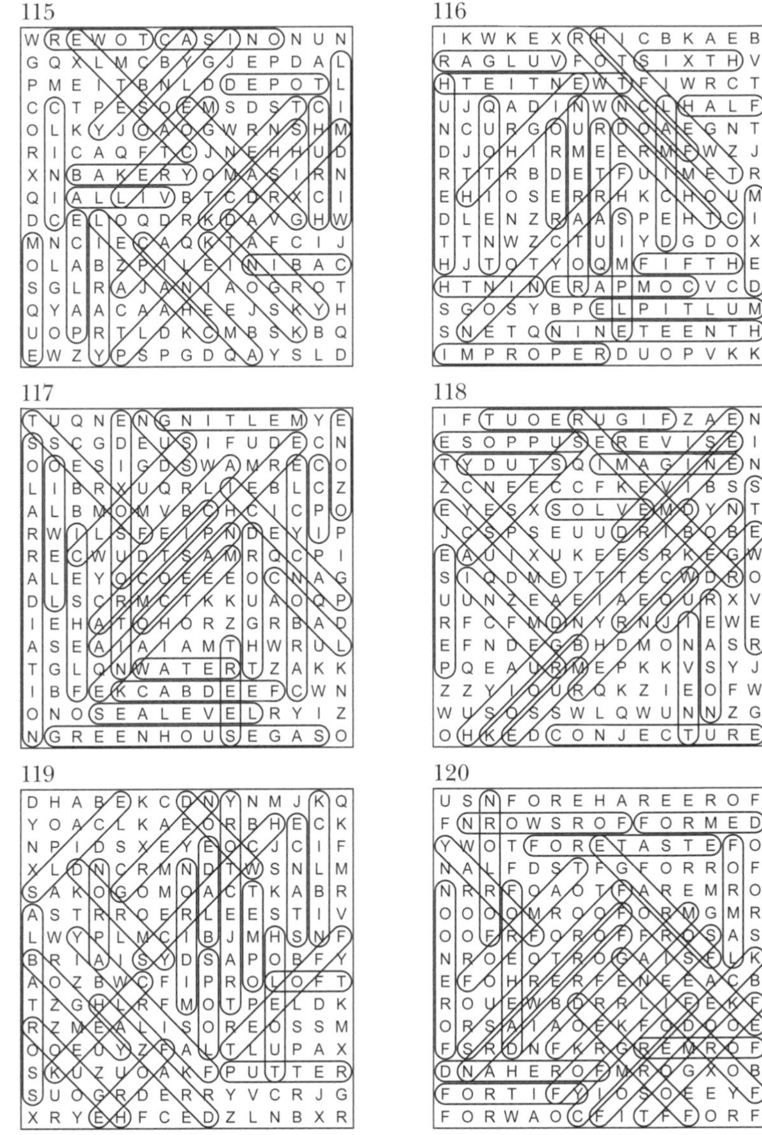

Solutions

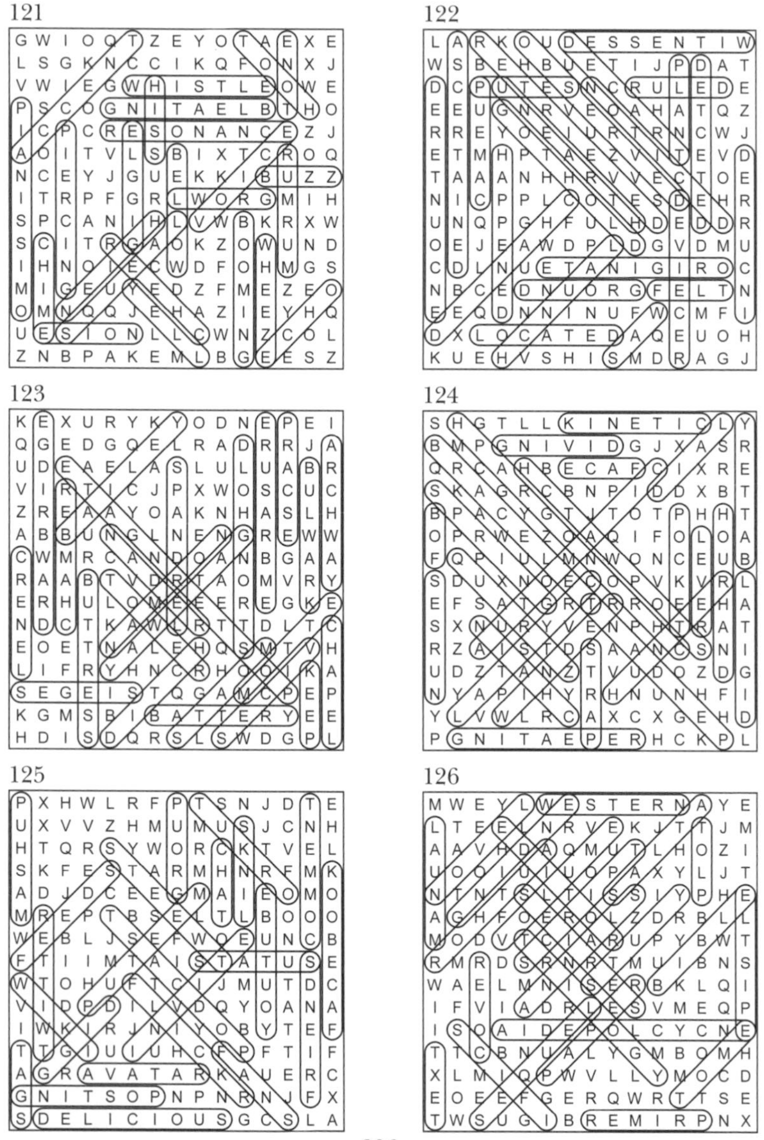

Solutions

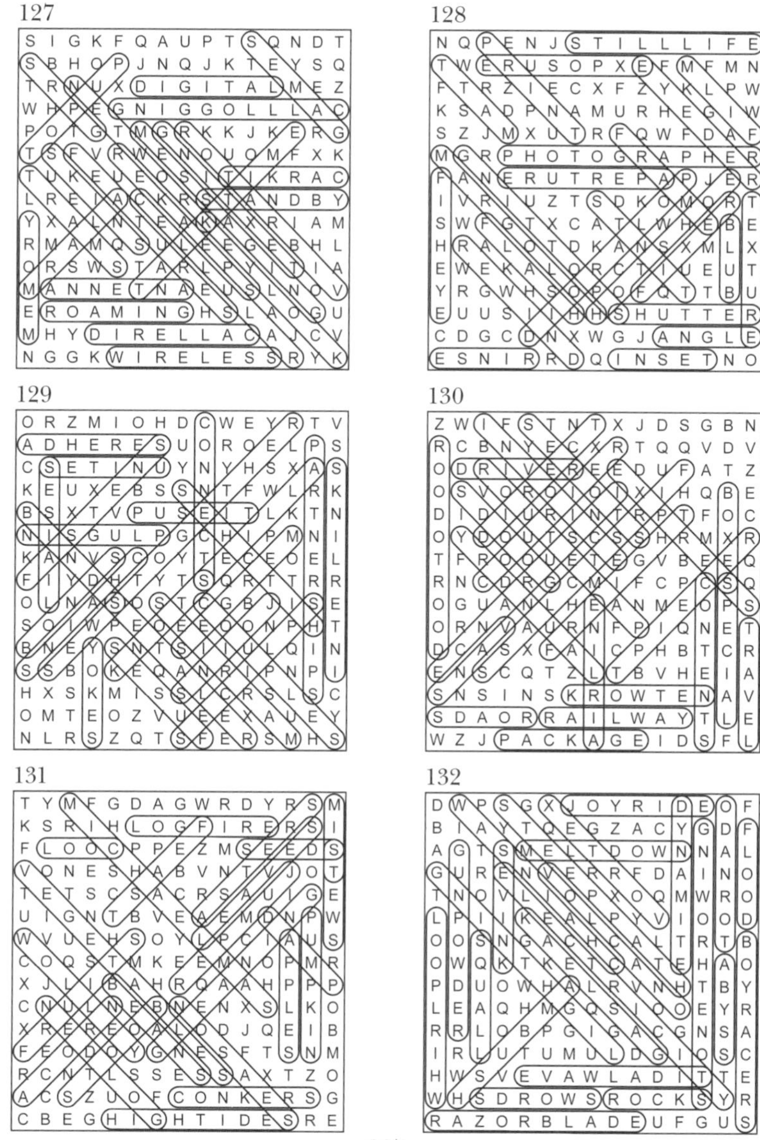

Solutions

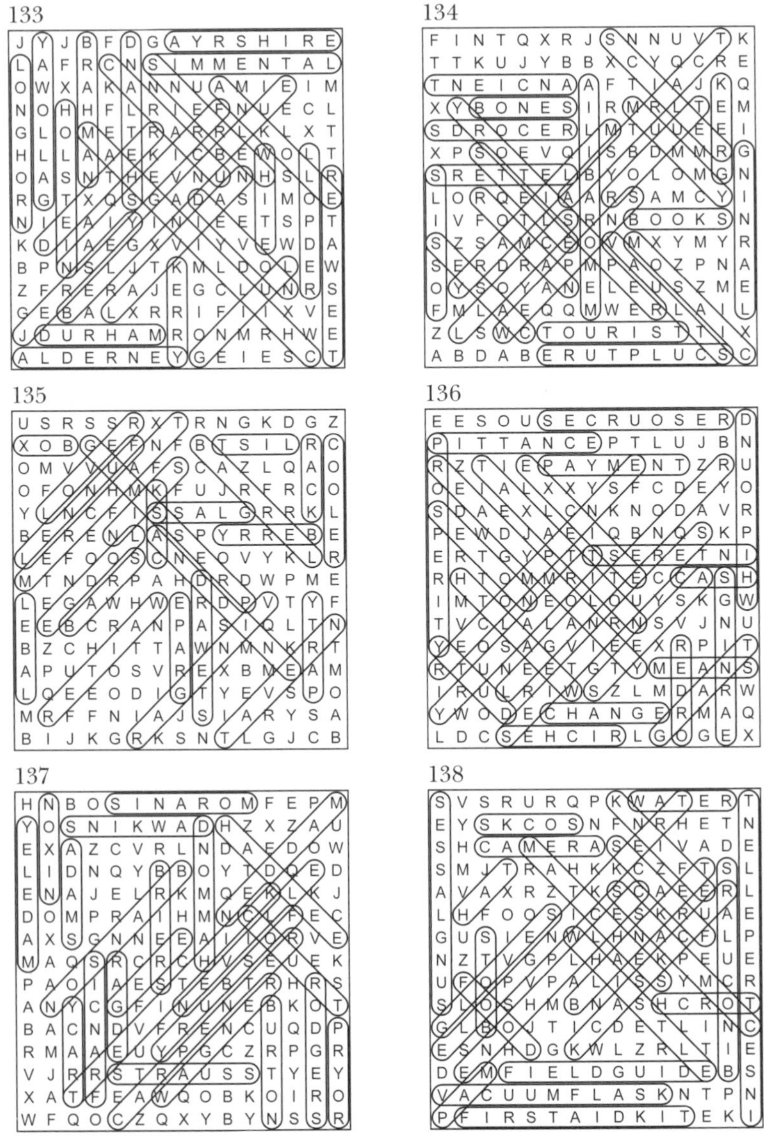

Solutions

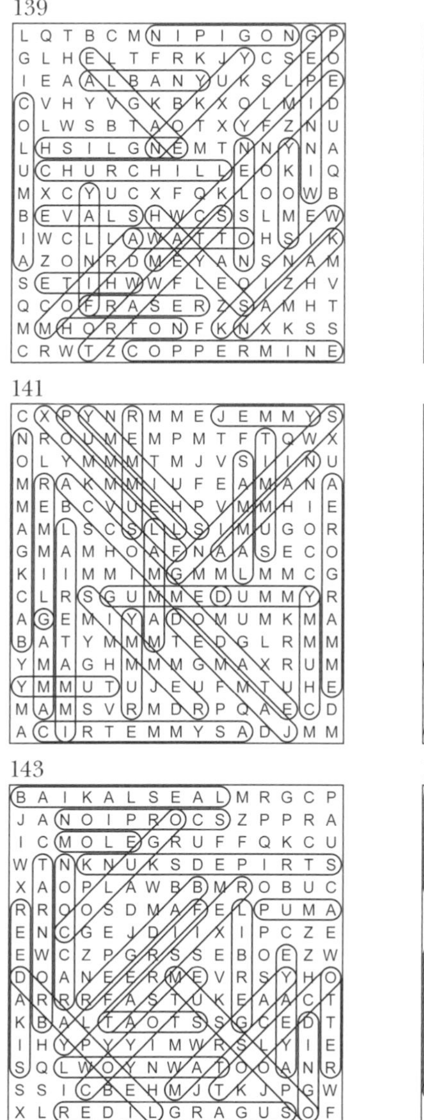
139
L Q T B C M N I P I G O N G P
G L H E L T F R K J Y C S E O
I E A A L B A N Y U K S L P E
C V H Y V G K B K X O L M I D
O L W S B T A O T X Y F Z N U
L H S I L G N E M T N N Y N A
U C H U R C H I L L E O K I Q
M X C Y U C X F Q K L O O W B
B E V A L S H W C S S L M E W
I W C L L A W A T T O H S I K
A Z O N R D M E Y A N S N A M
S E T I H W W F L E O I Z H V
Q C O F R A S E R Z S A M H T
M M H O R T O N F K N X K S S
C R W T Z C O P P E R M I N E
141
C X P Y N R M M E J E M M Y S
N R O U M E M P M T F T Q W X
O L Y M M M T M J V S I I N U
M R A K M M I U F E A M A N A
M E B C V U E H P V M M H I E
A M L S C S L L S I M U G O R
G M A M H O A F N A A S E C O
K I I M M I M G M M L M M C G
C L R S G U M M E D U M M Y R
A G E M I Y A D O M U M K M A
B A T Y M M M T E D G L R M M
Y M A G H M M M G M A X R U M
Y M M U T U J E U F M T U H E
M A M S V R M D R P Q A E C D
A C I R T E M M Y S A D J M M
143
B A I K A L S E A L M R G C P
J A N O I P R O C S Z P P R A
I C M O L E G R U F F Q K C U
W T N K N U K S D E P I R T S
X A O P L A W B B M R O B U C
R R O O S D M A F E L P U M A
E N C G E J D I I X I P C Z E
E W C Z P G R S S E B O E Z W
D O A N E E R M E V R S Y H O
A R R R F A S T U K E A A C T
K B A L T A O T S S G C E D T
I H Y P Y Y I M W R S L Y I E
S Q L W O Y N W A T O O A N R
S S I C B E H M J T K J P G W
X L R E D I L G R A G U S O F

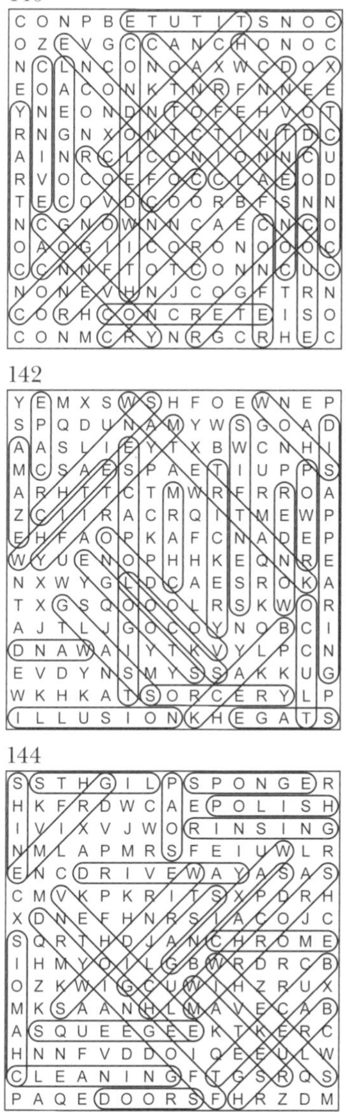
140
C O N P B E T U T I T S N O C
O Z E V G C C A N C H O N O C
N C L N C O N O A X W C D O X
E O A C O N K T N R F N N E E
Y N E O N D N T O F E H V O T
R N G N X O N T C T I N T D C
A I N R C L C O N I O N N C U
R V O C O E F O C C L A E O D
T E C O V D C O O R B F S N N
N C G N O W N N C A E C N C O
O A O G I I C O R O N O O O C
C C N N F T O T C O N N C U C
N O N E V H N J C O G F T R N
C O R H C O N C R E T E I S O
C O N M C R Y N R G C R H E C
142
Y E M X S W S H F O E W N E P
S P Q D U N A M Y W S G O A D
A A S L I E Y T X B W C N H I
M C S A E S P A E T I U P P S
A R H T T C T M W R F R R O A
Z C I I R A C R Q I T M E W P
E H F A O P K A F C N A D E P
W Y U E N O P H H K E Q N R E
N X W Y G L D C A E S R O K A
T X G S Q O O O L R S K W O R
A J T L J G O C O Y N O B C I
D N A W A I Y T K V Y L P C N
E V D Y N S M Y S S A K K U G
W K H K A T S O R C E R Y L P
I L L U S I O N K H E G A T S
144
S S T H G I L P S P O N G E R
H K F R D W C A E P O L I S H
I V I X V J W O R I N S I N G
N M L A P M R S F E I U W L R
E N C D R I V E W A Y A S A S
C M V K P K R I T S X P D R H
X D N E F H N R S I A C O J C
S Q R T H D J A N C H R O M E
I H M Y O I L G B W R D R C B
O Z K W I G C U W I H Z R U X
M K S A A N H L M A V E C A B
A S Q U E E G E E K T K E R C
H N N F V D D O I Q E E U L W
C L E A N I N G F T G S R Q S
P A Q E D O O R S F H R Z D M

Solutions

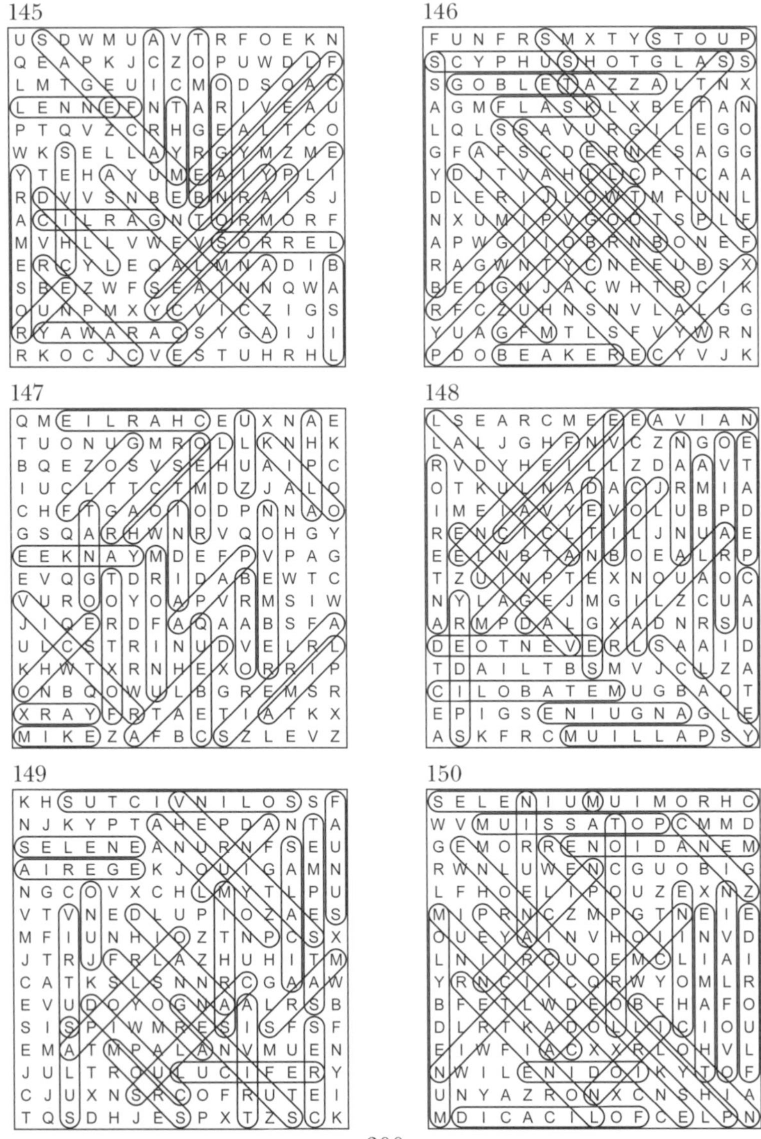

Solutions

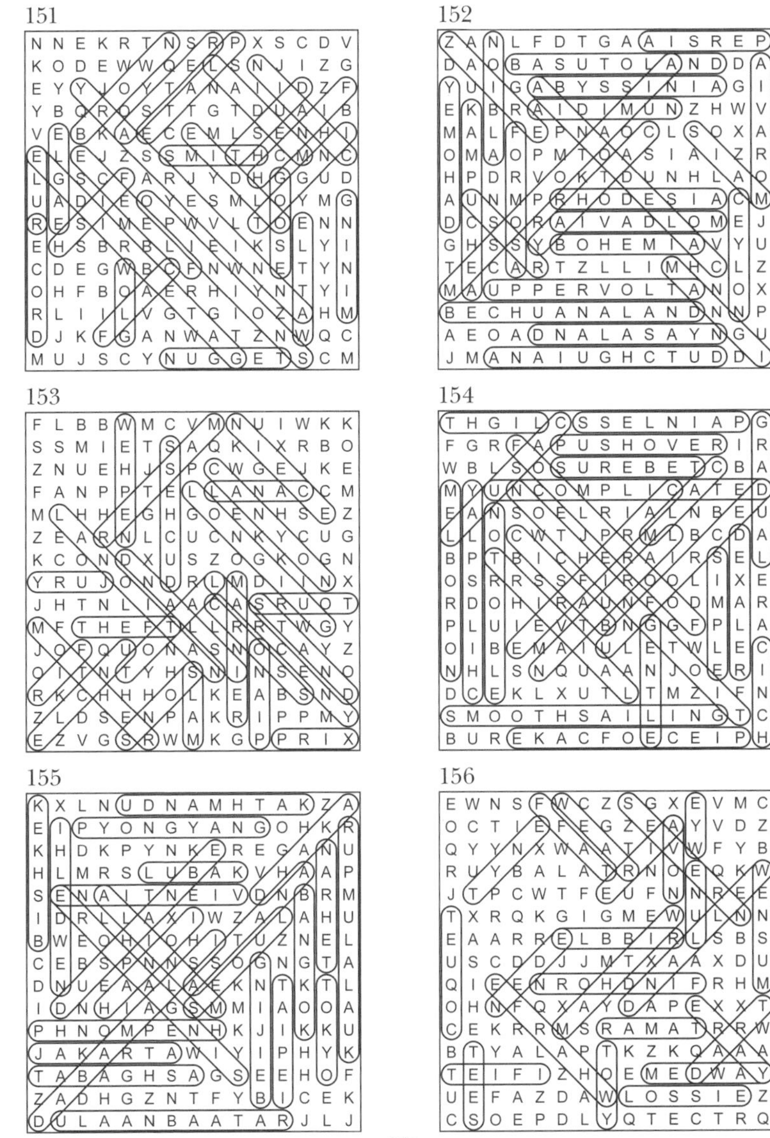

Solutions

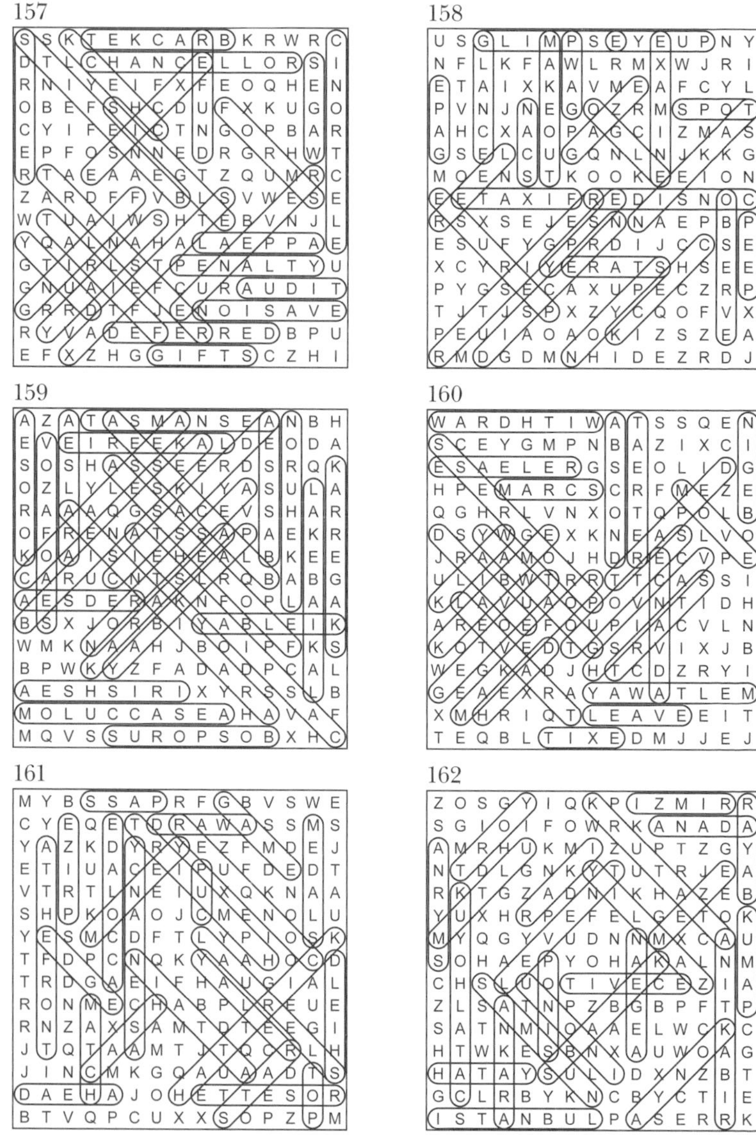

Solutions

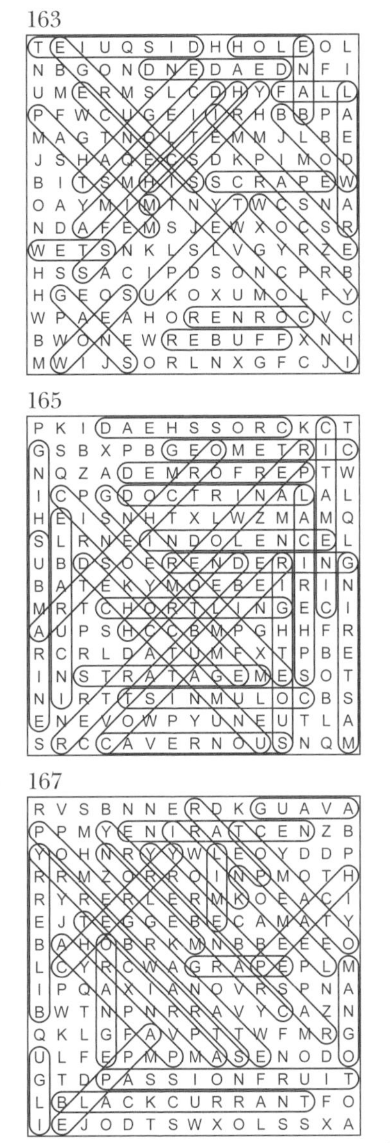

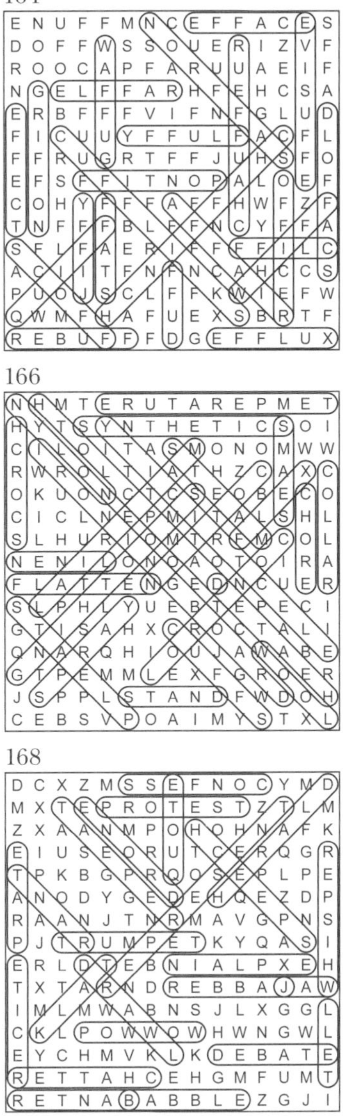

Solutions

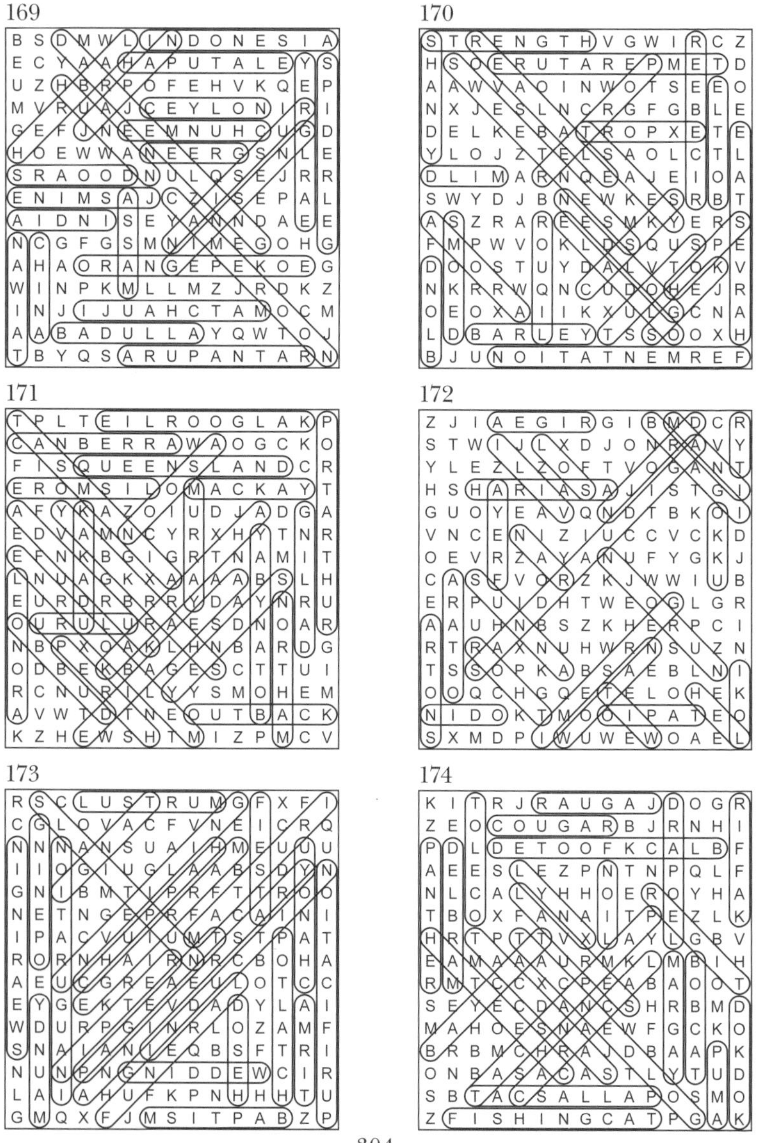

Solutions

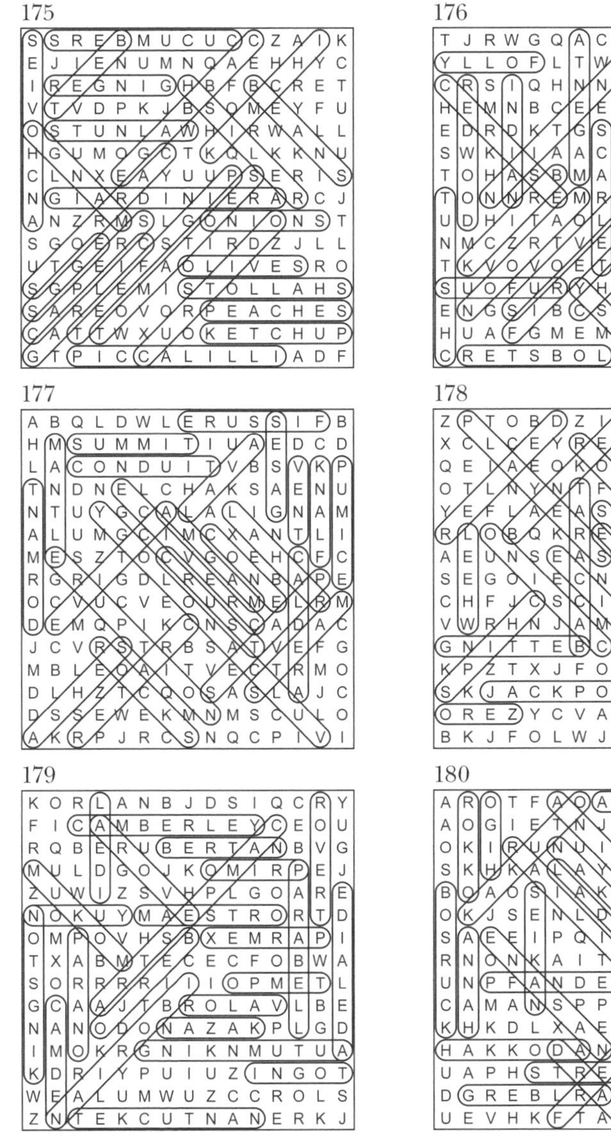

Solutions

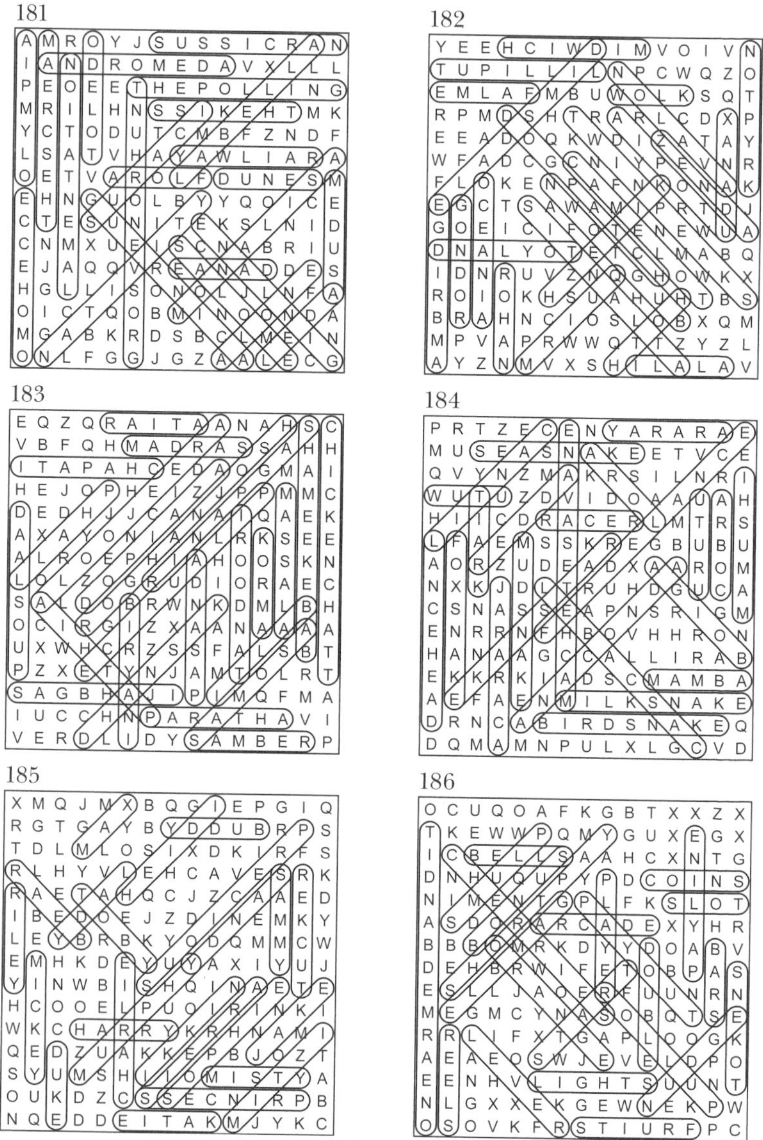

Solutions

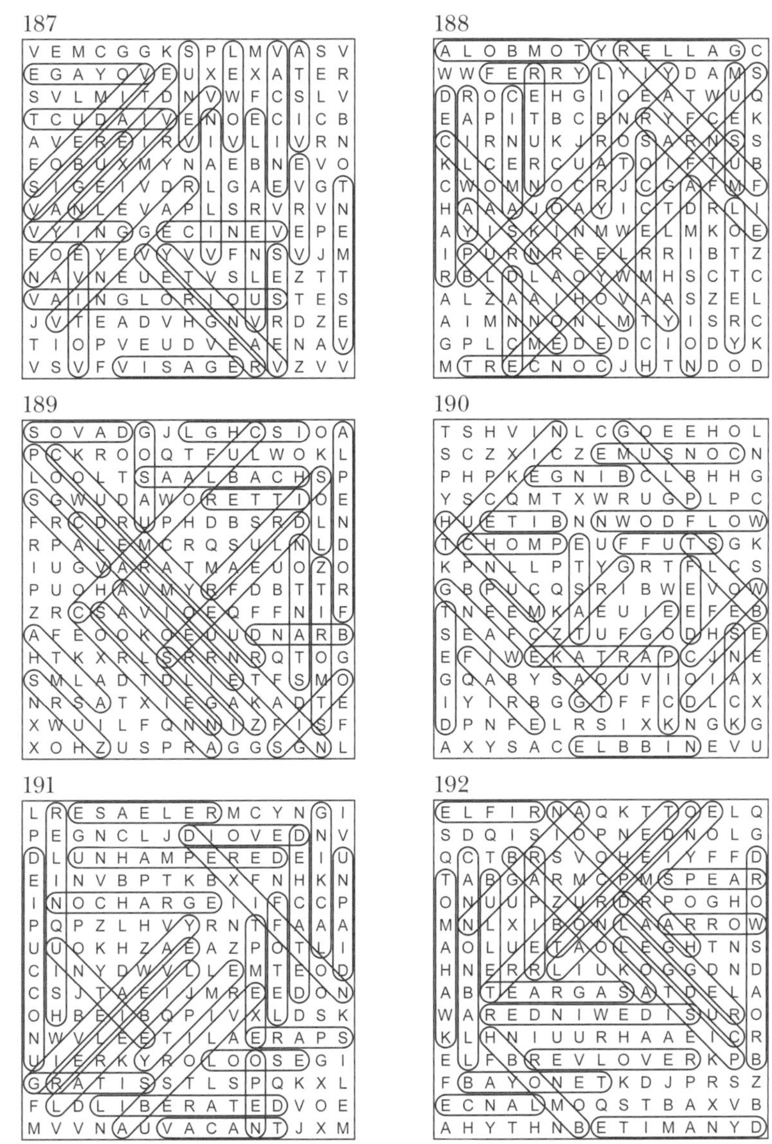

Solutions

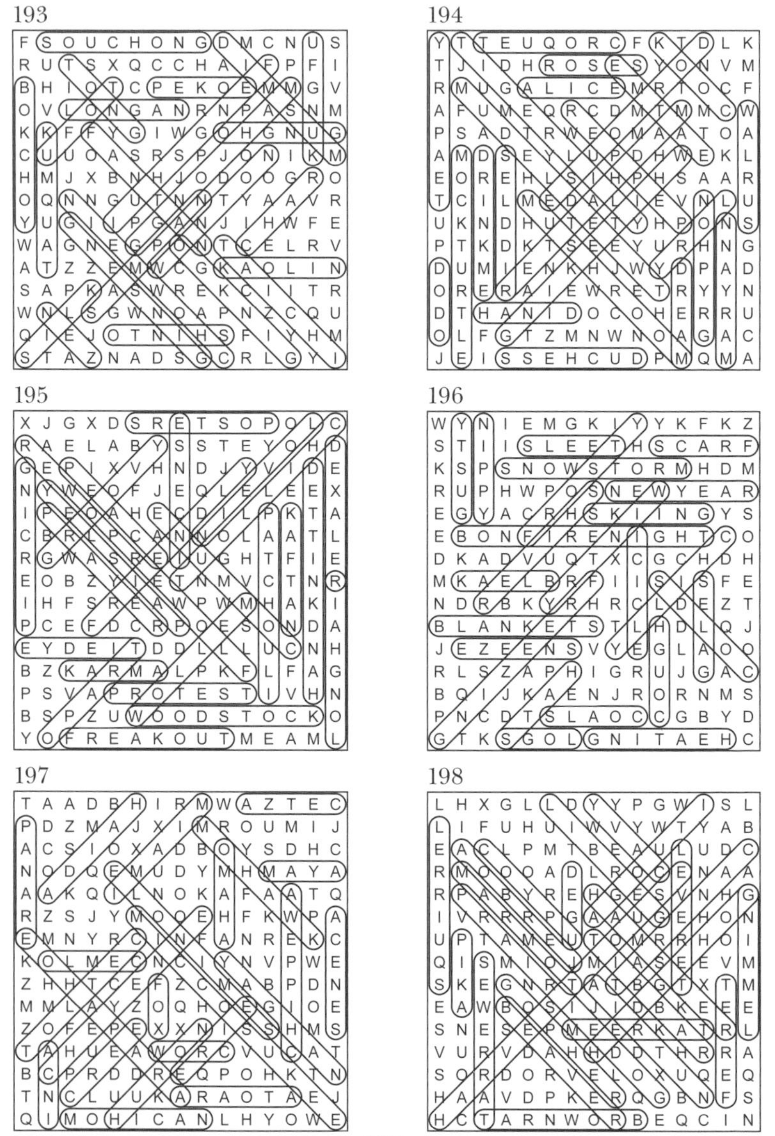

Solutions

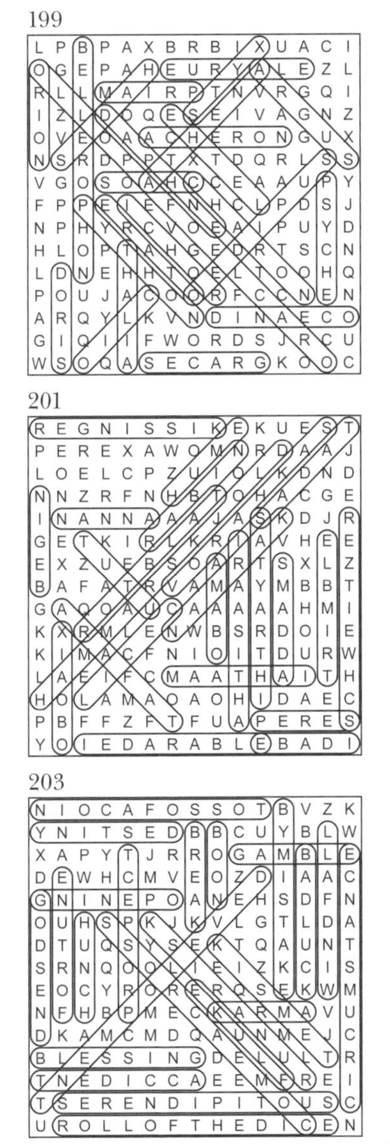

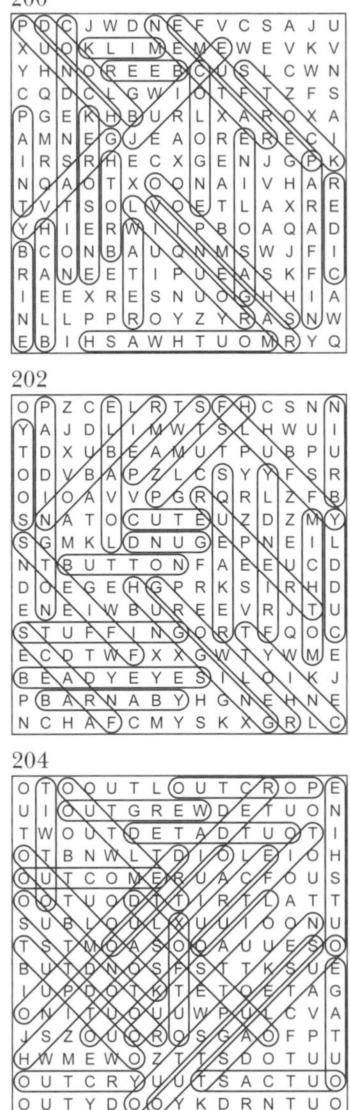

Solutions

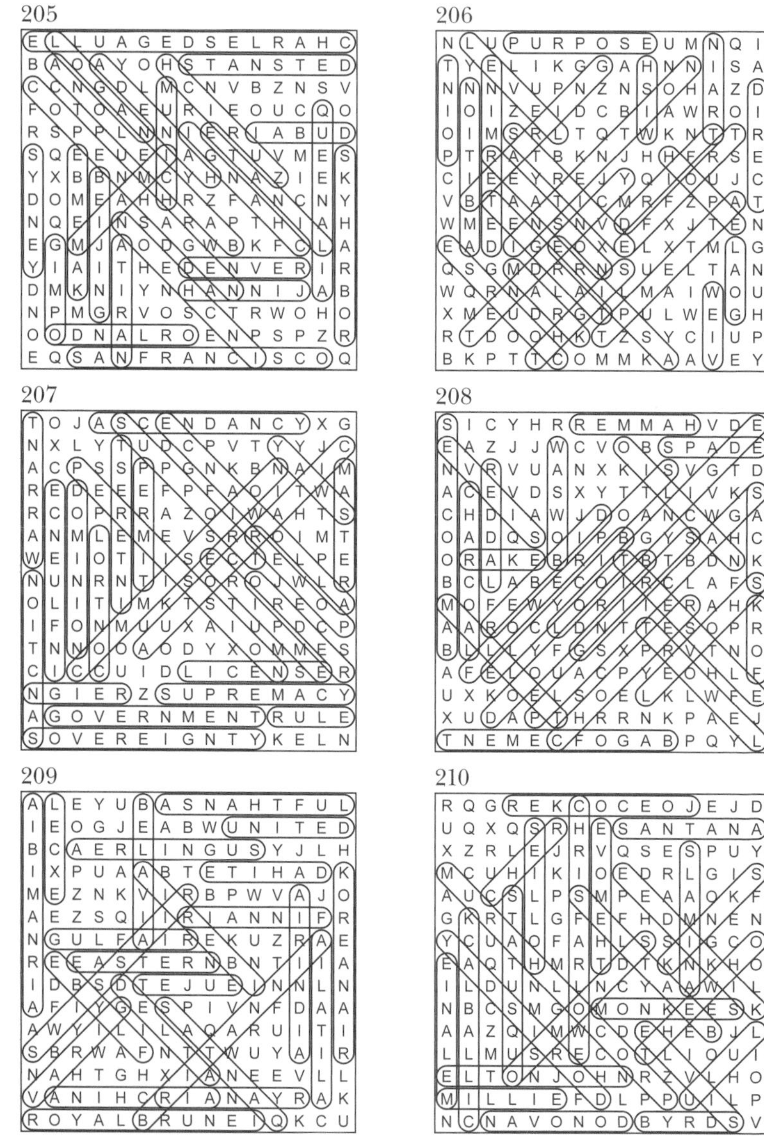

Solutions

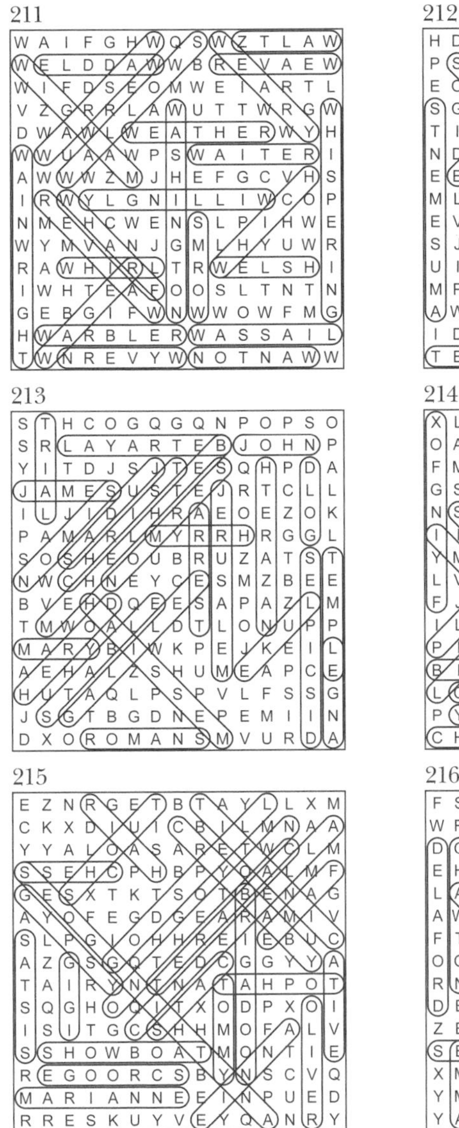

212

H D M S C O U O A A X G C R Y
P S K X T I P X S F Y A O L A
E O U T T E N H S Y T X R I R
S G H R B E E C B L O B C F P
T I A B F L L T I N A H L E S
N D L D L E E A S P Q D N G C
E E R S X T R C H D E B N U S
M L E N P A H E U C E B R A B
E V I O O S R C T S A P O R S
S J P R O M E N A D E S C D P
U I F K L C W V U Y U T K Z A
M P O E S G J N A N O L S P D
A W Z L B V E G T W N R R L E
I D T L R S F A E B I K I N I
T E L N I W N L J A R S A T E

214

X L Y C R A Y P Q Q V P R Z B
O A T O I N A D K G B V J P P
F M A R B R A B Y S O R U X R
G S L Y Z N N U E K C F Q L E
N S P A R A D I S E F I S H D
I I U G D I R W U E R N E B Z
Y M O L O H O O R Q V T H K E
L V A C C R F A B D E E D V B
F J E R D N C R R S I L R C R
I L O T U S I K O E A S R U A
P I A O O O E C I N D R C A M
B I C H I R G I O V T P Q U H
L C A T F I S H L T W O A F S
P Y P P U G S Q W U O Y S C E
C H E R R Y B A R B J D R A U

216

F S H M N O T I D N A S Y T R
W R A A Y M R E L T O N A E E
D C Y R L W N G I R U P L E G
E H R T E L I R O G Z M C R N
L A U R V K Q N E T A B S T A
A W B E E N I O C H F E R S H
F T H B F L R Y N H N K M Y T
O O G Y E G P E W N E R N A R
R N I D E Y L S A F E S O G O
D E H A Q L S I E G C K T S N
Z E K L A O R C E T N Q S E B
S E M A J A E N H X A T E S R
X M I K M I C A X O M Y W N A
Y M G U B Y M R S N O R R I S
Y A P V P H O F A H R L M M W

Solutions

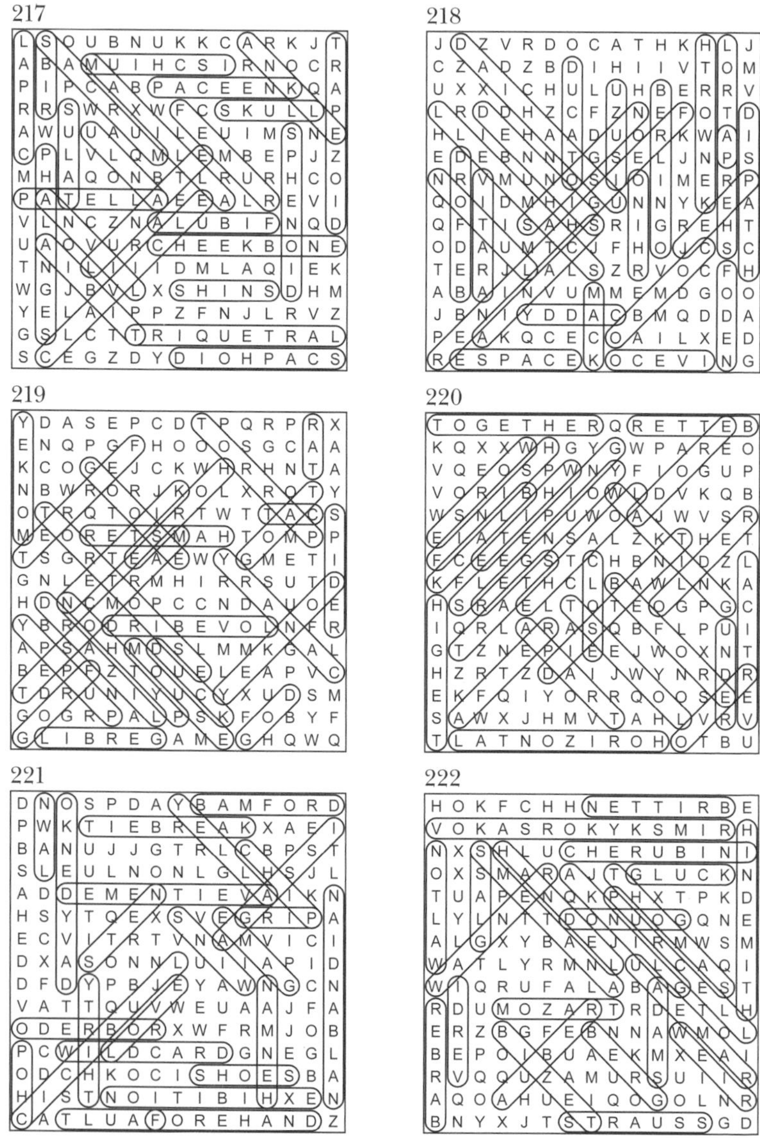

Solutions

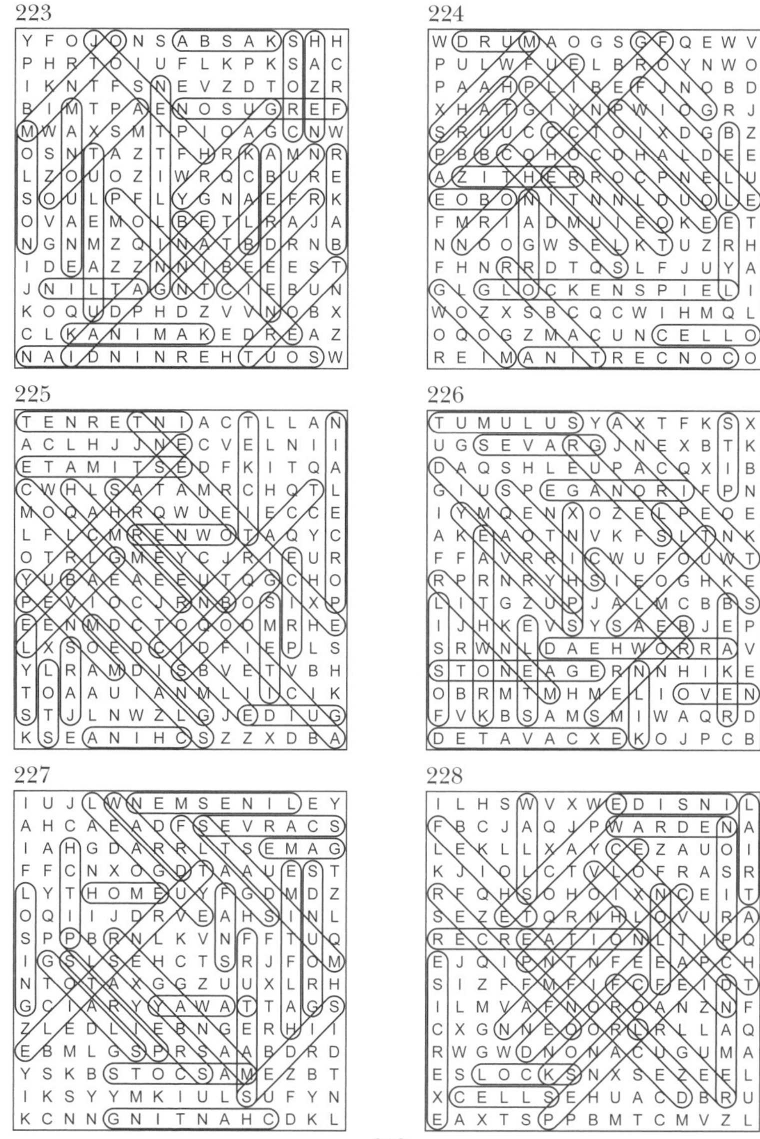

Solutions

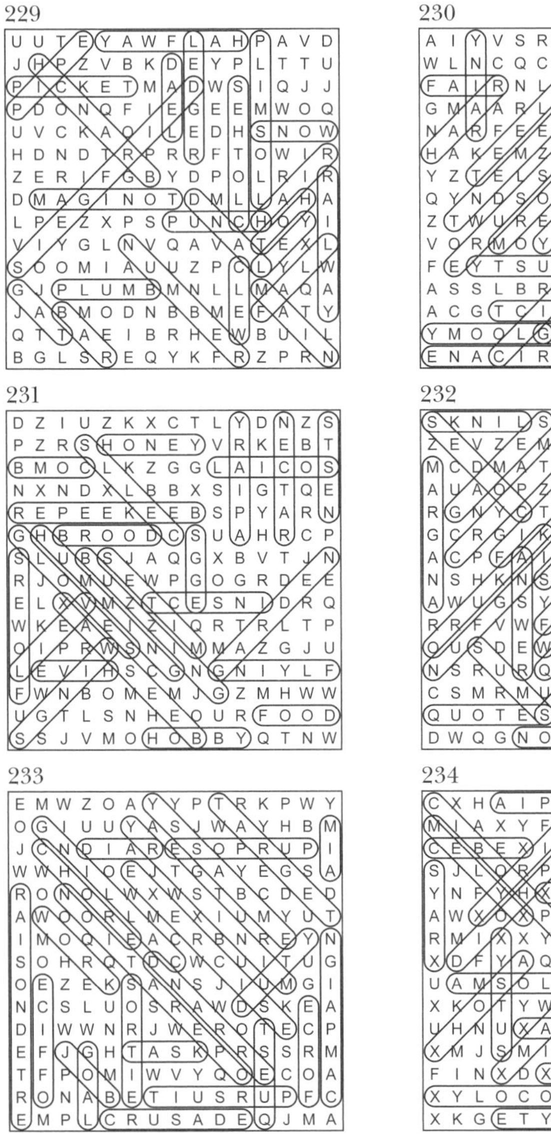

229
U U T E Y A W F L A H P A V D
J H P Z V B K D E Y P L T T U
P I C K E T M A D W S I Q J J
P D O N Q F I E G E E M W O Q
U V C K A O I L E D H S N O W
H D N D T R P R R F T O W I R
Z E R I F G B Y D P O L R I R
D M A G I N O T D M L L A H A
L P E Z X P S P U N C H O Y I
V I Y G L N V Q A V A T E X L
S O O M I A U U Z P C L Y L W
G J P L U M B M N L L M A Q A
J A B M O D N B B M E F A T Y
Q T T A E I B R H E W B U I L
B G L S R E Q Y K F R Z P R N
231
D Z I U Z K X C T L Y D N Z S
P Z R S H O N E Y V R K E B T
B M O C L K Z G G L A I C O S
N X N D X L B B X S I G T Q E
R E P E E K E E B S P Y A R N
G H B R O O D C S U A H R C P
S L U B S J A Q G X B V T J N
R J O M U E W P G O G R D E E
E L X V M Z T C E S N I D R Q
W K E A E I Z I Q R T R L T P
O I P R W S N I M M A Z G J U
L E V I H S C G N G N I Y L F
F W N B O M E M J G Z M H W W
U G T L S N H E O U R F O O D
S S J V M O H O B B Y Q T N W
233
E M W Z O A Y Y P T R K P W Y
O G I U U Y A S J W A Y H B M
J C N D I A R E S O P R U P I
W W H I O E J T G A Y E G S A
R O N O L W X W S T B C D E D
A W O O R L M E X I U M Y U T
I M O Q I E A C R B N R E Y N
S O H R Q T D C W C U I T U G
O E Z E K S A N S J I U M G I
N C S L U O S R A W D S K E A
D I W W N R J W E R O T E C P
E F J G H T A S K P R S S R M
T F P O M I W V Y Q O E C O A
R O N A B E T I U S R U P F C
E M P L C R U S A D E Q J M A

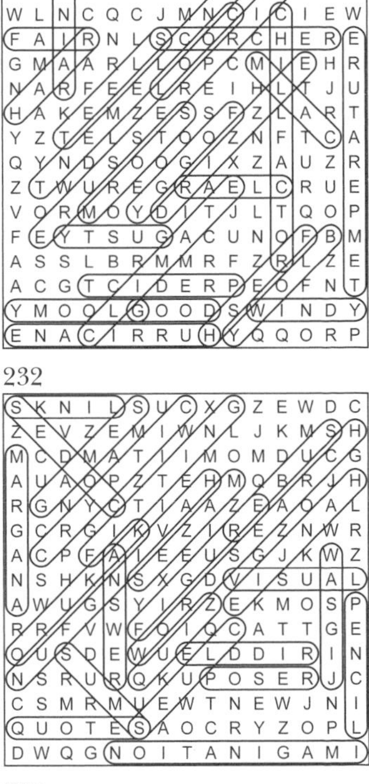

230
A I Y V S R T I C I Q A S G N
W L N C Q C J M N C I C I E W
F A I R N L S C O R C H E R E
G M A A R L L O P C M I E H R
N A R F E E L R E I H L T J U
H A K E M Z E S S F Z L A R T
Y Z T E L S T O O Z N F T C A
Q Y N D S O O G I X Z A U Z R
Z T W U R E G R A E L C R U E
V O R M O Y D I T J L T Q O P
F E Y T S U G A C U N O F B M
A S S L B R M M R F Z R L Z E
A C G T C I D E R P E O F N T
Y M O O L G O O D S W I N D Y
E N A C I R R U H Y Q Q O R P
232
S K N I L S U C X G Z E W D C
Z E V Z E M I W N L J K M S H
M C D M A T I I M O M D U C G
A U A O P Z T E H M Q B R J H
R G N Y C T I A A Z E A O A L
G C R G I K V Z I R E Z N W R
A C P F A I E E U S G J K W Z
N S H K N S X G D V I S U A L
A W U G S Y I R Z E K M O S P
R R F V W F O I Q C A T T G E
O U S D E W U E L D D I R I N
N S R U R Q K U P O S E R J C
C S M R M U E W T N E W J N I
Q U O T E S A O C R Y Z O P L
D W Q G N O I T A N I G A M I

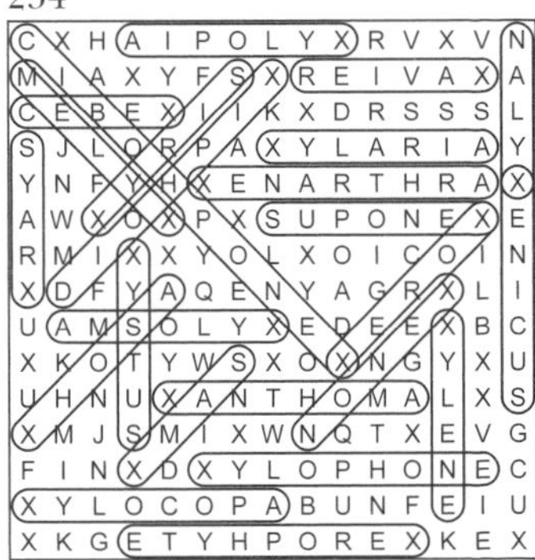

234
C X H A I P O L Y X R V X V N
M I A X Y F S X R E I V A X A
C E B E X I I K X D R S S S L
S J L O R P A X Y L A R I A Y
Y N F Y H X E N A R T H R A X
A W X O X P X S U P O N E X E
R M I X X Y O L X O I C O I N
X D F Y A Q E N Y A G R X L I
U A M S O L Y X E D E E X B C
X K O T Y W S X O X N G Y X U
U H N U X A N T H O M A L X S
X M J S M I X W N Q T X E V G
F I N X D X Y L O P H O N E C
X Y L O C O P A B U N F E I U
X K G E T Y H P O R E X K E X

Solutions

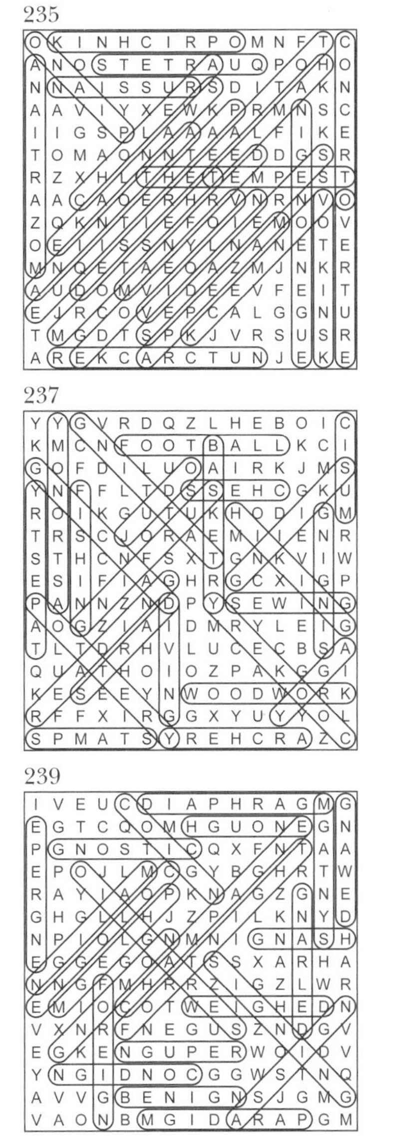

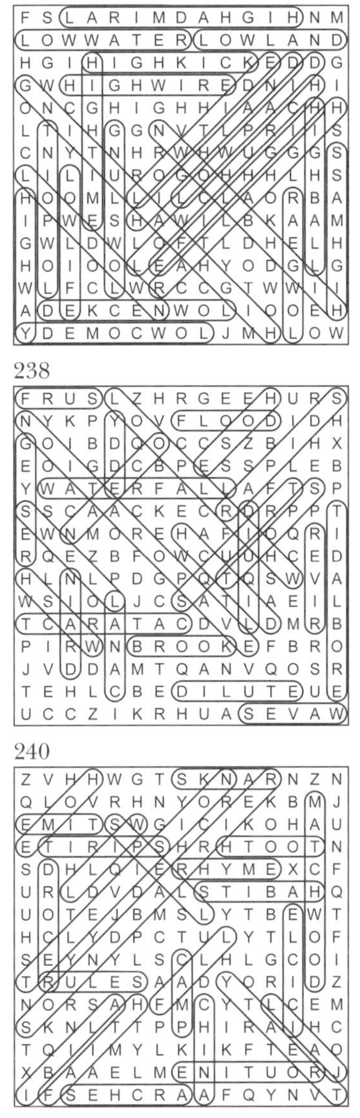

Solutions

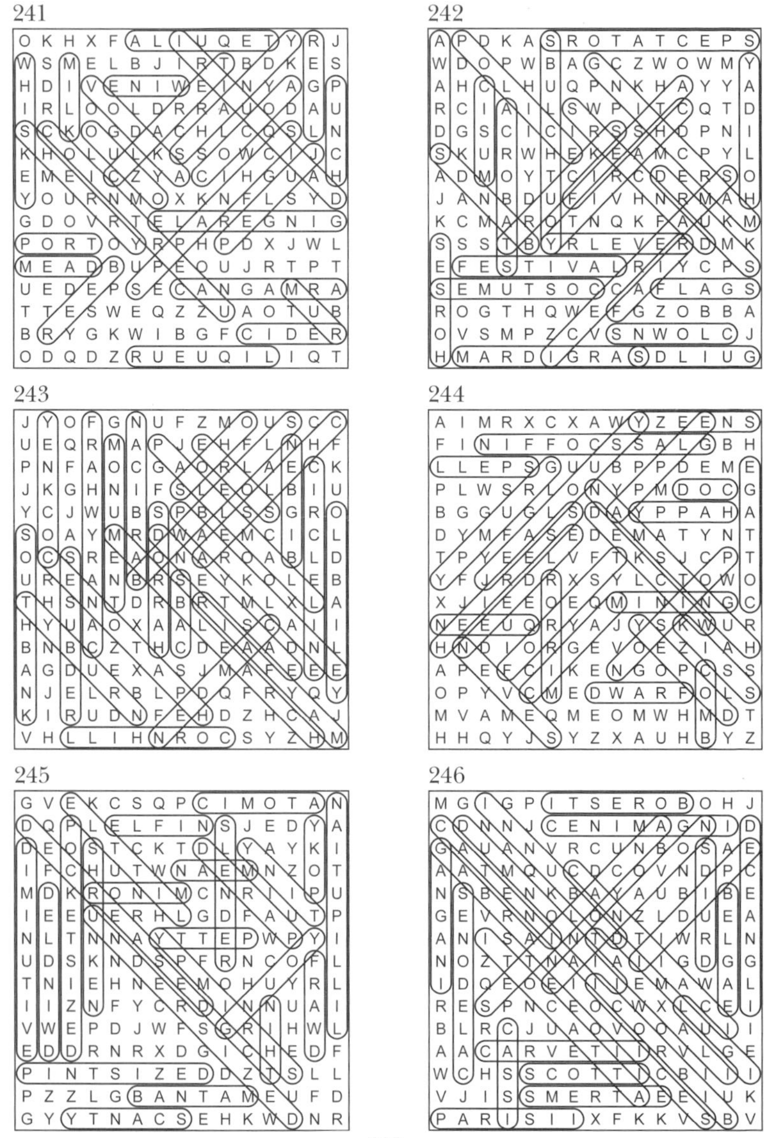

Solutions

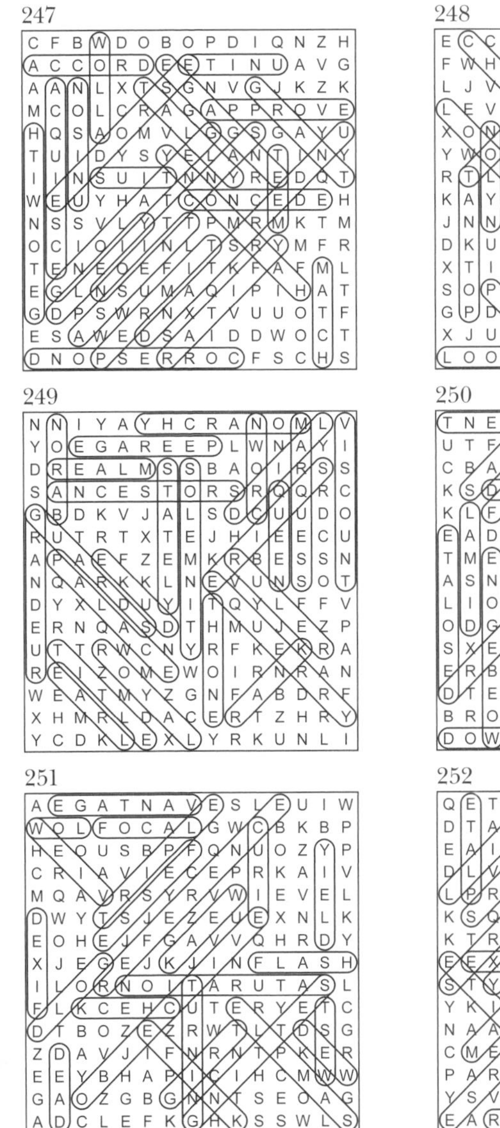

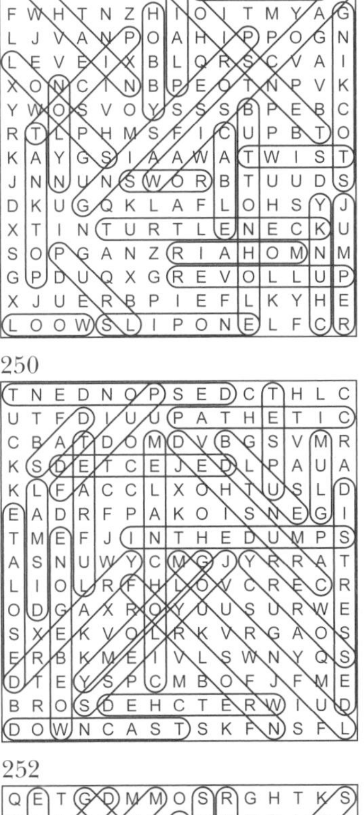

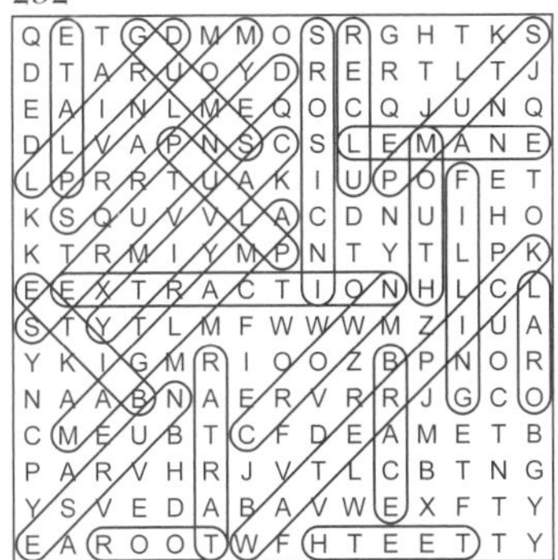

Solutions

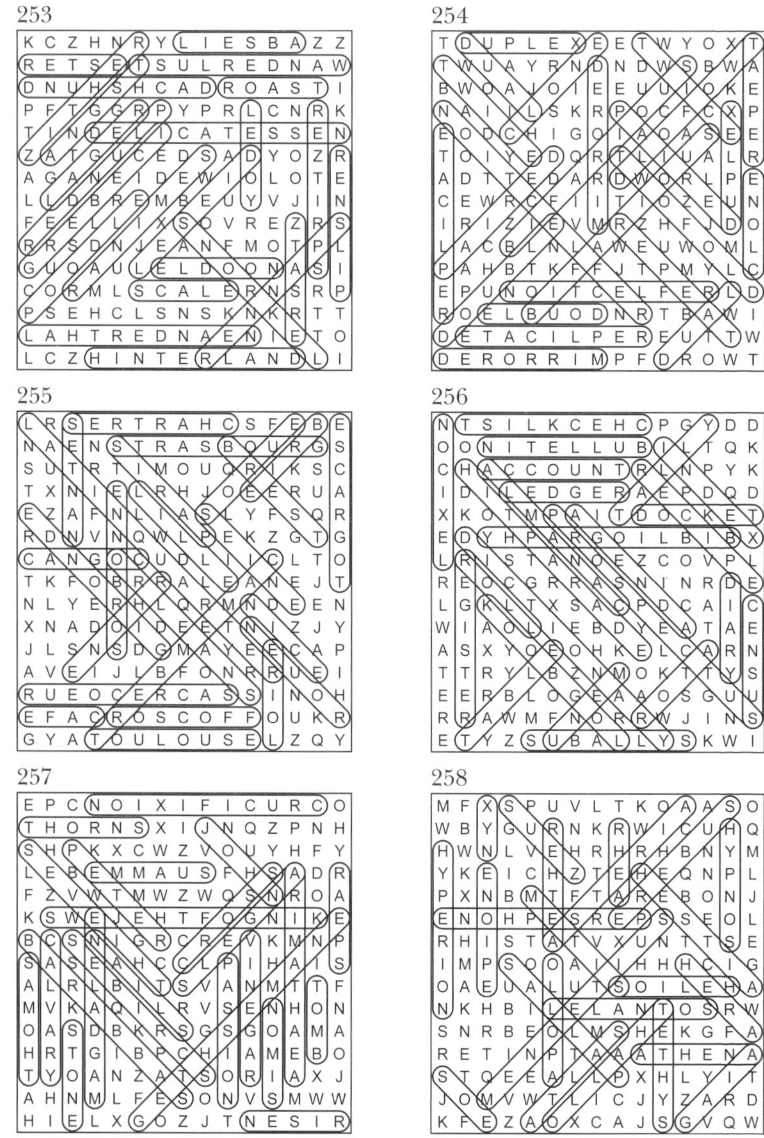

Solutions

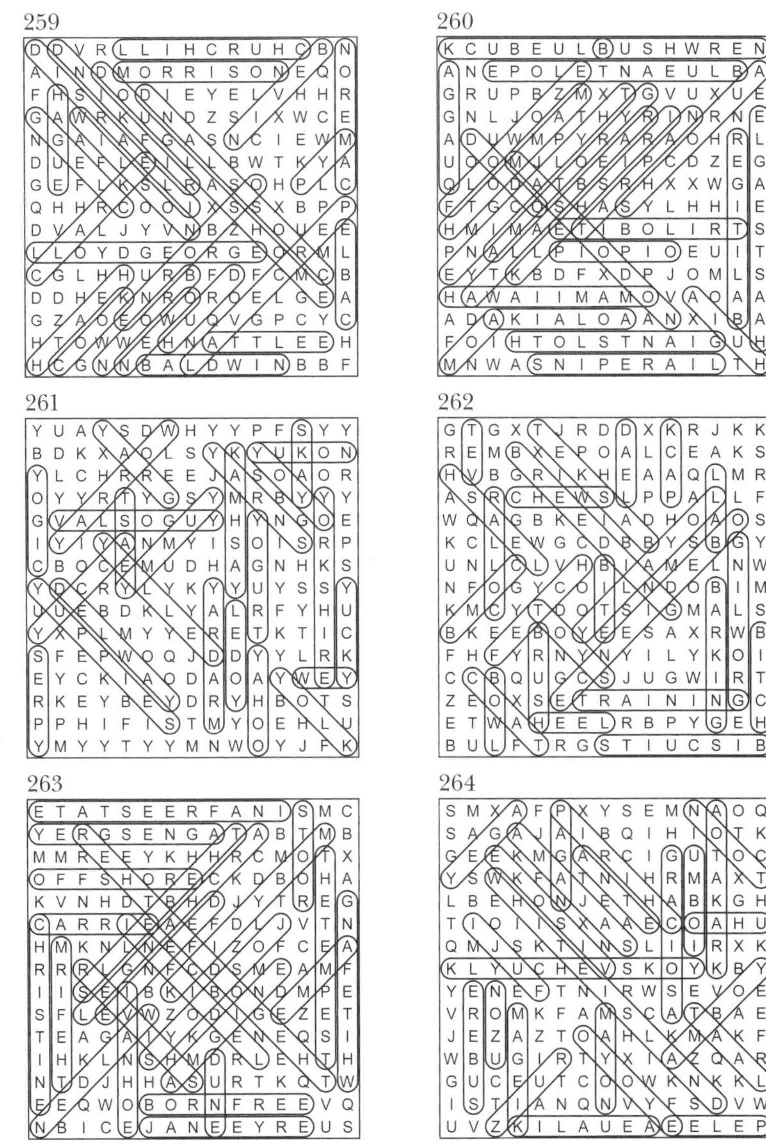

Solutions

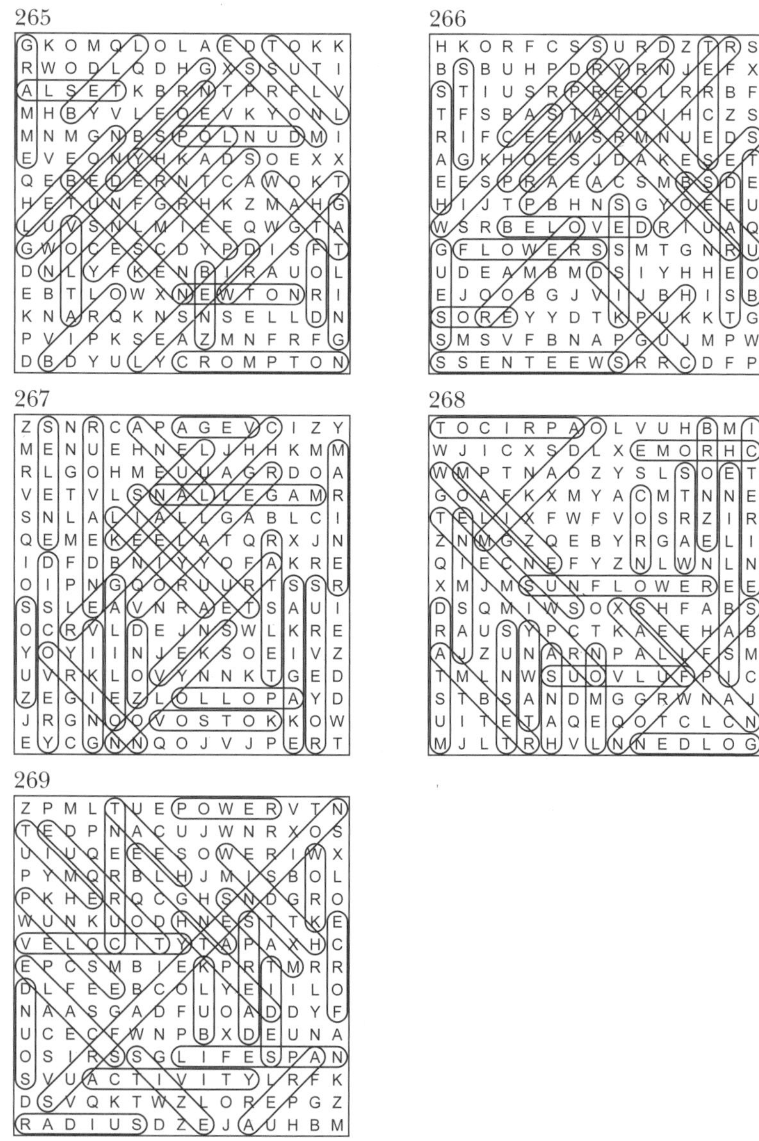